BEITRÄGE ZUR ÖKUMENISCHEN THEOLOGIE 20

MÜNCHENER UNIVERSITÄTSSCHRIFTEN
FACHBEREICH KATHOLISCHE THEOLOGIE

BEITRÄGE ZUR ÖKUMENISCHEN THEOLOGIE
HERAUSGEGEBEN VON HEINRICH FRIES

Band 20

1981

FERDINAND SCHÖNINGH
PADERBORN · MÜNCHEN · WIEN · ZÜRICH

MICHAEL HARDT

Papsttum und Ökumene

Ansätze eines Neuverständnisses
für einen Papstprimat in der protestantischen Theologie
des 20. Jahrhunderts

1981

FERDINAND SCHÖNINGH
PADERBORN · MÜNCHEN · WIEN · ZÜRICH

BX
1805
·H34
1981

CIP-Kurztitelaufnahme der Deutschen Bibliothek

Hardt, Michael:
Papsttum und Ökumene: Ansätze e. Neuverständnisses
für e. Papstprimat in d. protestant. Theologie
d. 20. Jh. / Michael Hardt. — Paderborn;
München; Wien; Zürich: Schöningh, 1981.
  (Münchener Universitätsschriften: Fachbereich
  Kath. Theologie) (Beiträge zur ökumenischen
  Theologie; Bd. 20)
  ISBN 3-506-70770-1
NE: 2. GT

Imprimatur: Paderbornae, d. 26. m. Maii 1979. Vicarius Generalis: Bruno Kresing.

© 1981 by Ferdinand Schöningh at Paderborn

München · Wien · Zürich

Printed in Germany

Gesamtherstellung: Ferdinand Schöningh, Paderborn

ISBN 3-506-70770-1

Inhaltsverzeichnis

Kapitel III:
DAS PAPSTAMT GEMÄSS DEM II. VATIKANISCHEN KONZIL
UND DIE KRITIK PROTESTANTISCHER THEOLOGEN . . . 73

Kapitel IV:
DER WANDEL DES URTEILS PROTESTANTISCHER THEOLO-
GEN ÜBER DAS PAPSTAMT IM NACHKONZILIAREN ÖKUME-
NISCHEN GESPRÄCH 91

Kapitel V:
VERSUCH EINER ANTWORT: DIE ERNEUERUNG DES PAPST-
AMTES AUS KATHOLISCHER SICHT 139

Vorwort

Die vorliegende Abhandlung hat der Katholisch-Theologischen Fakultät der Ludwig-Maximilians-Universität zu München als Inaugural-Dissertation zur Erlangung des Doktorgrades vorgelegen und ist von ihr im Sommersemester 1980 angenommen worden.

Einer guten Tradition folgend möchte ich all denen danken, die mir auf ihre Weise beim Zustandekommen dieser Arbeit behilflich waren. An erster Stelle schulde ich besonderen Dank meinem hochverehrten Lehrer Herrn Prof. Dr. Heinrich Fries, der diese Untersuchung bis zum Abschluß mit seinem Rat begleitet, gefördert und in die Reihe „Beiträge zur ökumenischen Theologie" aufgenommen hat. In seinen ökumenischen Seminaren, die er zusammen mit Prof. Dr. Wolfhart Pannenberg durchführte, ist mir klargeworden, wie sehr die Einheit im Glauben theologisch nahegekommen ist. Herrn Prof. Dr. Heinrich Döring sei für die Erstellung des Korreferates gedankt.

Schließlich möchte ich dankbar des Sektionsleiters am Johann-Adam-Möhler-Institut Paderborn, Herrn Prof. Dr. Albert Brandenburg († 29. 9. 1978) gedenken, der mich während meines Studiums an der Theologischen Fakultät Paderborn in grundlegende ökumenische Fragestellungen einführte und das Thema dieser Arbeit anregte. Er legte mir das Weiterstudium in München nahe und öffnete mir die Wege dorthin.

Im weiteren darf ich Herrn Regens Prälat Dr. Heribert Schmitz nennen, der mich mit vielen guten Wünschen in einer „separatio cordialis" nach München entließ und drei Jahre geduldig wartete, bis ich in die Communio der Kirche von Paderborn zurückkehrte. In München fand ich Aufnahme im altehrwürdigen Herzoglichen Georgianum. Seinem Direktor, Herrn Prälat Prof. DDr. Walter Dürig darf ich für seine guten Werke an dem Gast aus „Preußen" herzlich danken.

Weiteren Dank gilt es abzustatten dem Hochwürdigsten Herrn Erzbischof Dr. Johannes Joachim Degenhardt, der einen sehr großzügigen Druckkostenzuschuß gewährte. Für einen Druckkostenzuschuß danke ich ebenso den Münchener Universitätsschriften.

Unschätzbare Verdienste durch ihre unermüdliche Mithilfe beim Lesen der Korrekturen erwarben sich mein Vater, StD i. R. Josef Hardt, mein Bruder und Confrater, Assessor Alfons Hardt und mein Zwillingsbruder, StR Dr. Thomas Hardt sowie Frau P. Habacker durch die sorgfältige und rasche Anfertigung des Manuskriptes der Dissertation.

Gewidmet sei dieses Buch meinen Eltern, die mir das Promotionsstudium ermöglicht haben.

Paderborn, im März 1981   Michael Hardt

11

Literaturverzeichnis

ALBERIGO, G., *Für ein zum Dienst an der Kirche erneuertes Papsttum*, in: Concilium, 11. Jg. (1975), S. 513—524.

ALLMEN, J. J. v., *Päpstliches Amt — Amt der Einheit*, in: Concilium, 11. Jg. (1975), S. 564—567.

— *Ein reformierter Beitrag zur Frage des Papsttums*, in: Dienst an der Einheit. Zum Wesen und Auftrag des Petrusamtes (Schriften der Katholischen Akademie in Bayern, Bd. 85), hrsg. von J. RATZINGER, Düsseldorf 1978, S. 133—145 = Una Sancta 34.Jg. (1979), S. 27—35.

ALTHAUS, H. L. (Hrsg.), *Ökumenische Dokumente. Quellenstücke über die Einheit der Kirche*, Göttingen 1962.

ALTHAUS, P., *Die christliche Wahrheit*, 4. Aufl., Gütersloh 1958.

— *Grundriß der Dogmatik*, 4. Aufl., Gütersloh 1958.

ANRICH, Art. *Papsttum*, in: RGG, Bd. IV, 2. Aufl., Tübingen 1930, Sp. 918—936.

ARBEITSGEMEINSCHAFT ÖKUMENISCHER UNIVERSITÄTSINSTITUTE, *Reform und Anerkennung kirchlicher Ämter. Ein Memorandum*, München-Mainz 1973.

— (Hrsg.), *Papsttum als ökumenische Frage*, München- Mainz 1979.

ASENDORF, U., *Der Dialog über das Papstamt. Ein Versuch eines lutherischen Kommentars*, in: KNA/ÖKI, Nr. 40 (1975), S. 5—9.

ASMUSSEN, H. - GROSCHE, R., *Brauchen wir einen Papst? Ein Gespräch zwischen den Konfessionen*, Köln-Olten 1957.

AUBERT, R., *Vaticanum I* (Geschichte der ökumenischen Konzilien, Bd. XII), Mainz 1965.

— *Theologische und außertheologische Motivierungen der Befürworter und Gegner des Dogmas von der Unfehlbarkeit des Papstes auf dem I. Vatikanischen Konzil*, in: Kerygma und Mythos VI, Bd. VI, Hamburg 1975, S. 35—43.

AYMANS, W., *Das synodale Element in der Kirchenverfassung* (Münchener Theologische Studien, III. Kanonistische Abteilung, Bd. 30), hrsg. v. K. MÖRSDORF, H. TÜCHLE, W. DÜRIG, München 1970.

BAIER, K. A., *Unitas ex auditu. Die Einheit der Kirche im Rahmen der Theologie Karl Barths* (Basler und Berner Studien zur historischen und systematischen Theologie, Bd. 35), Bern-Frankfurt/M.-Las Vegas 1978.

BALTHASAR, H. U. v., *Der antirömische Affekt. Wie läßt sich das Papsttum in der Gesamtkirche integrieren?* Freiburg-Basel-Wien 1974.

BARAÚNA, G. (Hrsg.), *De Ecclesia. Beiträge zur Konstitution „Über die Kirche" des Zweiten Vatikanischen Konzils*, 2 Bde., Freiburg-Basel-Wien-Frankfurt/M 1966.

BARTH, K., *Die Kirchliche Dogmatik I—IV*, Zürich 1932—1967.

— *Der römische Katholizismus als Frage an die protestantische Kirche*, in: Die Theologie und die Kirche. Gesammelte Vorträge, Zürich 1928, S. 329—363.

— *Die Kirche und die Kirchen* (Theologische Existenz heute, Heft 27), München 1935.

— *Überlegungen zum Zweiten Vatikanischen Konzil*, in: Zwischenstation (Festschrift Karl Kupisch), hrsg. von E. WOLF, München 1963, S. 9—18.

— *Ad Limina Apostolorum*, Zürich 1967.

— *Kirche in Erneuerung*, in: Einheit und Erneuerungen der Kirche, hrsg. vom INSTITUT FÜR ÖKUMENISCHE STUDIEN, Freiburg (Schweiz) 1968, S. 9—18.

13

— *Gesamtausgabe, Predigten 1913*, hrsg. von M. BARTH und G. SAUTER, Zürich 1976.

BAUMANN, R. *Herr, bist Du es? Versuch einer Antwort auf die Papstrede vom 2. Juni 1945*, Stuttgart 1946.

— *Des Petrus Bekenntnis und Schlüssel*, Stuttgart 1950.

— *Evangelische Romfahrt*, Stuttgart 1951.

— *Primat und Luthertum*, Tübingen 1953.

— *Fels der Welt. Kirche des Evangeliums und Papsttum*, Tübingen 1956.

— *Prozeß um den Papst*, Tübingen 1958.

— *Der Lehrprozeß*, Rottweil 1974.

BÄUMER, R., *Martin Luther und der Papst*, Münster 1970.

BEINERT, W., *Die Kirche Christi als Lokalkirche. Die Entwicklung in den ersten fünf Jahrhunderten*, in: Una Sancta, 32. Jg. (1977), S. 114—129.

— *Das Petrusamt und die Ortskirche*, in: *Petrus und Papst. Evangelium — Einheit der Kirche — Papstdienst*, Bd. I, hrsg. von A. BRANDENBURG und H. J. URBAN, Münster 1977, S. 95—116.

BENZ, E., *Von der kirchenrechtlichen zur charismatischen Begründung der Einheit*, in: *Papsttum — heute und morgen*, hrsg. von G. DENZLER, Regensburg 1975, S. 26—34.

BERKHOF, H., *Was kann der Papst Mutiges für die ökumenische Verständigung tun?* In: Concilium, 5. Jg. (1969), S. 308—310.

BETTI, U., *Die Beziehungen zwischen dem Papst und den übrigen Gliedern des Bischofs-kollegiums*, in: *De Ecclesia. Beiträge zur Konstitution „Über die Kirche" des Zweiten Vatikanischen Konzils*, Bd. II, hrsg. von G. BARAÚNA, Freiburg-Basel-Wien-Frankfurt/M-1966, S. 71—83.

BIZER, E., *Luther und der Papst* (Theologische Existenz heute, NF 69), München 1958.

BLANK, J., *Neutestamentliche Petrus-Typologie und Petrusamt*, in: *Concilium, 9. Jg.* (1973), S. 173—179.

— *Gefangener seiner eigenen Tradition*, in: *Papsttum — heute und morgen*, hrsg. von G. DENZLER, Regensburg 1975, S. 35—39.

— *Petrus und Petrusamt im Neuen Testament*, in: *Papsttum als ökumenische Frage*, hrsg. von der ARBEITSGEMEINSCHAFT ÖKUMENISCHER UNIVERSITÄTSINSTITUTE, München-Mainz 1979, S. 59—103.

BLÄSER, P., *Das Ende der Spaltung zwischen römisch-katholischer Kirche und anglikanischer Gemeinschaft in Sicht?* In: Una Sancta, 32. Jg. (1977), S. 2—5.

BRANDENBURG, A., *Lutherforschung — Lutherinterpretation heute*, in: Theologie und Glaube, 65. Jg. (1975), S. 366—378.

— *Evangelium und Papsttum. Bei Luther — Und bei Papst Paul VI.*, in: *Petrus und Papst. Evangelium — Einheit der Kirche — Papstdienst*, Bd. I, hrsg. von A. BRANDENBURG und H. J. URBAN, Münster 1977, S. 255—265.

— (Mithrsg.) *Petrus und Papst. Evangelium — Einheit der Kirche — Papstdienst*, 2 Bde., Münster 1977—1978.

BROWN, R. / DONFRIED K. P. / REUMANN, J. (Hrsg.), *Der Petrus der Bibel. Eine ökumenische Untersuchung*, Stuttgart 1976.

BRUNNER, P., *Die Einheit der Kirche und die Verwirklichung der Kirchengemeinschaft*, in: *Pro Ecclesia. Gesammelte Aufsätze zur dogmatischen Theologie*, Bd. I, 2. Aufl., Berlin-Hamburg 1962, S. 225—234.

— *Die Kirche und die Kirchen heute. Thesen zu einer konkreten Ekklesiologie und einem ökumenischen Ethos*, in: *Pro Ecclesia. Gesammelte Aufsätze zur dogmatischen Theologie*, Bd. II, Berlin-Hamburg 1966, S. 225—231.

— *Koinonia. Grundlagen und Grundformen der Kirchengemeinschaft*, in: *Pro Ecclesia. Gesammelte Aufsätze zur dogmatischen Theologie*, Bd. II, Berlin-Hamburg 1966, S. 305—322.

— *Die Reformation Martin Luthers als kritische Frage an die Zukunft der Christenheit*, in: *Bemühungen um die einigende Wahrheit*, Göttingen 1977, S. 34-57.

14

— *Vom Wesen der Kirche*, in: *Pro Ecclesia. Gesammelte Aufsätze zur dogmatischen Theologie*, Bd. *II*, Berlin-Hamburg 1966, S. 283—294.

— *Das Geheimnis der Trennung und die Einheit der Kirche*, in: *Konzil und Evangelium. Lutherische Stimmen zum kommenden römisch-katholischen Konzil*, hrsg. von K. E. SKYDSGAARD, Göttingen 1962, S. 168—209.

— *Was bedeutet Bindung an das lutherische Bekenntnis heute*, in: *Pro Ecclesia. Gesammelte Aufsätze zur dogmatischen Theologie*, Bd. *I*, 2. Aufl., Berlin-Hamburg 1962, S. 46—55.

— *Evangelium und Papsttum*, in: Evangelisch-Lutherische Kirchenzeitung 10. Jg. (1956), S. 437—443.

— *Reform — Reformation. Einst — Heute. Elemente eines ökumenischen Dialoges im 450. Gedächtnisjahr von Luthers Ablaßthesen*, in: *Bemühungen um die einigende Wahrheit*, Göttingen 1977, S. 9—33.

BUTLER, C., *Das I. Vatikanische Konzil*, übersetzt von H. LANG, 2. Aufl., München 1961.

CERETI, G. / SARTORI, L., *Die Kurie im Dienst eines erneuerten Papsttums*, in: Concilium, 11. Jg. (1975), S. 580—587.

CONGAR, Y., *Titel, welche für den Papst verwendet werden*, in: Concilium, 11. Jg. (1975), S. 538—544.

CULLMANN, O., *Petrus. Jünger, Apostel, Märtyrer*, Zürich 1952.

— *Die „offenen Türen" des Konzils*, in: Materialdienst des Konfessionskundlichen Instituts Bensheim, 15. Jg. (1964), S. 101—103.

— *Die Reformbestrebungen des 2. Vatikanischen Konzils im Lichte der Geschichte der katholischen Kirche*, in: Theologische Literaturzeitung 92. Jg. (1967), Sp. 1—22.

— *Die kritische Rolle der heiligen Schrift*, in: *Die Autorität der Freiheit. Gegenwart des Konzils und Zukunft der Kirche im ökumenischen Disput*, Bd. *I*, hrsg. von J. C. HAMPE, München 1967, S. 189—197.

— *Papsttum als charismatischer Dienst*, in: *Papsttum — heute und morgen*, hrsg. von G. DENZLER, Regensburg 1975, S. 44—47.

DEJAIFVE, G., *Der Erste unter den Bischöfen. Über den Zusammenhang von Primat und Bischofskollegium*, in: Theologie und Glaube, 51. Jg. (1961), S. 1—22.

DENZLER, G. (Hrsg.), *Das Papsttum in der Diskussion*, Regensburg 1974,

— (Hrsg.), *Papsttum — heute und morgen*, Regensburg 1975.

DENZLER-CHRIST-TRILLING-STOCKMEIER-DE VRIES-LIPPERT, *Zum Thema Petrusamt und Papsttum*, Stuttgart 1970.

DIETZFELBINGER, H., *Konzil und Kirche der Reformation*, in: *Dialog unterwegs. Eine evangelische Bestandsaufnahme zum Konzil*, hrsg. von G. A. LINDBECK, Göttingen 1965, S. 259—273.

DIETZFELBINGER, W., *Ökumenische Fragen an die Kirchenkonstitution*, in: *Die Autorität der Freiheit. Gegenwart des Konzils und Zukunft der Kirche im ökumenischen Disput*, Bd. *I*, hrsg. von J. C. HAMPE, München 1967, S. 325—335.

— *Die Hierarchie der Wahrheiten*, in: *Die Autorität der Freiheit. Gegenwart des Konzils und Zukunft der Kirche im ökumenischen Disput*, Bd. *II*, hrsg. von J. C. HAMPE, München 1967, S. 619—624.

FINKENZELLER, J., *Glaube ohne Dogma? Dogma, Dogmenentwicklung und kirchliches Lehramt* (Schriften der Katholischen Akademie in Bayern), Düsseldorf 1972.

FRIELING, R., *Katholisch-Lutherische Konvergenzen in den USA*, in: Materialdienst des Konfessionskundlichen Instituts Bensheim, 25. Jg. (1974), S. 76—78.

— *Generalsekretär der Gemeinschaft aller Kirchen*, in: *Papsttum — heute und morgen*, hrsg. von G. DENZLER, Regensburg 1975, S. 58—60.

— *Mit, nicht unter dem Papst*, in: Materialdienst des Konfessionskundlichen Instituts Bensheim, 28. Jg. (1977), S. 52—60.

— *Versöhnte Verschiedenheit und/oder korporative Wiedervereinigung*, in: *Petrus und*

15

Papst. Evangelium — Einheit der Kirche — Papstdienst, Bd. *II*, hrsg. von A. BRANDENBURG und H. J. URBAN, Münster 1978, S. 204—219.

FRIES, H., *Kirche als Ereignis. Zu Karl Barths Lehre von der Kirche*, in: Catholica, 11. Jg. (1958), S. 81—107.

— *Ex sese, non ex consensu ecclesiae*, in: Volk Gottes. *Zum Kirchenverständnis der katholischen, evangelischen und anglikanischen Theologie (Festgabe J. Höfer)*, hrsg. von R. BÄUMER und H. DOLCH, Freiburg-Basel-Wien 1967, S. 480—500.

— *Der ekklesiologische Status der evangelischen Kirche in katholischer Sicht*, in: Aspekte der Kirche, Stuttgart 1963, S. 123—152.

— *Die römisch-katholische Kirche*, in: KONRAD ALGERMISSEN, *Konfessionskunde*, hrsg. vom JOHANN-ADAM-MÖHLER-INSTITUT, 8. Aufl., Paderborn 1969, S. 4—75.

— *Stellenwert der kontroverstheologischen Fragen in der Ökumene heute*, in: Ökumene statt Konfessionen? Frankfurt/M 1977, S. 104—136.

— *Das Ringen der Kirche um Einheit*, in: Ökumene statt Konfessionen? Frankfurt/M 1977, S. 9—43.

— *Das Papsttum als ökumenische Frage*, in: Glaube und Kirche als Angebot, Graz-Wien-Köln 1976, S. 280—314.

GANOCZY, A., *Amt — Episkopat — Primat*, in: Katholizität und Apostolizität. Beiheft zu Kerygma und Dogma 2, Göttingen 1971, S. 152—167.

— *Wie kann die Kollegialität dem päpstlichen Primat gegenüber aufgewertet werden?* In: Concilium, 7. Jg. (1971), S. 267—273.

— *Wesen und Wandel der Ortskirche*, in: Theologische Quartalschrift, 158. Jg. (1978), S. 2—14.

GASSMANN, G., *Erwägungen zu zwei bilateralen Dialogen*, in: Petrus und Papst. Evangelium — Einheit der Kirche — Papstdienst, Bd. *I*, hrsg. von A. BRANDENBURG und H. J. URBAN, Münster 1977, S. 170—182.

— *Papstprimat über Lutheraner? Amerikaner spielen ein Modell der Einheit durch*, in: Lutherische Monatshefte, 13. Jg. (1974), S. 217—219.

GRÄSSER, E., *Neutestamentliche Grundlagen des Papsttums?* In: Papsttum als ökumenische Frage, hrsg. von der ARBEITSGEMEINSCHAFT ÖKUMENISCHER UNIVERSITÄTSINSTITUTE, München-Mainz 1979, S. 33—58.

GRESHAKE, G., *Die Tragweite der Entscheidungen des I. Vatikanischen Konzils über den Primat des Papstes*, in: Una Sancta, 34. Jg. (1979), S. 56—78.

GROOT, J. C., *Die horizontalen Aspekte der Kollegialität*, in: De Ecclesia. Beiträge zur Konstitution „Über die Kirche" des Zweiten Vatikanischen Konzils, Bd. *II*, hrsg. von G. BARAÚNA, Freiburg-Basel-Wien-Frankfurt/M 1966, S. 84—105.

HAJJAR, J., *Die bischöfliche Kollegialität in der östlichen Tradition*, in: De Ecclesia. Beiträge zur Konstitution „Über die Kirche" des Zweiten Vatikanischen Konzils, Bd. *II*, hrsg. von G. BARAÚNA, Freiburg-Basel-Wien-Frankfurt/M 1966, S. 125 bis 147.

HAMPE, J. C. (Hrsg.), *Die Autorität der Freiheit. Gegenwart des Konzils und Zukunft der Kirche im ökumenischen Disput*, 3 Bde., München 1967.

— *Autorität durch Freiheit*, in: Papsttum — heute und morgen, hrsg. von G. DENZLER Regensburg 1975, S. 65—68.

HASENHÜTTL, G., *Nicht mitherrschen, sondern mitdienen*, in: Papsttum — heute und morgen, hrsg. von G. DENZLER, Regensburg 1975, S. 69—72.

HERTLING, L., *Communio und Primat. Kirche und Papsttum in der christlichen Antike*, in: Una Sancta, 17. Jg. (1962), S. 91—125.

HESSLER, H. W. (Hrsg.), *Daressalam. Offizieller Bericht der Sechsten Vollversammlung des Lutherischen Weltbundes*, Frankfurt/M o. J.

HEYER, F., *Das Petrusamt — evangelisch anvisiert*, in: Petrus und Papst. Evangelium —

Einheit der Kirche — Papstdienst, Bd. II, hrsg. von A. BRANDENBURG und H. J. URBAN, Münster 1978, S. 228—232.

HILL, C., Report on Anglican/Roman Catholic Relations and National Anglican/Roman Catholic Dialogues, 1977—78, in: One in Christ, 15. Jg. (1979), S. 170—189.

HIRSCH, E., Das Wesen des reformatorischen Christentums, Berlin 1963.

HOFFMANN, P., Die Bedeutung des Petrus für die Kirche des Mattäus, in: Dienst an der Einheit. Zum Wesen und Auftrag des Petrusamtes (Schriften der Katholischen Akademie in Bayern, Bd. 85), hrsg. von J. RATZINGER, Düsseldorf 1978, S. 9—26.

HORST, F. VAN DER, Das Schema über die Kirche auf dem I. Vatikanischen Konzil (Konfessionskundliche und kontroverstheologische Studien, Bd. 7), Paderborn 1963.

JÜNGEL, E., Chance christlicher Ökumene, in: Papsttum — heute und morgen, hrsg. von G. DENZLER, Regensburg 1975, S. 85—86.

KASPER, W., Primat und Episkopat nach dem Vaticanum I, in: Theologische Quartalschrift, 142. Jg. (1962), S. 47—83.

— Geschichtlichkeit der Dogmen, in: Stimmen der Zeit, 92. Jg. (1967), S. 401—416.

— Bleibendes und Veränderliches im Petrusamt, in: Concilium, 11. Jg. (1975), S. 525—531.

— Ist der Papst kein Bischof? In: Theologische Quartalschrift, 158. Jg. (1978), S. 71—73.

— Dienst an der Einheit und Freiheit der Kirche, in: Dienst an der Einheit. Zum Wesen und Auftrag des Petrusamtes (Schriften der Katholischen Akademie in Bayern, Bd. 85), hrsg. von J. RATZINGER, Düsseldorf 1978, S. 81—104.

KELLY, J. N. D., Die Konstitution vom anglikanischen Standpunkt aus gesehen, in: De Ecclesia, Beiträge zur Konstitution „Über die Kirche" des Zweiten Vatikanischen Konzils, Bd. II, hrsg. von G. BARAUNA, Freiburg-Basel-Wien-Frankfurt/M 1966, S. 526—535.

KLOSTERMANN, F., Dienst an der Einheit im Glauben, in: Papsttum — heute und morgen, hrsg. von G. DENZLER, Regensburg 1975, S. 87—91.

KLÜBER, F., Charisma als Sand im Getriebe des päpstlichen Systems, in: Papsttum — heute und morgen, hrsg. von G. DENZLER, Regensburg 1975, S. 92—95.

KORTZFLEISCH, S. v., Freundlich vom Papsttum reden, in: Papsttum — heute und morgen, hrsg. von G. DENZLER, Regensburg 1975, S. 96—98.

KRÜGER, H. / MÜLLER-RÖMHELD, W. (Hrsg.), Bericht aus Nairobi, Frankfurt/M 1976.

KÜNG, H., Rechtfertigung. Die Lehre Karl Barths und eine katholische Besinnung, Einsiedeln 1957.

— Unfehlbar? Eine Anfrage, Zürich-Einsiedeln-Köln 1970.

— Fehlbar? Eine Bilanz, Zürich-Einsiedeln-Köln 1973.

— Die Kirche, Freiburg-Basel-Wien 1967 (Taschenbuchausgabe, München 1977).

LANNE, E., Schwesterkirchen — Ekklesiologische Aspekte des Tomos Agapis, in: Auf dem Weg zur Einheit des Glaubens, hrsg. von PRO ORIENTE, Innsbruck-München-Wien 1976, S. 54—82.

LA VALLE, R., Das Engagement des Papstes als des Bischofs von Rom, in: Concilium, 11. Jg. (1975), S. 550—557.

LILL, R., Historische Voraussetzungen des Dogmas vom Universalepiskopat und von der Unfehlbarkeit des Papstes, in: Stimmen der Zeit, 95. Jg. (1970), S. 289—303.

LINDBECK, G. A., Das Konzil des Papstes Johannes XXIII., in: Dialog unterwegs. Eine evangelische Bestandsaufnahme zum Konzil, hrsg. von G. A. LINDBECK, Göttingen 1965, S. 29—59.

— Was für ein Symbol der Einheit? Wie Lutheraner über das Papsttum denken, in: Lutherische Monatshefte, 16. Jg. (1977), S. 408—412.

LOEWENICH, W. v., Dogmatischer Absolutismus? In: Papsttum — heute und morgen, hrsg. von G. DENZLER, Regensburg 1975, S. 115—117.

MARON, G., Der römische Katholizismus nach dem Konzil. Grundriß einer Analyse, in: Materialdienst des Konfessionskundlichen Instituts Bensheim, 17. Jg. (1966), S. 1—8.

– *Kirche und Rechtfertigung. Eine kontrovers-theologische Untersuchung, ausgehend von den Texten des Zweiten Vatikanischen Konzils,* Göttingen 1969.

– *Evangelischer Bericht vom Konzil. 3. Session* (Bensheimer Hefte, Nr. 26), Göttingen 1965.

MEINHOLD, P., *Die Konstitution „De Ecclesia" in evangelisch-lutherischer Sicht,* in: *De Ecclesia. Beiträge zur Konstitution „Über die Kirche" des Zweiten Vatikanischen Konzils, Bd. II,* hrsg. von G. BARAÚNA, Freiburg-Basel-Wien-Frankfurt/M 1966, S. 536—549.

– *Das Amt der Einheit,* in: KNA/ÖKI, Nr. 36 (1975), S. 5—7.

MEYER, H., *Das Papsttum in lutherischer Sicht,* in: *Papsttum und Petrusdienst* (Ökumenische Perspektiven 7), hrsg. von H. STIRNIMANN / L. VISCHER, Frankfurt/M 1975, S. 73—90.

MÖHLER, J. A., *Symbolik, oder Darstellung der dogmatischen Gegensätze der Katholiken und Protestanten nach ihren öffentlichen Bekenntnisschriften,* 3. Aufl., Mainz 1834.

MOLTMANN, J., *Ein ökumenisches Papsttum?* In: *Papsttum als ökumenische Frage,* hrsg. von der ARBEITSGEMEINSCHAFT ÖKUMENISCHER UNIVERSITÄTSINSTITUTE, München-Mainz 1979, S 251—261.

MÖRSDORF, K., *Das synodale Element der Kirchenverfassung im Lichte des Zweiten Vatikanischen Konzils,* in: *Volk Gottes. Zum Kirchenverständnis der katholischen, evangelischen und anglikanischen Theologie* (Festgabe J. Höfer), hrsg. von R. BÄUMER / H. DOLCH, Freiburg-Basel-Wien 1967, S. 568—584.

MÜHLEN, H., *Der Kirchenbegriff des Konzils,* in: *Die Autorität der Freiheit. Gegenwart des Konzils und Zukunft der Kirche im ökumenischen Disput, Bd. I,* hrsg. von J. C. HAMPE, München 1967, S. 291—313.

MÜLHAUPT, E., *Vergängliches und Unvergängliches an Luthers Papstkritik,* in: Luther-Jahrbuch, 26. Jg. (1959), S. 56—74.

MÜLLER, A., *Früchte des Geistes nicht nur in vatikanischen Gärten,* in: *Papsttum — heute und morgen,* hrsg. von G. DENZLER, Regensburg 1975, S. 127—130.

MÜLLER, G., *Luther und das Papsttum,* in: *Das Papsttum in der Diskussion,* hrsg. von G. DENZLER, Regensburg 1974, S. 73—101.

MUND, H. J. (Hrsg.), *Das Petrusamt in der gegenwärtigen theologischen Diskussion,* Paderborn 1976.

MUSSNER, F., *Petrus und Paulus — Pole der Einheit* (Quaestiones disputatae 76), Freiburg-Basel-Wien 1976.

– *Petrusgestalt und Petrusdienst in der Sicht der späten Urkirche,* in: *Dienst an der Einheit. Zum Wesen und Auftrag des Petrusamtes* (Schriften der Katholischen Akademie in Bayern, Bd. 85) hrsg. von J. RATZINGER, Düsseldorf 1978, S. 27—45.

NEUMANN, J., *Das Kirchenrecht vor seiner Revision,* in: *Die Autorität der Freiheit. Gegenwart des Konzils und Zukunft der Kirche im ökumenischen Disput, Bd. II,* hrsg. von J. C. HAMPE, München 1967, S. 488—527.

OBRIST, F., *Echtheitsfragen und Deutung der Primatsstelle Mt 16, 18 f. in der deutschen protestantischen Theologie der letzten dreißig Jahre* (Neutestamentliche Abhandlungen, Bd. 21), Münster 1961.

OHLIG, K. H., *Braucht die Kirche einen Papst?* Düsseldorf 1973.

– *Reformen müssen erzwungen werden,* in: *Papsttum — heute und morgen,* hrsg. von G. DENZLER, Regensburg 1975, S. 142—145.

OTT, H., *Die Lehre des I. Vatikanischen Konzils. Ein evangelischer Kommentar* (Begegnung, Bd. 4), Basel 1963.

– *Kann ein Petrusdienst in der Kirche einen Sinn haben?* In: Concilium, 7. Jg. (1971), S. 292—295.

PANNENBERG, W., *Einheit der Kirche als Glaubenswirklichkeit und als ökumenisches Ziel,* in: Una Sancta, 30. Jg. (1975), S. 216—222.

18

PESCH, O. H., *Moderne Variante eines „Hofnarren"*, in: *Papsttum — heute und morgen*, hrsg. von G. DENZLER, Regensburg 1975, S. 158-163.
— *Bilanz der Diskussion um die vatikanische Primats- und Unfehlbarkeitsdefinition*, in: *Papsttum als ökumenische Frage*, hrsg. von der ARBEITSGEMEINSCHAFT ÖKUMENISCHER UNIVERSITÄTSINSTITUTE, München-Mainz, S. 159—211.
POTTMEYER, H. J., *Unfehlbarkeit und Souveränität. Die päpstliche Unfehlbarkeit im System der ultramontanen Ekklesiologie des 19. Jahrhunderts* (Tübinger Theologische Studien, Bd. 5), Mainz 1975.
— *Petrusamt in der Spannung von Amt und Charisma*, in: Una Sancta, 31. Jg. (1976), S. 229—309.
— *Die Bedingungen des bedingungslosen Unfehlbarkeitsanspruchs*, in: Theologische Quartalschrift, 159. Jg. (1979), S. 92—109.
— *Der historische Hintergrund der Aussagen des I. Vatikanischen Konzils über den Jurisdiktionsprimat des Papstes*, in: Una Sancta, 34. Jg. (1979), S. 48—55.
QUANBECK, W. A., *Nach dem Konzil. Das Gespräch*, in: Lutherische Rundschau, 15. Jg. (1965), S. 121—134.
— *Das Dekret über die Hirtenaufgabe der Bischöfe*, in: *Wir sind gefragt. Antworten evangelischer Konzilsbeobachter*, hrsg. von F. W. KANTZENBACH und V. VAJTA, Göttingen 1966, S. 62—79.
RAFFALT, R., *Wohin steuert der Vatikan?* München-Zürich 1973.
RAHNER, K. / RATZINGER, J., *Episkopat und Primat* (Quaestiones disputatae 11), 2. Aufl., Freiburg-Basel-Wien 1961.
RAHNER, K., *Überlegungen zur Dogmenentwicklung*, in: Schriften zur Theologie, Bd. IV, Einsiedeln-Zürich-Köln 1960, S. 11—50.
— *Grundsätzliche Bemerkungen zum Thema: Wandelbares und Unwandelbares in der Kirche*, in: Schriften zur Theologie, Bd. X, Einsiedeln-Zürich-Köln 1972, S. 241—261.
— *Das neue Bild der Kirche*, in: Schriften zur Theologie, Bd. VIII, Einsiedeln-Zürich-Köln 1967, S. 329—354.
— *Kommentar zu Kapitel III der Kirchenkonstitution, Art. 18—27*, in: LThK, Das Zweite Vatikanische Konzil, Teil I, 2. Aufl., Freiburg-Basel-Wien 1966, S. 210—247.
— (Hrsg.), *Zum Problem Unfehlbarkeit. Antworten auf die Anfrage von H. Küng* (Quaestiones disputatae 54), Freiburg-Basel-Wien 1971.
— *Offene Fragen in der Lehre vom päpstlichen Primat*, in: Una Sancta, 34. Jg. (1979), S. 44—47.
RATZINGER, J., *Die bischöfliche Kollegialität*, in: De Ecclesia. Beiträge zur Konstitution „Über die Kirche" des Zweiten Vatikanischen Konzils, Bd. II, hrsg. von G. BARAÚNA, Freiburg-Basel-Wien-Frankfurt/M 1966, S. 44—70.
— *Kommentar zu den „Bekanntmachungen"*, in: LThK, Das Zweite Vatikanische Konzil, Teil I, 2. Aufl., Freiburg-Basel-Wien 1966, S. 348—359.
— *Das Neue Volk Gottes. Entwürfe zur Ekklesiologie*, 2. Aufl., Düsseldorf 1977.
— (Hrsg.), *Dienst an der Einheit. Zum Wesen und Auftrag des Petrusamtes* (Schriften der Katholischen Akademie in Bayern, Bd. 85), Düsseldorf 1978.
— *Prognosen für die Zukunft des Ökumenismus*, in: Ökumene — Konzil — Unfehlbarkeit, hrsg. im Auftrag von PRO ORIENTE, Innsbruck-Wien-München 1979, S. 208 bis 215.
SASS, G., *Der Fels der Kirche*, Neukirchen 1957.
SAUSER, E., *Woher kommt Kirche? Ortskirchen der Frühzeit und Kirchenbewußtsein heute*, Frankfurt/M 1978.
SCHEELE, P. W., *Das Kirchesein der Getrennten*, in: Alle Eins. Theologische Beiträge II, Paderborn 1979, S. 202—219.
SCHEFFCZYK, L., *Das Unwandelbare im Petrusamt*, Berlin 1971.
— *Dogma der Kirche — heute noch verstehbar?* Berlin 1973.

19

SCHLINK, E., *Nach dem Konzil*, München-Hamburg 1966.
— *Bericht über das Zweite Vatikanische Konzil vor der Synode der Evangelischen Kirche in Deutschland*, in: Kerygma und Dogma, 12. Jg. (1966), S. 235—254.
— *Das Dekret über den Ökumenismus*, in: Dialog unterwegs. Eine evangelische Bestandsaufnahme zum Konzil, Göttingen 1965, S. 197—235.
— *Auf dem Weg des Konzils fortschreiten*, in: Papsttum — heute und morgen, hrsg. von G. DENZLER, Regensburg 1975, S. 182—185.
SCHWAIGER, G., *Päpstlicher Primat und Autorität der Allgemeinen Konzilien im Spiegel der Geschichte*, Paderborn-München-Wien 1977.
— *Der päpstliche Primat in der Geschichte der Kirche*, in: Zeitschrift für Kirchengeschichte, 82. Bd. (1971), S. 1—15.
— (Hrsg.), *Hundert Jahre nach dem Ersten Vatikanum*, Regensburg 1970.
SEEBER, D. A., *Ende und Anfang. Zum Pontifikatswechsel*, in: Herderkorrespondenz, 32. Jg. (1978), S. 425—435.
SENESTREY, I. v., *Wie es zur Definition der päpstlichen Unfehlbarkeit kam. Tagebuch vom 1. Vatikanischen Konzil* (Frankfurter Theologische Studien, Bd. 24), hrsg. von K. SCHATZ, Frankfurt/M 1977.
STECK, K. G., *Lumen Gentium? Zum Verständnis der „Constitutio dogmatica de ecclesia"*, in: Materialdienst des Konfessionskundlichen Instituts Bensheim, 16. Jg. (1965), S. 85—90.
— *Was trennt uns von der römischen Kirche?* Wuppertal-Barmen 1958.
— *Recht und Grenzen kirchlicher Vollmacht* (Theologische Existenz heute, NF Nr. 54), München 1956.
— *Der evangelische Christ und die römische Kirche* (Theologische Existenz heute, NF Nr. 33), München 1952.
STIRNIMANN, H. / VISCHER, L., *Papsttum und Petrusdienst* (Ökumenische Perspektiven 7), Frankfurt/M 1975.
STOCKMEIER, P., *Das Petrusamt in der frühen Kirche*, in: G. DENZLER u. a., Zum Thema Petrusamt und Papsttum, Stuttgart 1970, S. 61—79.
TENHUMBERG, H., *Kirchliche Union bzw. korporative Wiedervereinigung. Überlegungen zu Ziel und Bedeutung ökumenischer Bestrebungen*, in: Kirche und Gemeinde (Festschrift H. Thimme), hrsg. von W. DANIELSMEYER und C. H. RATSCHOW, Witten 1974, S. 22—33.
TIERNEY, B., *Historische Modelle für das Papsttum*, in: Concilium, 11. Jg. (1975), S. 544—550.
URBAN, H. J., *Der reformatorische Protest gegen das Papsttum*, in: Catholica, 30. Jg. (1976), S. 295—319.
— (Mithrsg.), *Petrus und Papst. Evangelium — Einheit der Kirche — Papstdienst*, 2 Bde., Münster 1977—1978.
VINAY, V., *Rom und die Anderen* (Bensheimer Hefte, Nr. 29), Göttingen 1965.
VISCHER, L., *Nach der dritten Session des II. Vatikanischen Konzils*, in: Ökumenische Rundschau, 14. Jg. (1965), S. 97—116.
— *Petrus und der Bischof von Rom — ihre Dienste in der Kirche*, in: Papsttum und Petrusdienst (Ökumenische Perspektiven 7), hrsg. von H. STIRNIMANN / L. VISCHER, Frankfurt/M 1975, S. 35—50.
VÖGTLE, A., Art. *Petrus, Apostel*, in: LThK, Bd. 8, 2. Aufl., Freiburg 1963, Sp. 334—340.
VRIES, W. DE, *Die Entwicklung des Primats in den ersten drei Jahrhunderten*, in: Papsttum als ökumenische Frage, hrsg. von der ARBEITSGEMEINSCHAFT ÖKUMENISCHER UNIVERSITÄTSINSTITUTE, München—Mainz 1979, S. 114—133.
— *Die kollegiale Struktur der Kirche in den ersten Jahrhunderten*, in: Una Sancta, 19. Jg. (1964), S. 296—317.
— *Der Primat als ökumenische Frage*, in: Ostkirchliche Studien, 25. Jg. (1976), S. 273—284.

Quellenverzeichnis

Akten der Fuldaer Bischofskonferenz, Band I 1871—1887, bearbeitet von E. GATZ, hrsg. von R. MORSEY, Mainz 1977.

Amt und universale Kirche. Unterschiedliche Einstellungen zum päpstlichen Primat. Bericht der offiziellen lutherisch/römisch-katholischen Dialoggruppe in den USA vom Mai 1974, in: *Papsttum und Petrusdienst* (Ökumenische Perspektiven 7), hrsg. von H. STIRNIMANN / L. VISCHER, Frankfurt/M 1975, S. 91—140 (Englischer Originaltitel: *Ministry and the Church Universal. Differing Attitudes Towards Papal Primacy*, in: *Papal Primacy and the Universal Church* (Lutherans and Catholics in Dialogue V), edited by P. C. EMPIE and T. A. MURPHY, Mineapolis 1974).

Autorität in der Kirche. Weitgehende Übereinstimmung über den Primat des Papstes. Bericht der anglikanisch/römisch-katholischen internationalen Kommission, Venedig 1976, in: KNA Dokumentation, Nr. 2 (Februar 1977), S. 1—9 (Englischer Originaltitel: *Authority in the Church*, in: *The Three Agreed Statements*, Cowley, Oxford o. J., S. 27—48).

DENZINGER, H. / SCHÖNMETZER, A., *Enchiridion Symbolorum. Definitionum Et Declarationum De Rebus Fidei Et Morum*, 35. Aufl., Barcelona-Freiburg-Rom 1973.

Die Bekenntnisschriften der evangelisch-lutherischen Kirche, hrsg. im Gedenkjahr der Augsburgischen Konfession 1930, 2. verbesserte Aufl., Göttingen 1952.

Gemeinsame Synode der Bistümer in der Bundesrepublik Deutschland. Beschlüsse der Vollversammlung. Offizielle Gesamtausgabe I, 2. Aufl., Freiburg-Basel-Wien 1976.

Kollektiverklärung des deutschen Episkopats aus Januar/Februar 1875, in: NEUNER-ROOS, *Der Glaube der Kirche in den Urkunden der Lehrverkündigung*, 8. Aufl., neu bearbeitet von K. RAHNER und K. H. WEGER, Regensburg 1971, Nr. 455—458.

LThK, Das Zweite Vatikanische Konzil. Konstitutionen, Dekrete und Erklärungen. Lateinisch und Deutsch, 3 Bde., hrsg. von H. S. BRECHTER u. a., 2. Aufl., Freiburg-Basel-Wien 1966—1968.

MANSI, J. D., *Sacrorum conciliorum nova et amplissima collectio*, 31 Bde., Florenz-Venedig 1757—1798; Neudruck und Fortsetzung, hrsg. von L. PETIT und J. B. MARTIN, 60 Bde., Paris 1899—1927.

Ökumenische Dokumente. Quellenstücke über die Einheit der Kirche, hrsg. von H. L. ALTHAUS, Göttingen 1962.

RAHNER, K. / VORGRIMMLER, H., *Kleines Konzilskompendium*, 8. Aufl., Freiburg i. Br. 1972.

Um Amt und Herrenmahl. Dokumente zum evangelisch/römisch-katholischen Gespräch (Ökumenische Dokumentation I), hrsg. von G. GASSMANN u. a., 2. Aufl., Frankfurt/M 1974.

Abkürzungsverzeichnis

a. a. O.	— am angeführten (angegebenen) Ort
AAS	— Acta Apostolicae Sedis
ACC	— Anglican Consultative Council
ARCIC	— Anglican-Roman Catholic International Commission (anglikanisch/ römisch-katholische internationale Kommission)
Art.	— Artikel
Aufl.	— Auflage
A. v.	— aliis verbis
Bd.	— Band
bzw.	— beziehungsweise
C A	— Confessio Augustana
christ.	— christlich
sc.	— scilicet (ergänze)
ders.	— derselbe
d. h.	— das heißt
DS	— Denzinger-Schönmetzer
Ebd.	— ebenda
Einl.	— Einleitung
Ephes.	— Epheserbrief
evang.	— evangelisch
f.	— folgende (Seite, Spalte, Vers)
ff.	— folgende (Seiten, Spalten, Verse)
Fn.	— Fußnote
FOAG	— Faith-Order Adoisory Group
Frankfurt a. M.	— Frankfurt am Main
Freiburg i. Br.	— Freiburg im Breisgau
HK	— Herder Korrespondenz
Hrsg.	— Herausgeber
hrsg. v.	— herausgegeben von
Jo	— Johannesevangelium
Jg.	— Jahrgang
kath.	— katholisch
KNA	— Katholische Nachrichten Agentur
K u D	— Kerygma und Dogma
KD	— Kirchliche Dogmatik
lat.	— lateinisch
LG	— Lumen Gentium
luth.	— lutherisch
LThK.	— Lexikon für Theologie und Kirche
Mt.	— Matthäusevangelium
Mtth.	— Matthäusevangelium
MD	— Materialdienst
Nota	— Nota Explicativa Praevia
NF	— Neue Folge

Nr.	—	Nummer
NT	—	Neues Testament
o. J.	—	ohne Jahr
ÖkI	—	Ökumenische Information
ÖR	—	Ökumenische Rundschau
RGG	—	Die Religion in Geschichte und Gegenwart
S.	—	Seite, Seiten
Schriften z. Th.	—	Schriften zur Theologie
Sp.	—	Spalte(n)
t	—	tomus
theol.	—	theologische
u.	—	und
u. a.	—	und andere(n)
USA	—	United States of America
vgl.	—	vergleiche
z. B.	—	zum Beispiel
zit. n.	—	zitiert nach

Einleitung

Im ökumenischen Dialog zwischen der römisch-katholischen Kirche und den protestantischen Kirchen seit dem Zweiten Vatikanischen Konzil stellen die Fragen nach den Strukturen der Kirche Jesu Christi und den Ausdrucksformen ihrer Einheit einen Schwerpunkt dar. Die Problematik des Amtes und der Ämter der Kirche hängt eng mit diesem Fragenkomplex zusammen. Zeugnis für die weitgehenden Konvergenzen der Theologen hinsichtlich des Amtsverständnisses geben die zahlreichen Dokumente ökumenischer Kommissionen bzw. Arbeitsgruppen[1]. Die Frage nach einem höchsten Amt, wie es in der römisch-katholischen Kirche im Papsttum gegeben ist, wurde nach dem II. Vatikanischen Konzil nicht sofort in den Dialog eingebracht; das aus dem Konzil hervorgehende ökumenische Gespräch wandte sich zunächst Themen zu, deren Diskussion Annäherung oder Übereinstimmung erwarten ließ. „Die radikale Ablehnung des Papsttums gehört ... zu jenen Elementen, die bis in die Gegenwart hinein das Selbstverständnis der lutherischen Kirchen und darüber hinaus wohl aller protestantischen Kirchen ganz erheblich mitbestimmt haben"[2].

Wie sehr dieses der Fall war, zeigt die Meinung eines protestantischen Theologen zum Papsttum wenige Jahre vor dem Konzil. „Aber das Papsttum, gerade das Papsttum mit seiner ganzen Ideologie halten wir für das eigentliche Unglück des Katholizismus, der Christen und Völker"[3].

Im Papsttum, sofern darunter die drei geschichtlich gewachsenen Amtsbereiche — Petrusamt, das Amt des Bischofs von Rom, Patriarchat des Abendlandes — ununterschieden zusammengesehen werden, bestand und besteht aufgrund seiner dogmatischen Ansprüche auch heute das Haupthindernis auf dem Weg zur Einheit der Kirche. Papst Paul VI. hat des öfteren sein Wissen um diese Problematik des von ihm ausgeübten Amtes zum Ausdruck gebracht[4].

---

[1] *Das Evangelium und die Kirche* (Malta Bericht — 1972), *Eucharistie und Amt* (USA-Dialog — 1970), *Für eine Versöhnung der Ämter* (Gruppe von Dombes — 1973), *Reform und Anerkennung kirchlicher Ämter* (Memorandum der deutschen ökumenischen Universitätsinstitute — 1973), alle in: *Um Amt und Herrenmahl*, hrsg. von G. GASSMANN u. a., 2. Aufl., Frankfurt a. M. 1974.

[2] H. MEYER, *Das Papsttum in lutherischer Sicht*, in: *Papsttum und Petrusdienst*, hrsg. von H. STIRNIMANN — L. VISCHER, Frankfurt/M. 1975, S. 73—90 (73 f.).

[3] E. MÜHLHAUPT, *Vergängliches und Unvergängliches an Luthers Papstkritik*, in: Lutherjahrbuch 1959, S. 56—74 (74).

[4] Zum Beispiel sagte Paul VI. bei einem Besuch im Sekretariat für die Einheit der Christen am 28. April 1967: „... Le Pape, Nous le savons bien, est sans doute l'obstacle le plus grave sur la route de l'oecuménisme." AAS 59 (1967), S. 498.

Gerade auf der Grundlage von Luthers Kampf gegen das Papsttum[5], die ihn zur Verwerfung des Papsttums und zur Gleichsetzung von Papst und Antichrist geführt hat[6], erschien eine Annäherung der Konfessionen in diesem Streitpunkt undenkbar. In aller Kürze, auf eine ausführliche Darlegung muß an dieser Stelle verzichtet werden, läßt sich Luthers Stellung zum Papsttum folgendermaßen beschreiben. Luther lehnt das Papsttum als ein ekklesiologisches Moment göttlichen Rechtes ab. Nur aus dem ius humanum kann das Papsttum seine Legitimität erhalten. Für den päpstlichen Primat findet Luther in der Heiligen Schrift keine Grundlage und die Unfehlbarkeit sieht er in den zahlreichen Irrtümern der Päpste widerlegt. Der Papst kann nur Bischof oder Pfarrer der römischen Kirchengemeinde und derjenigen sein, die sich ihm freiwillig oder durch menschliche Ordnung unterstellt haben. Der Papst zerstört das Erlösungswerk Christi, wenn er die Seligkeit vom Gehorsam ihm gegenüber abhängig macht[7]. Die Wurzel allen Übels erblickt Luther darin, daß das Papsttum den Boden der Schrift, die Lehre des Evangeliums verlassen hat. Es hat sich über das Wort Gottes gestellt. Darin sieht Luther die Unverfügbarkeit des Wortes Gottes bedroht. „Und gerade dies ist das Neue und entscheidend Primäre an Luthers Kritik am Papsttum"[8].

In der Gegenreformation setzt sich immer mehr das Verständnis der Kirche als Papstkirche durch. Dieses Verständnis wird in der katholischen Apologetik zur eigentlichen Selbstaussage der Kirche[9]. Diese Entwicklung im Kirchenverständnis zu einem Begreifen der Kirche als Papstkirche erreicht mit den auf dem Ersten Vatikanischen Konzil verkündeten, den päpstlichen Zentralismus sichernden Definitionen über den Primat des Papstes als universalen Jurisdiktionsprimat und über die Unfehlbarkeit des päpstlichen Lehramtes ihren Abschluß[10]. Die Definitionen des I. Vaticanum bilden bis in die Gegenwart hinein das Haupthindernis für ein fruchtbares interkonfessionelles Gespräch über das Papstamt.

Nun hat überraschend der ökumenische Dialog über das Papsttum und den Petrusdienst Ergebnisse erzielt, die eine mögliche Einigung über das Papstamt in der Zukunft nicht ausschließen. Zwei offizielle Dokumente liegen inzwischen zu

[5] Vgl. R. BÄUMER, *Martin Luther und der Papst*, Münster 1970; E. BIZER, *Luther und der Papst* (Theologische Existenz heute, NF 69), München 1958, S. 5 ff.; G. MÜLLER, *Martin Luther und das Papsttum*, in: *Das Papsttum in der Diskussion*, hrsg. v. G. DENZLER, Regensburg 1974, S. 73—101.

[6] A. BRANDENBURG, *Lutherforschung — Lutherinterpretation heute*, in: Theologie und Glaube, 65. Jg. (1975), S. 366—378.

[7] Vgl. *Schmalkaldische Artikel*, in: *Die Bekenntnisschriften der evangelisch-lutherischen Kirche*, hrsg. im Gedenkjahr der Ausgsburgischen Konfession 1930, 2. Aufl., Göttingen 1952, S. 407—468 (428).

[8] H. J. URBAN, *Der reformatorische Protest gegen das Papsttum*, in: Catholica, 30. Jg. (1976), S. 295—319 (297).

[9] H. FRIES, *Das Papsttum als ökumenische Frage*, in: DERS., *Glaube und Kirche als Angebot*, Graz-Wien-Köln 1976, S. 280—314 (292).

[10] C. BUTLER — H. LANG, *Das I. Vatikanische Konzil*, 2. Aufl., München 1961; R. AUBERT, *Vatikanum I*, Mainz 1965; I. v. SENESTREY, *Wie es zur Definition der päpstlichen Unfehlbarkeit kam. Tagebuch vom I. Vatikanischen Konzil*, hrsg. v. K. SCHATZ, Frankfurt a. M. 1977.

dieser Thematik vor; erstens: „Ministry and the Church Universal", ein Bericht der offiziellen lutherisch/römisch-katholischen Dialoggruppe in den USA aus dem Jahre 1974 — zweitens: „Authority in the Church", eine gemeinsame Erklärung der anglikanisch/römisch-katholischen internationalen Kommission aus dem Jahre 1976[11]. Mit der Aufnahme des ökumenischen Gespräches über Papsttum und Petrusdienst wird die Grundproblematik der von der Reformation ausgelösten Differenz in der Kirchenstruktur zwischen der römisch-katholischen Kirche und den protestantischen Kirchen einer Klärung und möglichen Lösung nähergebracht.

Der epochale Umbruch in der Begegnung zwischen der römisch-katholischen Kirche und den protestantischen Kirchen hat sich im II. Vatikanischen Konzil ereignet. Das II. Vaticanum hat sich für den Dialog mit den nichtkatholischen „Kirchen und kirchlichen Gemeinschaften" entschieden. Die Bemühungen um die Wiederherstellung der Einheit der Christen gehörten mit zu den Hauptaufgaben des Konzils[12]. In dieser Selbstdarstellung der Kirche im Konzil gründet somit die wachsende ökumenische Gemeinschaft in der nachkonziliaren Zeit. Durch die Lehre von der Kollegialität der Bischöfe hat das Konzil die extremen Äußerungen des I. Vatikanischen Konzils zur Struktur der Kirche korrigiert, ohne freilich die primatiale Stellung des Bischofs von Rom einzuschränken. Die „Aufwertung" des Bischofsamtes, die aus der Lehre von der Kollegialität der Bischöfe erwachsen ist, hat nach dem Konzil ihren sichtbaren Ausdruck in der Einrichtung der regelmäßig tagenden Bischofssynode gefunden. Die römisch-katholische Kirche hat sich im Konzil auf ihre altkirchliche Struktur besonnen und versucht, sich durch die stärkere Realisierung des synodalen Prinzips im Sinne des altkirchlichen Verhältnisses von Papst und Bischofskollegium anfanghaft zu erneuern[13].

Ein möglicher Wandel in der Beurteilung des Papstamtes unter protestantischen Theologen ist deshalb einerseits bedingt durch die Selbstdarstellung der römisch-katholischen Kirche im Konzil, die eine innerkirchliche Erneuerung eingeleitet hat, andererseits durch die Neubesinnung auf Kirche, Schrift und Bekenntnis unter protestantischen Theologen im 20. Jahrhundert, die zur Überwindung des religiö-

---

[11] *Amt und universale Kirche.* Deutscher Text in H. STIRNIMANN — L. VISCHER, *Papsttum und Petrusdienst,* a. a. O., S. 91—139, übersetzt von H. VOIGT u. G. GASSMANN; *Autorität in der Kirche.* Deutscher Text in: *KNA-Dokumentation Nr. 2* vom 2. Februar 1977.

[12] *Ökumenismusdekret* Art. 1 — „Unitatis redintegratio inter universos Christianos promovenda unum est ex praecipuis Sacrae Oecumenicae Synodi Vaticanae Secundae propositis. In: *LThK, Das Zweite Vatikanische Konzil, Teil II,* Freiburg-Basel-Wien 1967, S. 40.

[13] W. de VRIES, *Die kollegiale Struktur der Kirche in den ersten Jahrhunderten,* in: Una Sancta 19. Jg. (1964), S. 296—317; der Verfasser weist nach, daß sowohl auf den Regionalsynoden der ersten drei Jahrhunderte wie auch auf den ersten ökumenischen Konzilien die Bischöfe als Kollegium Autorität ausgeübt haben. Ihre Entscheidungen mußten von den Einzelkirchen und Einzelbischöfen angenommen werden. Auf den ersten Synoden tritt die bischöfliche kollegiale Autorität viel stärker in Erscheinung als das Petrusamt.

sen Individualismus und zu einer neuen Sicht von Kirche und Glaube in den protestantischen Kirchen führte[14].

Die Kirchengeschichte des 20. Jahrhunderts gleicht zu einem großen Teil, wenngleich nicht ausschließlich, der Geschichte des ökumenischen Denkens und Handelns, geprägt durch die Versuche aller christlichen Kirchen, sichtbare Einheit unter der Christenheit zu verwirklichen. Die Bemühungen zur Wiederherstellung der Einheit sind entscheidend auch entstanden aus dem Wissen um die wesenhafte Einheit der Kirche Jesu Christi, vor allem aber aus einem neugeschärften Bewußtsein der Unverträglichkeit der christlichen Spaltungen mit dem Evangelium[15]. Die Suche nach den Möglichkeiten, die sichtbare Einheit der Kirche wiederherzustellen, hat in der Ökumenischen Bewegung unter den protestantischen Kirchen zur Errichtung des Ökumenischen Rates und zur Gründung von konfessionellen Weltbünden geführt. In diesem Zusammenhang müssen auch die zahlreichen Kirchenunionen genannt werden. Die römisch-katholische Kirche hat sich der Ökumenischen Bewegung seit dem Zweiten Vatikanischen Konzil angeschlossen, nicht durch Eintritt in den Ökumenischen Rat, sondern dadurch, daß sie die Ökumenische Bewegung als Werk des Heiligen Geistes gewürdigt hat und zur Kirche des Dialoges geworden ist. Die Wiederherstellung der Einheit ist vom Konzil der ganzen Kirche als Auftrag mitgegeben worden[16].

Die Thematik von Papsttum und Petrusdienst gehört in den Rahmen der Gespräche zwischen der römisch-katholischen Kirche und den protestantischen Kirchen, in denen die Fragen nach den dem Evangelium entsprechenden notwendigen institutionellen Formen der Sichtbarkeit der Einheit der Kirche erörtert werden. In diesem Zusammenhang steht die Frage, ob dem Papstamt nicht Aufgaben zukommen können, die seinen Petrusdienst innerhalb der römisch-katholischen Kirche übergreifen und ihn auch für die nichtkatholischen Kirchen dienstbar werden lassen können. Von solchen Überlegungen her könnte das Bischofsamt von Rom eine ganz neue Universalität und Ökumenizität erhalten.

Die vorliegende Arbeit über „Papsttum und Ökumene, Ansätze eines Neuverständnisses für einen Papstprimat in der protestantischen Theologie des 20. Jahrhunderts" geht aus von den Papstdefinitionen des Ersten Vatikanischen Konzils, die den Graben zwischen den protestantischen Kirchen und der römisch-katholischen Kirche endgültig unüberbrückbar — so schien es jedenfalls bis zum II. Vatikanischen Konzil der Fall zu sein — gemacht haben. Daran schließt sich die

---

[14] H. J. URBAN, a. a. O., S. 309—313.

[15] Das II. Vatikanische Konzil betrachtet die Spaltung als unvereinbar mit dem „Willen Christi, sie ist ein Ärgernis für die Welt und ein Schaden für die heilige Sache der Verkündigung des Evangeliums vor allen Geschöpfen". *Ökumenismusdekret* Art. 1, in: K. RAHNER — H. VORGRIMMLER, *Kleines Konzilskompendium*, 8. Aufl., Freiburg 1972, S. 229.

[16] „Die Sorge um die Wiederherstellung der Einheit ist Sache der ganzen Kirche, sowohl der Gläubigen wie auch der Hirten, und geht einen jeden an ..." — *Ökumenismusdekret* Art. 5, in: K. RAHNER — H. VORGRIMMLER, *Kleines Konzilskompendium*, a. a. O., S. 236.

Darstellung des einhelligen protestantischen Urteils über das Papstamt als ein das Evangelium unterdrückendes, die Autorität Gottes abwertendes, ja sogar ersetzendes Amt an.

In der Gegenüberstellung mit der Ekklesiologie des II. Vatikanischen Konzils und seinen Aussagen zum päpstlichen Primat und zur Kollegialität der Bischöfe soll aufgewiesen werden, daß das Papstamt innerhalb der römisch-katholischen Kirche eine neue Stellung erhalten hat, die für die katholischen Partner im Papstdialog eine gegenüber der vorkonziliaren Zeit gewandelte Ausgangssituation geschaffen hat. Die Stellungnahmen protestantischer Theologen betonen dagegen sehr stark die Ambivalenz der Konzilsaussagen in der Amtsthematik.

Dennoch hat der nachkonziliare Dialog zu Verständigung und Konsens *auch* in der Papstfrage geführt. Gegenstand dieser Untersuchung sind somit im weiteren Verlauf die obengenannten ökumenischen Dokumente über Papsttum und Petrusdienst in der Kirche, sowie die zahlreichen Einzelstellungnahmen protestantischer Theologen bezüglich der Möglichkeit und der konkreten Gestalt eines universalen ökumenischen Papstdienstes für die christlichen Kirchen. Die wachsende Einsicht unter lutherischen Christen „für die Notwendigkeit eines spezifischen Amtes, das der Einheit und universalen Sendung der Kirche dient", und „die Notwendigkeit eines differenzierteren Verständnisses des Papsttums innerhalb der universalen Kirche"[17] unter katholischen Christen stehen am Anfang des lutherisch/römisch-katholischen Gespräches in den USA über das Petrusamt. Als Fazit dieses Dialoges ergibt sich die Frage an die lutherischen Kirchen, „ob sie bereit sind, mit uns zu bekräftigen, daß der päpstliche Primat, erneuert im Licht des Evangeliums, kein Hindernis zur Versöhnung zu sein braucht"[18].

Der anglikanisch/römisch-katholische Dialog „läuft auf eine Einigung über die Autorität in der Kirche, und im besonderen über die grundlegenden Prinzipien des Primats hinaus. Dieser Konsens ist von fundamentaler Bedeutung"[19]. Er bietet eine Grundlage, von der aus die noch bleibenden Probleme hinsichtlich des Primates angegangen werden können.

Abschließend sollen katholischerseits die Denkexperimente über ein ökumenisches Papstamt auf ihre Realisierungschancen hin reflektiert werden. Die ekklesiologische Erneuerung seit dem II. Vatikanischen Konzil hat auch in der katholischen Theologie zu Überlegungen geführt, die eine neue Stellung des Papstamtes innerhalb der römisch-katholischen Kirche notwendig machen. Eine Reform im Sinne der altkirchlichen Communio-Ekklesiologie, verbunden mit einer Stärkung der Ortskirchenstruktur der Kirche durch weitgehende Autonomisierung der Ortskirchen bzw. ortskirchlichen Verbände, würde die Möglichkeit schaffen, auch die protestantischen Kirchen in dieses Gefüge von Ortskirchen, dessen Mitte, nicht Spitze, Rom wäre, zu integrieren.

Der Dissens zwischen protestantischer und katholischer Theologie hinsichtlich

---

[17] *Amt und universale Kirche*, a. a. O., S. 92.
[18] *Amt und universale Kirche*, a. a. O., S. 109.
[19] *Autorität in der Kirche*, a. a. O., S. 8.

des Dogmas der päpstlichen Unfehlbarkeit wird in der vorliegenden Arbeit nicht in ausführlicher Weise mit einbezogen, da die Frage des Lehrprimates des Papstes gegenüber der Problematik des Jurisdiktionsprimates eine eigene Thematik darstellt und so aus sachlichen Erwägungen eine Beschränkung auf die Jurisdiktionsthematik gerechtfertigt erscheint.

Kapitel I

Der Primat des Papstes auf dem I. Vatikanischen Konzil

1. Die Definitionen des I. Vatikanischen Konzils als Haupthindernis der Wiedervereinigung

Im päpstlichen Primat besteht das Haupthindernis für eine Wiedervereinigung der Christen und damit für die Wiederherstellung der sichtbaren Einheit der Kirche. „Ironie des Schicksals: Der das Fundament der Kirche ist, sieht sich unter die Anklage gestellt, in erster Linie für die Fortdauer der Spaltung unter den Christen verantwortlich zu sein"[1]! Die Definitionen des I. Vatikanischen Konzils über den Jurisdiktionsprimat des Papstes und über die päpstliche Unfehlbarkeit haben den Graben zwischen der römisch-katholischen Kirche und den protestantischen Kirchen noch erheblich verbreitert, da sie die seit der Reformation erhobenen Vorwürfe gegen das Papsttum zu bestätigen schienen. „Bei allen Unklarheiten und Abschwächungsmöglichkeiten bringt aber das neue Dogma eine jahrhundertelange, viel widersprochene und mehrfach abreißende Entwicklung zum Abschluß. Das Papalsystem triumphiert endgültig. Der Katholizismus hat sich durch allseitiges Erwachen des kirchlichen Bewußtseins zu einem einheitlichen Organismus, zu einem universalen Staate zusammengeschlossen. Damit ist das staatliche Prinzip der Zentralisation auf die Kirche übertragen, die Kirche eine von dem Papst als absolutem Herrscher regierte Monarchie geworden . . .

So sind Regierung, Dogma und Theologie der Kirche in seiner Hand. Der Papst ist die Verkörperung der Kirche"[2]. Noch nach dem II. Vatikanischen Konzil schreibt P. Brunner, daß die Grundentscheidung der Reformation und ihre ausschließliche Orientierung am Wort Gottes mit dem Verständnis des Lehramtes in der römisch-katholischen Kirche unvereinbar sei[3].

---

[1] G. DEJAIFVE, *Der Erste unter den Bischöfen. Über den Zusammenhang von Primat und Bischofskollegium*, in: Theologie u. Glaube, 51. Jg. (1961), S. 1—12 (2).

[2] ANRICH, Art. *Papsttum*, in: *RGG IV*, 2. Aufl., Tübingen 1930, Sp. 918—936 (933).

[3] P. BRUNNER, *Reform — Reformation, Einst — Heute*, in: Kerygma u. Dogma, 13. Jg. (1967), S. 159—183.

2. Die methodischen Probleme der Interpretation der Vatikanischen Definitionen

Eine ökumenische Verständigung durch sachgerechte Interpretation hält Brunner bezüglich der Dogmen vom Papsttum für ausgeschlossen. Was die römische Kirche in dieser Frage lehrt, widerspricht dem Evangelium, ist Häresie im strengen Sinn des Wortes. „Hier stehen wir vor einer Wand, die, wie die Dinge liegen, von keiner Seite aus, weder von der römisch-katholischen noch von der reformatorisch-evangelischen Theologie her, durchstoßen werden kann. Keiner vermag den anderen zu überzeugen"[4].

Die von Brunner negierte Verständigungsmöglichkeit über die Dogmen des I. Vatikanischen Konzils zeigt die differenziert gewichtigen Schwierigkeiten der Exegese, der Kirchen- und Dogmengeschichte an, die mit der problematischen Papsttumsthematik verknüpft sind. Die Fragen nach den notwendigen Interpretationsmethoden werden von den Theologen unterschiedlich beantwortet. G. Dejaifve sieht die Mißverständnisse hinsichtlich der Lehraussagen des I. Vatikanischen Konzils durch eine simplifizierende, popularwissenschaftliche Darstellung verursacht. Zudem habe eine theologische Darstellung, „die ausschließlich vom Wortlaut der Konzilsdekrete bestimmt ist", den getrennten Konfessionen eine tiefere Einsicht in das Dogma erschwert[5].

H. Ott dagegen hält in seinem Kommentar zum I. Vatikanischen Konzil[6] gerade die „unhistorische Methode der Interpretation" für angemessen. „Nun ist aber dieser Text ja ein für den Katholiken verbindliches Dokument: d. h. wir müssen uns vor Augen halten, daß der Gesprächspartner außerstande ist, diese Dinge zu widerrufen. In ähnlichem Sinn werden reformatorische Äußerungen für den Katholiken ‚Verbindlichkeit' gewinnen. Und nun ist es ja eine juristische Regel, daß geltende, also verbindliche Gesetze schlicht nach ihrem Wortlaut und nicht nach ihrer Entstehungsgeschichte zu interpretieren sind"[7].

Die Definitionen des I. Vatikanischen Konzils stehen am Ende einer langen Geschichte. „Deswegen scheint es unmöglich zu sein" — so K. H. Ohlig —, „über diese Definitionen zu reflektieren und sie zu interpretieren unter Absehung von dieser Geschichte. Eine Interpretation, die ahistorisch-punktuell den Wortlaut der Konzilsbeschlüsse — und sonst nichts — zum Ausgangspunkt nimmt, geht am Kern der Sache vorbei"[8].

In diesem Kapitel werden die Primatsaussagen des I. Vatikanischen Konzils unter Beachtung des historischen und theologischen Kontextes dargestellt, wobei die Primatsdebatten des Konzils mit einbezogen werden, da nur deren Kenntnis

---

[4] DERS., *Das Geheimnis der Trennung und die Einheit der Kirche*, in: *Konzil und Evangelium*, hrsg. v. K. E. SKYDSGAARD, Göttingen 1962, S. 168—209 (177).

[5] G. DEJAIFVE, a. a. O., S. 2.

[6] H. OTT, *Die Lehre des I. Vatikanischen Konzils. Ein evangelischer Kommentar*, Basel 1963.

[7] Ebd., S. 22.

[8] K. H. OHLIG, *Braucht die Kirche einen Papst?* Düsseldorf 1973, S. 109.

eine vertiefte Einsicht in die Fragestellungen, Antworten und Absichten des Konzils vermitteln kann.

3. Der historische und theologische Hintergrund der Definitionen des Ersten Vaticanum

Die theologisch maximalistische Formulierung des päpstlichen Jurisdiktionsprimates und die Definition der päpstlichen Unfehlbarkeit können nur vor dem Horizont der im 19. Jahrhundert vom Papsttum eingenommenen innerkirchlichen Stellung angemessen beurteilt werden. „Niemals zuvor hatte der Papst eine solche Position"[9]. Der Stärkung und Legitimierung des päpstlichen Jurisdiktionsprimates auf dem Gebiet der Lehrdisziplin diente auch die Dogmatisierung der päpstlichen Infallibilität[10].

Die im 19. Jahrhundert dem Papsttum zukommende Machtstellung hat ihre Wurzeln im Sieg der ultramontanen Bewegung über den gallikanischen Episkopalismus in Frankreich und den reichskirchlichen Episkopalismus in Deutschland. Bis zum Ende des Ancien Regime hatte sich der Kampf zwischen Gallikanern und Ultramontanen auf der theologischen und kirchenpolitischen Ebene abgespielt. Theologisch ging es um die Verhältnisbestimmung von Papst und Bischöfen. Die Ultramontanen betonten die Rechte und Privilegien des Papstes, seinen Jurisdiktionsprimat und seine persönliche Unfehlbarkeit. Die Gallikaner hoben den kollegialen Aspekt hervor: die höchste Autorität komme nur der Kirche in ihrer Gesamtheit zu; daher sei für päpstliche Entscheidungen zumindest eine stillschweigende Billigung des Episkopates erforderlich[11].

Kirchenpolitisch kreiste der Streit um die Frage der Abhängigkeit von Kirche und Staat. Die Ultramontanen forderten die absolute Unabhängigkeit der Kirche in allen kirchlichen Angelegenheiten. Die Gallikaner betonten unter Berufung auf das ius divinum der Könige die absolute Unabhängigkeit des Staates in seiner eigenen Sphäre und die Abhängigkeit der Kirche vom Staat in allen Dingen, sofern nicht die ausschließlich geistliche Sphäre betroffen ist[12].

---

[9] K. H. OHLIG, a. a. O., S. 121.
[10] H. J. POTTMEYER, *Unfehlbarkeit und Souveränität. Die päpstliche Unfehlbarkeit im System der ultramontanen Ekklesiologie des 19. Jahrhunderts* (Tübinger Theol. Studien 5), Mainz 1975: „Gerade die Tatsache, daß trotz weitergehender theologischer Einsicht die päpstliche Unfehlbarkeit nur im Hinblick auf den Jurisdiktionsprimat interessierte, zeigt, daß diese Frage Teil eines politischen Programms war, das auf eine Stärkung des päpstlichen Jurisdiktionsprimates abzielte." S. 352.
[11] R. AUBERT, *Vatikanum I*, Mainz 1965, S. 34—35; DERS., *Theologische und außertheologische Motivierungen der Befürworter und Gegner des Dogmas von der Unfehlbarkeit des Papstes auf dem I. Vatikanischen Konzil*, in: Kerygma und Mythos VI, Bd. VI, Hamburg 1975, S. 35—43 (38); vgl. auch G. SCHWAIGER, *Päpstlicher Primat und Autorität der Allgemeinen Konzilien im Spiegel der Geschichte*, Paderborn-München-Wien 1977, S. 159—161.
[12] R. AUBERT, *Vatikanum I*, S. 35.

33

Die französische Revolution beseitigte die korrelativen gesellschaftlichen und kirchlichen Verhältnisse, die bis dahin den Episkopalismus gestützt hatten[13]. Als Folgeerscheinung der Revolution nahmen sowohl der Souveränitätsanspruch des Staates wie der jurisdiktionelle Einfluß des päpstlichen Primates an Bedeutung zu, da nun die „Nationalkirchen" gegen die staatlichen Einflüsse Schutz beim Papst suchten. „Daraus wuchs in zunehmendem Maße das Interesse an einer Stärkung der päpstlichen Autorität; die päpstliche Unfehlbarkeit wurde zum Fanal der kirchlichen Befreiungsbewegung, der Episkopalismus zum Vorwand staatlicher Machtinteressen"[14].

Seit dem Mittelalter und auch die Neuzeit hindurch war die offizielle katholische Ekklesiologie apologetisch orientiert: gegen den frühen Gallikanismus, gegen die konziliaren Theorien, gegen den Spiritualismus, gegen die Reformatoren, gegen den Jansenismus und den Staatsabsolutismus des 18. und 19. Jahrhunderts[15].

Historisch gesehen hat so die Konzentration der kirchlichen Struktur im Papstamt, die ihren dogmatischen Ausdruck in den Lehraussagen des I. Vatikanischen Konzils gefunden hat, ihre Ursachen einerseits im Souveränitätsanspruch des Staates und andererseits in der Schwächung der episkopalen Struktur im außer- und innerkirchlichen Bereich. Die Lehrentscheide des I. Vatikanums sind nicht in erster Linie Ergebnis einer kontinuierlichen theologischen Entwicklung, sondern sie sind aus sehr konkreten historischen Voraussetzungen gewachsen[16].

4. Die Dogmatische Konstitution „Pastor Aeternus"

Am 18. Juli 1870 wurde auf der IV. Öffentlichen Sitzung die „Erste Dogmatische Konstitution über die Kirche Christi" (Pastor Aeternus)[17] von Papst Pius IX. verkündet, durch die die Lehren vom Jurisdiktionsprimat des Papstes und der päpstlichen Unfehlbarkeit feierlich definiert worden sind. Die Konstitution umfaßt neben der Einleitung vier Kapitel: „Von der Einsetzung des apostolischen Primates im heiligen Petrus, von der beständigen Fortdauer des Primates des heiligen Petrus in den römischen Päpsten, vom Umfang und der Beschaffenheit des Primates des römischen Papstes, vom unfehlbaren Lehramt des römischen Papstes".

---

[13] H. J. POTTMEYER, a. a. O., S. 347; DERS., *Die Bedingungen des bedingungslosen Unfehlbarkeitsanspruchs*, in: Theologische Quartalschrift, 159. Jg. (1979), S. 92—109 (95 f.).

[14] H. J. POTTMEYER, *Unfehlbarkeit . . .*, a. a. O., S. 347.

[15] H. KÜNG, *Die Kirche*, München 1977, S. 527.

[16] R. LILL, *Historische Voraussetzungen des Dogmas vom Universalepiskopat und von der Unfehlbarkeit des Papstes*, in: Stimmen der Zeit, 95. Jg. (1970), S. 289—303 (289).

[17] Vgl. DENZINGER-SCHÖNMETZER (fortan DS), *Enchiridion Symbolorum Definitionum et Declarationum*, 35. Aufl., Barcelona-Freiburg-Rom 1973, Nr. 3050—3075.

4.1 Die Entstehungsgeschichte der Konstitution „Pastor Aeternus"

Ursprünglich hatte den Konzilsvätern ein 15 Kapitel umfassendes Schema für eine zweite dogmatische Konstitution „De Ecclesia Christi" zur Beratung vorgelegen, dessen ekklesiologisches Programm viel weiter gesteckt war als das, das dann tatsächlich vom Konzil verabschiedet worden ist. Das 11. Kapitel behandelte ausführlich den päpstlichen Primat, während die Unfehlbarkeitsthematik in dieses Schema nicht aufgenommen war, obwohl die Vorbereitungskommission zu dieser Frage einen Text hatte erstellen lassen. Aufgrund der heftigen Kritik der Bischöfe wurde das Schema völlig neu bearbeitet. Die Neufassung kam infolge der Konzilsvertagung nicht mehr zur Behandlung an die Bischöfe. Statt dessen wurde den Bischöfen, nachdem Pius IX. der Aufnahme des Verhandlungsgegenstandes zugestimmt hatte, ein Ergänzungskapitel zur Unfehlbarkeit überreicht, das nach dem Kapitel 11 in das Schema eingefügt werden sollte[18]. Aufgrund der Diskussion im Plenum wurde daraufhin eine eigenständige Konstitution ausformuliert, und zwar über den römischen Pontifex, die in die obengenannten vier Kapitel aufgeteilt wurde. Damit setzte sich die anfängliche Planung der Vorbereitungskommission durch, „neben die Konstitution über die Kirche eine eigene Konstitution über den Papst zu stellen, die auf Vorschlag des Erzbischofs von Saragossa den Titel ‚Erste Dogmatische Konstitution über die Kirche' tragen sollte, da, wie verschiedene Mitglieder der Deputation den Titel motivierten, sie vom Fundament der Kirche selbst handelte — eine Behauptung, in der bereits eine ganze Ekklesiologie beschlossen lag"[19].

Gegen die Isolierung der Lehre vom Primat, deren einseitige Betonung die Gefahr einer Verzerrung der Ekklesiologie zur Folge haben könnte, erhoben die Minoritätsbischöfe energisch Widerspruch, wie die Primatsdebatten belegen. Die protestantischen Vorwürfe, die römisch-katholische Lehre identifiziere Kirche und Papst, bzw. die Lehre von der Kirche gehe ganz in der Lehre vom Papst auf, haben somit eine „solide" Grundlage im Konzil selbst[20].

---

[18] R. AUBERT, Vatikanum I, a. a. O., S. 179—247; F. VAN DER HORST, Das Schema über die Kirche auf dem I. Vatikanischen Konzil (Konfessionskundliche und kontroverstheologische Studien Bd. 7), hrsg. v. Johann-Adam-Möhler-Institut, Paderborn 1963.

[19] R. AUBERT, Vatikanum I, a. a. O., S. 247.

[20] So nahm in der Debatte um die Einleitung Bischof Wiery von Gurk neben anderen Bischöfen Anstoß daran, Petrus und seine Nachfolger als das „perpetuum principium ac visibile fundamentum" der kirchlichen Einheit zu bezeichnen. Anfang und Ursprung des Glaubens und der Einheit der Kirche sei nämlich nicht Petrus, sondern Christus selbst (vgl. auch Kapitel I Ziffer 5.1. Das Wesen des päpstlichen Primates als Prinzip der Einheit). Der Bischof von Gurk warnte vor Formulierungen, die Nichtkatholiken Anlaß geben könnten, zu rügen: „Sagen wir also nicht mit Recht, daß ihr den Erlöser nicht im Himmel, sondern in Rom sucht, und daß ihr Katholiken oder Papisten nicht von Christus, sondern vom Papst das Heil erwartet?" — vgl. MANSI, t. 52 Sp. 500—506; „Sed caveamus, ne forma, qua hanc persuasionem adstruimus, praemeditata aut fortuita exaggeratione acatholicis ansam praebeat nos monendi: Nonne recte dicimus vos Salvatorem non caelo, sed Romae quaerere, vos catholicos seu papistas non a Christo, sed a Papa salutem expectare?" MANSI, t. 52 Sp. 503.

4.2 Der Primat des Papstes nach der Konstitution „Pastor Aeternus"

Kapitel I der Konstitution handelt von der Einsetzung des Primates in Petrus. Christus hat Petrus als das bleibende, Bischöfe und Priester einigende Prinzip und sichtbare Fundament zur Bewahrung der Einheit des Glaubens und der Gemeinschaft eingesetzt[21]. Unter Berufung auf Jo 1, 42; Mt 16, 18 ff. und Jo 21, 15 ff. erklärt das Konzil, daß Christus gemäß dem Evangelium dem Petrus den Vorrang der Rechtsbefugnis verheißen und verliehen hat, und zwar unmittelbar und direkt. Der Kanon des I. Kapitels bedroht alle mit der Exkommunikation, die diese direkte und unmittelbare Einsetzung des Primates in Petrus und seinen Vorrang der Rechtsbefugnis leugnen[22].

Kapitel II enthält die Lehre von der beständigen Fortdauer des Vorranges des Petrus in den römischen Päpsten. Der Nachweis wird mit drei historischen Zeugnissen von Leo I., Irenäus und Ambrosius geführt, die in ihrer Zitation nicht als Beleg dienen können[23].

---

[21] DS 3051 — „Ut vero episcopatus ipse unus et indivisus esset, et per cohaerentes sibi invicem sacerdotes credentium multitudo universa in fidei et communionis unitate conservaretur, beatum Petrum ceteris Apostolis praeponens in ipso instituit perpetuum utriusque unitatis principium ac visibile fundamentum, super cuius fortitudinem aeternum extrueretur templum, et Ecclesiae caelo inferenda sublimitas in huius fidei firmitate consurgeret."

[22] DS 3055 — „Si quis igitur dixerit, beatum Petrum Apostolum non esse a Christo Domino constitutum Apostolorum omnium principem et totius Ecclesiae militantis visibile caput; vel eundem honoris tantum, non autem verae propriaeque iurisdictionis primatum ab eodem Domino nostro Jesu Christo directe et immediate accepisse: anathema sit." Vgl. Lehrkanon DS 3053 und 3054.

[23] Ein entscheidendes Gewicht für die Primatsbegründung des I. Vatikanums besitzt der bekannte, aber sehr umstrittene Irenäus-Text aus seinem Werk „Gegen die Häresien", III, 3,3. Er lautet: „Mit dieser nämlich muß wegen ihrer mächtigeren Grundlegung notwendigerweise die ganze Kirche übereinstimmen — das heißt, die Gläubigen allenthalben — in der von den Gläubigen allenthalben die Überlieferung von den Aposteln her bewahrt worden ist." (zit. n.: *Texte der Kirchenväter, Bd. 4*, hrsg. v. A. HEIMANN, München 1964, S. 120) Dieser Text ist der einzige, der aus der griechischen Vätertradition angeführt wird. Allerdings liegt er nicht in der griechischen Originalfassung, sondern nur in lateinischer Übersetzung vor. „Ad hanc enim Ecclesiam (sc. Romanam) propter potiorem eius principalitem necesse est omnem convenire Ecclesiam, hoc est eos qui sunt undique fideles, in qua semper ab his qui sunt undique conservata est ea, quae est ab Apostolis traditio." (lat. Fassung zit. n.: W. DE VRIES, *Die Entwicklung des Primates in den ersten drei Jahrhunderten*, in: *Papsttum als ökumenische Frage*, hrsg. v. der ARBEITSGEMEINSCHAFT ÖKUMENISCHER UNIVERSITÄTSINSTITUTE, München und Mainz 1979, S. 114—133 [123 f.]) Der Ausweis der apostolischen Gründung stellt für Irenäus ein sicheres Kriterium gegen die Häretiker dar. Er führt die Doppelapostolizität Roms aus Gründen der einfacheren Darstellung an, weil die Aufzählung der apostolischen Nachfolge aller Kirchen zu weitläufig wäre. Die Anführung der Apostolizität Roms hat somit nur exemplarischen Charakter. „Wenn man dies vergißt und aus dem Text herausliest, daß eine strenge Verpflichtung für alle Christen bestehe, der Tradition von Rom zu folgen, so verfälscht man den Text. ... Es ist wichtig zu wissen, daß Irenäus nirgendwo Petrus einen Primat zuerkennt, folglich auch keinen Primat eines Nachfolgers Petri kennen kann." (W. DE VRIES, *Die Entwicklung des Primats ...*, a. a. O., S. 124) Gleichermaßen urteilt P. Stockmeier: „Die Berufung auf die Kirche Roms erfolgt gewissermaßen beispielhaft und

Der Definitionskanon des II. Kapitels belegt diejenigen mit dem Anathem, die die Perpetuitas des petrinischen Primats aufgrund des ius divinum verneinen, oder aber leugnen, daß der römische Bischof Nachfolger des Petrus in diesem Vorrang ist[24].

Kapitel III der Konstitution bestimmt Inhalt und Wesen des Primates des römischen Bischofs. Das Zeugnis der Heiligen Schrift, die Beschlüsse der Amtsvorgänger und Konzilien bieten die Grundlage für die Erneuerung der Entscheidung des Unionskonzils mit den Griechen in Florenz (1439-1445) über den Primat[25]. Nach der Anordnung des Herrn eignet der römischen Kirche der „Vorrang der ordentlichen Gewalt über alle anderen Kirchen". Die Rechtsbefugnis des Bischofs von Rom hat „bischöflichen" Charakter. Sie ist „unmittelbar"[26].

4.3 Die juristische Denkweise

Die Primatsaussagen des I. Vatikanischen Konzils sind ausschließlich in einer juristischen Terminologie formuliert. Diese findet ihre Begründung einerseits in der Konsequenz einer Entwicklung, in der seit dem Mittelalter in der abendländischen Kirche die altkirchliche Communio-Ekklesiologie[27] gegenüber einer juridisch bestimmten Ekklesiologie verkümmerte, andererseits darin, daß das Konzil die Papstfrage im Horizont der neuzeitlich-restaurativen Autoritäts- und Souveränitätsidee verhandelte[28].

nicht im Sinne eines Primatbewußtseins; der Hinweis auf die beiden Apostel bezeugt ebenso wie der Verzicht auf eine theologische Argumentation aus Mt 16, 18 f., daß Eirenaios nicht auf ein Petrusamt abhebt." (P. STOCKMEIER, Das Petrusamt in der frühen Kirche, in: G. DENZLER u. a., Zum Thema Petrusamt und Papsttum, Stuttgart 1970, S. 61—79 [66]).

[24] DS 3058 — „Si quis ergo dixerit, non esse ex ipsius Christi Domini institutione seu iure divino, ut beatus Petrus in primatu super universam Ecclesiam habeat perpetuos successores: aut Romanum Pontificem non esse beati Petri in eodem primatu successorem: anathema sit." Vgl. Lehrkanon DS 3056 und 3057.

[25] DS 1307 — „Item diffinimus, sanctam Apostolicam Sedem, et Romanum Pontificem, in universum orbem tenere primatum, et ipsum Pontificem Romanum successorem esse beati Petri principis Apostolorum et verum Christi vicarium, totiusque Ecclesiae caput et omnium Christianorum patrem ac doctorem exsistere; et ipsi in beato Petro pascendi, regendi ac gubernandi universalem Ecclesiam a Domino nostro Jesu Christo plenam potestatem traditam esse; quemadmodum etiam in gestis oecumenicorum Conciliorum et in sacris canonibus continetur."

[26] DS 3064 — „Si quis itaque dixerit, Romanum Pontificem habere tantummodo officium inspectionis vel directionis, non autem plenam et supremam potestatem iurisdictionis in universam Ecclesiam, non solum in rebus, quae ad fidem et mores, sed etiam in iis, quae ad disciplinam et regimen Ecclesiae per totum orbem diffusae pertinent; aut eum habere tantum potiores partes, non vero totam plenitudinem huius supremae potestatis; aut hanc eius potestatem non esse ordinariam et immediatam sive in omnes ac singulas ecclesias sive in omnes et singulos pastores et fideles; anathema sit." Vgl. Lehrkanon DS 3059 und 3063.

[27] Vgl. L. HERTLING, Communio und Primat. Kirche und Papsttum in der christlichen Antike, in: Una Sancta, 17. Jg. (1962), S. 91—125 (116).

[28] G. GRESHAKE, Die Tragweite der Entscheidungen des I. Vatikanischen Konzils über den Primat des Papstes, in: Una Sancta, 34. Jg. (1979), S. 56—78 (60); vgl. auch

Aus dem zeitlichen Abstand und unter hermeneutischen Gesichtspunkten betrachtet, scheint die juristische Sprechweise der geschichtlichen Einkleidung der Lehre des I. Vatikanums über das Petrusamt zugehörig zu sein. Die juristische Sprechweise ist somit situativ bedingt, so daß daneben heute unter anderen Fragestellungen der Verkündigungs- und Hirtendienst als konstitutive und daher wesentliche Züge des Petrusamtes verdeutlicht und ergänzend hinzugefügt werden müssen.

Die juristische Terminologie des Vatikanums I über Stellung und Bedeutung des Papstes wird allerdings in exegetisch fragwürdiger Weise auf die petrinischen Texte des Neuen Testamentes übertragen, wenn Ausdrücke wie „iurisdictio", „potestas", „totius ecclesiae caput", „pontifex", „pater et doctor omnium Christianorum", die dem römischen Rechtsdenken entliehen sind, auf den Apostel Petrus bezogen werden; mit dieser methodischen Anwendung glaubte das Konzil aber eine korrekte Interpretation der Heiligen Schrift und der kirchlichen Tradition zu geben. „Ein unbedachter und einseitiger Gebrauch dieser Ausdrücke, d. h. eine nuancenlose Anwendung auf Petrus und den Bischof von Rom, könnte den Eindruck erwecken, daß sie wenig mit dem Geist des Neuen Testamentes gemein haben"[29]. In der Bibel sind „Zeugnis", „Dienst", „Aufsicht" und „Mission" Begriffe, die die Aufgaben des Petrus beschreiben.

In sachgemäßer Weise, d. h. unter Beachtung der heute auch vom kirchlichen Lehramt[30] anerkannten historisch-kritischen Methode der Exegese, biblisch den Petrusdienst zu erhellen, gehört zu den Anliegen der gegenwärtigen Diskussion um das Petrusamt. Das juridische Denken über Petrus und Papst erfährt somit heute von seiten der Bibelwissenschaften und der Geschichtswissenschaft kritische Ergänzung.

H. J. POTTMEYER, *Der historische Hintergrund der Aussagen des I. Vatikanischen Konzils über den Jurisdiktionsprimat des Papstes*, in: Una Sancta, 34. Jg. (1979), S. 48 bis 55; DERS., *Die Bedingungen ... a. a. O.*, S. 102 f.

[29] A. GANOCZY, *Amt — Episkopat — Primat*, in: *Katholizität und Apostolizität. Beiheft zu Kerygma und Dogma 2*, Göttingen 1971, S. 152—167 (183).

[30] Enzyklika „*Divino afflante Spiritu*" von Papst PIUS XII. vom 30. September 1943, in AAS 35 (1943), S. 297—326 (316): prudenter ... perquirat quid dicendi forma seu litterarum genus, ab hagiographo adhibitum, ad veram et genuinam conferat interpretationem ...; „*Instructio de historica Evangeliorum veritate*" der PÄPSTLICHEN BIBELKOMMISSION vom 21. April 1964, in AAS 56 (1964), S. 712—718 (713): „Ut Evangeliorum perennem veritatem et auctoritatem in plena luce collocet, accurate normas hermeneuticae rationalis et catholicae servans, nova exegeseos adiumenta sollerter adhibebit, praesertim ea quae historica methodus universim considerata affert." Dogmatische Konstitution „*Dei verbum*" vom 18. November 1965, Art. 12, in LThK, *Das Zweite Vatikanische Konzil, Teil II*, S. 497—583 (550): „... interpres Sacrae Scripturae, ..., attente investigare debet, quid hagiographi reapse significare intenderint ..."; Ein knapper Überblick über die geschichtliche Entwicklung dieser Problematik findet sich bei JOSEPH A. FITZMEYER, *Die Wahrheit der Evangelien* (Stuttgarter Bibelstudien, Heft 1), Stuttgart 1965, S. 11 ff.

5. Die Konzilsdebatten über den päpstlichen Primat als Verständnishilfen der Konzilsentscheidungen

Die Lehraussagen des I. Vatikanischen Konzils sind bis in die jüngste Vergangenheit als die Überwindung des Episkopalismus, als der endgültige Sieg des Papalismus gewertet worden. Diese Auffassung fand eine verstärkte Begründung um so mehr, als das II. Vatikanische Konzil durch die Betonung des kollegialen Prinzips der Kirchenleitung und die Lehraussagen zum Bischofsamt die Stellung von Primat und Episkopat zueinander, wie sie das I. Vaticanum definiert hatte, ergänzt und korrigiert hat. Der kollegiale Aspekt primatialer Amtsführung ist den Vätern des I. Vatikanischen Konzils allerdings nicht fremd gewesen; die Bischöfe der Minorität haben ihn dem Konzil immer wieder vor Augen gestellt, und auch die Referenten der Glaubensdeputation haben das kollegiale Prinzip ausdrücklich bestätigt. Jedoch sind die Debatten eindeutig durch die Bestrebungen der Abgrenzung und Hervorhebung des Abhängigkeitsverhältnisses der Bischöfe vom Papst bestimmt. Die Einsicht in den organischen Zusammenhang von Petrusamt und Bischofsamt ist überlagert durch die einseitige Akzentuierung der Gehorsamspflicht der Bischöfe.

Die Konzilsakten geben hinreichend Zeugnis dafür, daß die Konzilsväter ständig Einspruch erhoben haben gegen den Versuch, den Primat zu definieren, ohne das Bischofsamt in seiner grundlegenden Bedeutung für die Strukturierung und Verfaßtheit der Kirche mitzuberücksichtigen[31]. Diese Einsicht hat sich in „Pastor Aeternus" insoweit niedergeschlagen, als das ius divinum der Bischöfe ebenfalls mitdefiniert worden ist, und der Primat als das das Bischofsamt stärkende und festigende Amt verstanden wird[32]. Mit dieser Ausnahme wird in der Konstitution das Verhältnis von Primat und Episkopat ausschließlich als eine Beziehung der Abhängigkeit des Bischofsamtes vom Papstamt dargestellt.

5.1 Das Wesen des pästlichen Primates als Prinzip der Einheit

Gleich zu Beginn der Diskussion über die Einleitung des Primatsschemas erhob eine Reihe von Bischöfen Einspruch gegen die Isolierung der Lehre vom Primat. Die Einwände richteten sich gegen die Verwendung der Worte „principium" und „fundamentum" zur Beschreibung der Stellung des Petrus. Einige Bischöfe be-

---

[31] Bischof Dupanloup warf in der Generalkongregation vom 10. Juni dem Schema vor, daß es ohne Rücksichtnahme auf Einzelrechte und Gewohnheiten und Konkordate nur das eine bezwecke, den Primat für sich und allein genommen zu erheben, und zwar in einem nicht hinreichend begrenzten Maße. — „Hoc autem, reverendissimi patres, generaliter minus mihi placet in schemate, quod theoretice magis et absolute videtur compositum quam practice; et circumspectis totius ecclesiasticae constitutionis diversis partibus et relationibus, adeo abstractione veluti facta de aliis omnibus, particularium quoque iurium atque consuetudinum vel etiam concordatorum abstractione, videtur schema nostrum hoc unice intendisse, ut primatum in se separatim sumptum extolleret, et modo quidem, ut ego opinor, non satis moderato." MANSI, t. 52 Sp. 574.

[32] DS 3061; vgl. auch DS 3069 und 3070.

fürchteten, daß hierdurch die einzigartige Stellung und Bedeutung Christi als Prinzip der Kirche eine Abwertung erfahren könne. Bischof Amat hob hervor, daß das Wort „principium" eigentlich nur von Christus ausgesagt werden könne. Zwar habe Christus in Petrus ein immerwährendes Zentrum der Einheit, nicht aber das Prinzip der Einheit eingerichtet[33]. In dem gleichen Sinn äußerte sich Bischof Wiery von Gurk. Die Worte „principium" und „fundamentum" träfen eigentlich nur auf Christus zu, er allein sei das Lebensprinzip der Kirche[34] Mehrere Redner machten den Vorschlag, anstelle von „Prinzip der Einheit" den Terminus „Zentrum der Einheit" zu verwenden.

Als Sprecher der Generaldeputation lehnte Erzbischof Leahy die Abänderungsanträge ab und begründete, warum auf die Bezeichnung „principium unitatis" nicht verzichtet werden könne. Zwar ist Christus das „principium primarium" nicht nur der Einheit, sondern aller Gaben der Kirche, aber Christus habe in der Verfassung der Kirche auch ein „principium unitatis secundarium" eingesetzt. Es sei eingerichtet zur Bewahrung der Einheit des Glaubens und der Gemeinschaft, zum Schutze der Gläubigen vor Häresie und Schisma. Zur Bewahrung der Einheit habe Christus „die sichtbare, päpstliche, in der Person des Petrus und der Nachfolger des Petrus verankerte Autorität" eingesetzt[35].

Das Konzil begriff somit Christus als das eigentliche einheitsstiftende und einheitsbewahrende Prinzip, so daß der Dienst des Petrus und seiner Nachfolger an der Einheit dem Wirken Christi untergeordnet war. „Der Papst ist nur das sichtbare Organ der Einheit in der Hand Christi, er hat quasisakramentale Funktion: er ist nur sichtbares Instrument Christi, aber es kommt ihm analog zu den Sakramenten doch eine eigene ,aptitudo' und ,efficacia' zu"[36].

5.2 Das Verhältnis des Papstes zum Einzelbischof

Die weitere Diskussion konzentrierte sich auf die Fragen nach dem Verhältnis der Hirtengewalt des Papstes zur Hirtengewalt des einzelnen Diözesanbischofs

---

[33] „Ex hoc ipso sicut etiam ex aliis sacrae Scripturae textibus clare apparet, Christum ipsum, qui fidei et charitatis auctor et est et dicitur, esse etiam earum, proprie loquendo, principium, ideoque hoc verbum, principium nempe, in suo genuino sensu applicari non posse, mihi videtur, apostolo Petro, . . ., sed potius dicendum, saltem meo iudicio, centrum." — MANSI, t. 52 Sp. 496.

[34] MANSI, t. 52 Sp. 504; vgl. auch Fn. 39.

[35] „. . . quamvis, inquam, Christus Dominus ita agat quoad oeconomiam totius ecclesiae, similiter, simili modo quamvis ipse sit auctor et effector unitatis ecclesiae, primarium principium unitatis ecclesiae; tamen posuit in ipsa constitutione ecclesiae illud quod dicimus principium unitatis, illud quod de se aptum et efficax est ad conservandam fidei et communionis unitatem heri, hodie et in saecula, illud quod de se aptum et efficax est ad conservandos omnes fideles ab haeresi et schismate, . . .: Christus inquam posuit illud in ipsa constitutione ecclesiae et illud, quod ita posuit, illud est auctoritas, auctoritas inquam non solum invisibilis, non solum ipsius Christi, sed auctoritas visibilis, papabilis, residens in ipsa persona Petri et successorum Petri." — MANSI, t. 52 Sp. 638.

[36] W. KASPER, Primat und Episkopat nach dem Vatikanum I, in: Theologische Quartalschrift, 142. Jg. (1962), S. 47—83 (56).

und nach der Stellung des Papstes gegenüber dem Bischofskollegium. Im Laufe dieser Debatten entzündete sich heftige Kritik an der Bezeichnung primatialer Gewalt als „potestas ordinaria, immediata et episcopalis", da eine Anzahl von Bischöfen in dieser Qualifikation des Papstamtes den Versuch einer Abwertung des Bischofsamtes zu einem Vollzugsorgan des Papstes vermuteten, so daß den Bischöfen in der Zukunft der Status von Beamten des Papstes zukomme.

In zahlreichen Reden warnte der Erzbischof von Prag, Kardinal Schwarzenberg, vor einer isolierten Darstellung der Lehre vom Primat, die die wesenhafte Verknüpfung von Primat und Episkopat mißachte. So sagte er in einer Rede am 18. Mai: „Es ist eine große Schwierigkeit und eine wahre Unmöglichkeit, das Wesen des Primates zu definieren, wenn nicht zugleich die Gewalt der Bischöfe definiert wird. Wie kann eine dogmatische Darstellung über den Mittelpunkt, die Spitze, den höchsten Vorsteher und das Haupt unternommen werden, wenn nicht die anderen Glieder des Apostolates, die zugleich Teile der heiligen Hierarchie sind, mitbedacht werden? Der Episkopat ist ein einheitlicher Organismus: nur ist er von Christus ungleich eingerichtet, aber was bezüglich eines Teiles festgestellt wird, betrifft auch die anderen; was hinsichtlich des Hauptes definiert wird, gilt zugleich für die Glieder"[37].

Und in einem Verbesserungsvorschlag zum Kapitel I des Schemas heißt es: „Der Primat des Petrus aufgrund von Mt 16, 18-19 wird nur dann fest und sicher gegen Einsprüche sein, wenn zugleich erklärt wird, wie sich das Fundament des Petrus zum Fundament aller Apostel verhält, auf dem nach dem Zeugnis des Paulus die Gläubigen stehen, und in welchem Verhältnis die Löse- und Bindegewalt des Petrus zu der gleichen Gewalt der Apostel (Mt 18) steht"[38].

In seiner Antwort bezeichnete der Sprecher der Glaubensdeputation Bischof d'Avanzo, die Beziehung zwischen Petrus und den Aposteln als „relatio inter fundamentum et aedificium"[39]. Sie ist eine „relatio absolutae dependentiae"[40]. „Relatio Petri ad apostolos est relatio superioris ad subordinatos"[41]. Hiermit ist aber nicht gemeint, daß dem Petrus eine absolute Gewalt übertragen sei. Vielmehr ist die Gewalt des Petrus in zweifacher Hinsicht beschränkt. Sie reicht nur so weit,

---

[37] „Multo maior autem difficultas et vera impossibilitas exurgit uberius definiendi rationem primatus, nisi simul de episcoporum definiatur potestate. Quomodo de centro et apice, de summo praeside et capite sermo dogmaticus instituetur, nisi caetera apostolatus membra, nisi illi qui simul sacrae hierarchiae partes sunt, considerentur? Organismus episcopatus unus est, modo utique inaequali a Christo institutus: sed quidquid de una parte statuitur, in altera reflectitur: quod de capite definitur, simul in membra redundat." — MANSI, t. 52 Sp. 95.
[38] „Probatio primatus Petri ex textu apud Matth. XVI, 18, 19, tunc demum solide et contra obiectiones tute conficitur, si simul exponitur, in qua relatione fundamentum Petri ad fundamenta omnium versetur apostolorum, super quod, testante sancto Paulo (Ephes. 2), aedificati sunt fideles, et quomodo Petri potestas solvendi et ligandi ad similem omnium apostolorum potestatem (Matth. 18) se habeat." — MANSI, t. 52 Sp. 703.
[39] MANSI, t. 52 Sp. 714.
[40] MANSI, t. 52 Sp. 715.
[41] Ebd.

als Christus sie verliehen hat. Und sie soll „non in destructionem, sed in aedificationem corporis Christi" ausgeübt werden[42]. D'Avanzo fährt fort: „Christus hat wie ein kluger Architekt Petrus zum Fundament gemacht, über dem er die Kirche bauen wollte. Aber er hat auch selbst die Bauleute bestimmt, deren Petrus sich beim Bau der Kirche bedienen sollte, die Apostel. Petrus ist eingesetzt als Lehrer, der die anderen stärken soll; aber diese anderen sind keine anderen als die, die Christus ihm als Brüder im Apostelamt gegeben hat. Also besitzt Petrus die höchste und volle Gewalt, die er aber durch keine anderen Helfer ausüben darf als durch die Apostel und ihre Nachfolger"[43]. Das Apostelamt, und in ihm das Bischofsamt, besteht unmittelbar und aufgrund des ius divinum gemäß der Einsetzung durch Christus. Es ist nicht zur Begrenzung, sondern zur Mitarbeit der höchsten und vollen Gewalt des Petrus beim Bau der Kirche bestimmt[44]. Der Referent der Glaubensdeputation bestätigte den kollegialen Aspekt primatialer Amtsführung: Petrus hat zwar die Fülle der apostolischen Gewalt empfangen, darf diese aber nur durch die Apostel, die dieselbe Hirtenaufgabe für die ganze Kirche empfangen haben, ausüben.

5.3 Der päpstliche Primat als „potestas ordinaria, immediata et episcopalis"

Ihren Höhepunkt erreichten die Diskussionen um das Verhältnis von Primat und Episkopat in den Aussprachen über das dritte Kapitel, das über Inhalt und Wesen des Primats handelt. Die Bezeichnung primatialer Gewalt als „potestas ordinaria, immediata et episcopalis" wurde von einigen Bischöfen bestritten, von der Mehrzahl der Redner als der Sache entsprechend angesehen, jedoch machten auch die letztgenannten Redner darauf aufmerksam, daß dieser Sprachgebrauch nicht dazu beitrage, das „poprium" primatialer Gewalt zu verdeutlichen.

Kardinal Rauscher beantragte, die Bezeichnung „ordinaria" für Amtshandlungen des Papstes in den Diözesen zu streichen. Der Papst habe zwar das Recht, in jeder Diözese bischöfliche Handlungen vorzunehmen, weil aber diese Handlungen in der Regel vom Bischof selbst vorgenommen würden, weswegen er auch Ordinarius genannt werde, solle die päpstliche Gewaltausübung in den Diözesen als „immediata" definiert werden[45].

---

[42] Ebd.

[43] „Christus enim ut sapiens architectus posuit Petrum fundamentalem petram, supra quam aedificaret ecclesiam. Sed ipse idem Christus designavit aedificatores, quibus Petrus ad aedificandam ecclesiam uteretur, hoc est, apostolos ibi praesentes. Petrus constitutus est magister in secundo textu ad confirmandam alios; sed isti alii non debent esse nisi illi, quos ipse Christus dedit Petro fratres in apostolatu: ... Ergo suprema et plena potestas est in Petro, qui tamen non potest, non debet exercere eam per alios coadiutores suos, nisi per apostolos eorumque successores." — MANSI, t. 52 Sp. 715.

[44] „Apostolatus ergo, et in ipso episcopatus, immediate et iure divino est ex Christi institutione, non ad imponendum limitem, sed ad cooperandum supremae ac plenae potestati Petri in aedificationem ecclesiae, quam Christus acquisivit sanguine suo." — MANSI, t. 52 Sp. 715.

[45] „Ut igitur omni interpretationi ab eius mente alienae aditus recludatur, propono ut capite III artic. 2 pag 8 omittatur vox ,ordinariam' et dicatur immediatam esse: cum

Desprez von Toulouse dagegen hielt alle drei Ausdrücke für zutreffend. Die bischöfliche, ordentliche und unmittelbare Gewalt des Papstes sei nichts anderes als die dem jeweiligen Prälaten auf Grund seines Amtes zukommende geistliche Gewalt der Verkündigung, der Sakramentenspendung, der Gesetzgebung und der Verwaltung der zeitlichen Güter. Diese Gewalt in der ganzen Kirche, d. h. in den einzelnen Diözesen und über alle Gläubigen wahrzunehmen, stehe dem Papst zu[46].

Dupanloup wünschte alle drei Ausdrücke beseitigt zu sehen, nicht weil er ihre Berechtigung bestritt, sondern weil die Bezeichnung der Jurisdiktion des Bischofs als „bischöflich", „unmittelbar" und „ordentlich" aufgrund des Rechtsbrauches und wegen der Natur der Sache für den Bischof reserviert sei und man nicht dieselben Worte für die Gewalt des Bischofs und des Papstes gebrauchen könne, deren Gewalten getrennt und verschieden seien[47].

Bischof Sola von Nizza stellte die Frage, ob der Papst der „ordentliche" Bischof aller Diözesen der ganzen Welt genannt werden könne. Ein Papst, der die ordentliche und unmittelbare bischöfliche Gewalt aller Diözesen in derselben Weise besäße, wie er sie über die Diözese Rom besitze, wäre der einzige allgemeine Bischof in der ganzen Kirche, und die übrigen Bischöfe wären eben nicht mehr Bischöfe, sondern nur noch die Generalvikare des Papstes. Bischof Sola schlug deshalb vor, die päpstliche Gewalt als „pontifice" zu bezeichnen. Kraft dieser Gewalt stünde dem Papst in der Kirchenleitung eine höhere Autorität zu[48].

Im Auftrag der Glaubensdeputation gab Bischof Zinelli die Antwort auf die

---

pontifici adiudicatur iurisdictio in singulas quasvis ecclesias immediate exercenda, absque ambiguitate asseritur ei potestatem esse in quamlibet dioecesim et, quae episcopi sunt, peragere, quoties salus ecclesiae id exigat." — MANSI, t. 52 Sp. 541.

[46] „Quid est enim episcopalis, ordinaria et immediata iurisdictio, nisi spiritualis potestas praelato inhaerens vi sui muneris, qua subditis propriis potest praedicare verbum Dei, ministrare sacramenta, leges statuere et bona etiam temporalia ecclesiae secundum praescriptas regulas dispensare? Porro quis haec omnia peragendi proprio iure per totam ecclesiam, id est in singulis dioecesibus et erga singulos fideles summo pontifici denegabit?" — MANSI, t. 52 Sp. 548.

[47] „Haud inficior, reverendissimi patres, in quodam et verissimo sensu iurisdictionem summi pontificis in unamquamque dioecesim esse episcopalem, cum papa utique sit princeps episcoporum, et ordinariam, cum certe non sit delegata, et immediatam, cum possit in unumquemque directe exerceri. Sed cum episcopi quoque iurisdictio sit certe episcopalis, immediata et ordinaria, et istae voces usu, iure et natura rei episcopalis consecrentur pro episcopo; haud probo easdem prorsus voces adhiberi, ut episcopi et summi pontificis iurisdictiones, distinctae et diversae, licet ex eodem fonte et ad eundem ultimum finem collimantes, licet diversis certe limitibus, designentur." — MANSI, t. 52 Sp. 574.

[48] „Quamobrem si summus pontifex haberet ordinariam et immediatam potestatem episcopalem omnium dioeceseon, quibus constat universalis ecclesia, eodem modo quo episcopus est Romae, ille dicendus esset episcopus unicus, unversalis in tota ecclesia, et caeteri episcopi non essent amplius appellandi episcopi, sed tantum summi pontificis vicarii generales, quemadmodum vicarius generalis dicitur, qui Romae vices illius gerit. ...ideoque loco episcopalis potestatis, quae in schemate adseritur super omnes dioeceses, potest substitui vox pontificia, quae in regimine, de quo agitur, maiorem auctoritatem Romano pontifici tribueret." — MANSI, t. 52 Sp. 584.

Einwände der Bischöfe. Er plädierte für die Beibehaltung aller drei Termini. Zunächst suchte der Referent der Glaubensdeputation die „iurisdictio episcopalis" näher zu bestimmen.

„Episcopi est pascere gregem"[49]. Diese bischöfliche Gewalt umfasse alles, was für die Gläubigen zur Erlangung des ewigen Lebens notwendig sei. Der Bischof könne seine Hirtengewalt nur in Abhängigkeit vom Papst ausüben. Papst und Bischöfe besäßen die gleiche bischöfliche Gewalt, jedoch habe sie der Papst in der ganzen Fülle und übe sie unabhängig aus, während die Bischöfe sie auf ihre Diözesen begrenzt ausübten. Da die bischöfliche Gewalt von Papst und Bischöfen der Art nach dieselbe sei, könne auch dasselbe Wort zu ihrer Bezeichnung verwendet werden, wobei die „iurisdictio episcopalis" des Papstes die höchste bischöfliche Gewalt genannt werden müsse[50].

Die primatiale Gewalt sei ordentliche bischöfliche Gewalt, da sie dem Papst kraft Amtes zukomme.

„Potestas ordinaria" besage nicht, daß es sich um eine ständig und normalerweise ausgeübte Gewalt handele, vielmehr stehe die „potestas ordinaria" hier im Gegensatz zur „potestas delegata" und nicht etwa zur „potestas extraordinaria"[51].

Zinelli bestätigte zumindest der Sache nach, daß die „potestas ordinaria" auch als „potestas extraordinaria" begriffen werden kann, wenn er darauf hinweist, daß der Papst die ordentliche Gewalt des Bischofs zerstört, falls er täglich ohne Rücksicht auf die Maßnahmen des Bischofs in eine Diözese eingreift[52].

Der Terminus „immediata" bedeute, daß der Papst seine Jurisdiktion ohne Erlaubnis und ohne Behinderung durch den Ortsordinarius über jeden Gläubigen und in jeder Diözese ausüben könne. Am Ende seiner Ausführungen wies Zinelli noch einmal auf die Mäßigung des apostolischen Stuhles in der Ausübung der

---

[49] „Episcopi est pascere gregem: nulla enim magis familiaris idea regiminis episcopalis in sacris litteris, in patrum operibus, in usu omnium christianorum, quam repraesentare episcopum veluti pastorem, qui pascit gregem." — MANSI, t. 52 Sp. 1104.

[50] „At haec episcopus non potest facere nisi sub dependentia pontificis summi. ... Eadem igitur quoad speciem est episcopalis potestas episcoporum in singulis suis dioecesibus, et in pontifice summo quoad omnes dioeceses, cum hoc discrimine quod in pontifice summo est in sua plenitudine, in aliis restricta; in summo pontifice independens, in episcopis dependens; in episcopis coarctata ad suas dioeceses, in pontifice summo sine ulla limitatione loci, sed ad terminos terrae. ... quid vetat quominus utamur eodem vocabulo ad qualitatem enuntiandam iurisdictionis, quae exercetur per pontifices et episcopos, et dicamus episcopalem potestatem in episcopis, et summam supremam potestatem episcopalem esse in summo pontifice?" — MANSI, t. 52 Sp. 1104.

[51] „Omnes dicunt potestatem ordinariam, quae alicui competit ratione muneris, delegatam, quae non competit alicui ratione muneris, sed nomine alterius exercetur, in quo est ordinaria. ... nam potestas quae summo pontifici tribuitur, nonne est in illo ratione muneris? Si est ratione muneris, est ordinaria." — MANSI, t. 52 Sp. 1105.

[52] „Certe, si summus pontifex, sicut habet ius peragendi, quemcumque actum proprie episcopalem in quacumque dioecesi, se ut ita dicam multiplicaret, et quotidie, nulla habita ratione episcopi, ea quae ab hoc sapienter determinarentur, destrueret; uteretur non in aedificationem, sed in destructionem sua potestate." — MANSI, t. 52 Sp. 1105.

„iurisdictio ordinaria, immediata et episcopalis" hin, die ja nicht zur Zerstörung, sondern zum Schutz der bischöflichen Gewalt gegeben sei[53].

5.4 Primat und Bischofskollegium

In den Primatsdebatten wurde nicht nur das Gewaltenverhältnis zwischen Papst und Diözesanbischof erörtert, sondern auch von einigen Bischöfen die gemeinsame Sorge und Verantwortung von Papst und Bischofskollegium für die ganze Kirche dem Konzil vor Augen gestellt. So sagte der Bischof Papp-Szilágyi in einem Abänderungsantrag: „... Demnach regieren und lenken die Bischöfe, verbunden mit dem höchsten Pontifex und ihm als dem ersten Hirten der gesamten Herde des Herrn untergeordnet, nicht nur auf Grund der Gewalt göttlichen Rechts ihre einzelnen Herden, sondern sie tragen auch mit dem höchsten Pontifex die Sorge für die gesamte Kirche, und sie sind mit demselben Gesetzgeber und Richter für die ganze Kirche"[54]; Auch mußte der Referent Zinelli die Frage beantworten, ob nicht auch beim ökumenischen Konzil die höchste Gewalt sei[55]. Zinelli räumt dies unter gleichzeitiger Bejahung der Vollgewalt des Papstes ein: „Also haben die Bischöfe, wenn sie mit dem Haupt im ökumenischen Konzil versammelt sind, in welchem Fall sie die ganze Kirche repräsentieren, oder aber zerstreut, wenn sie mit dem Haupt in Einheit leben, in welchem Fall sie die ganze Kirche sind, die volle Gewalt"[56]. Die wahrhaft volle und höchste Gewalt ist aber dem Petrus und seinen Nachfolgern auch allein gegeben, unabhängig von der gemeinsamen Handlung mit den anderen Bischöfen[57]. Die Bischöfe können niemals ohne das Haupt die volle und höchste Gewalt ausüben; der Papst dagegen kann als das Haupt

---

[53] „Immediata est ea potestas, quae exerceri potest sine adhibito medio necessario, scilicet medio ad quod adhibendum tenemur. At papa potestne omnia episcopalia quae enuntiavimus supra, exercere per se in omnibus dioecesibus, quin obligetur uti medio episcopi particularis ecclesiae? ... Acquiescant omnes igitur; et moderatione sanctae sedis confisi, nullum dubium moveant auctoritatem sanctae sedis praesidio futuram, non laesioni episcopalis potestatis." — MANSI, t. 52 Sp. 1105.

[54] „... proinde episcopi Romano pontifici coniuncti, et ei qua totius gregis dominici principali pastori subordinati, non tantum particulares suos greges potestate iuris divini regunt et gubernant, verum etiam cum summo pontifice sollicitudinem totius ecclesiae sustinent, atque cum eodem pontifice pro tota ecclesia legislatores et iudices sunt; " — MANSI, t. 52 Sp. 604.

[55] „Nonne suprema et vere plena potestas est etiam in concilio oecumenico?" — MANSI, t. 52 Sp. 1109.

[56] „Igitur episcopi congregati cum capite in concilio oecumenico, quo in casu totam ecclesiam repraesentant, aut dispersi, sed cum suo capite, quo casu sunt ipsa ecclesia, vere plenam potestatem habent." — MANSI, t. 52 Sp. 1109.

[57] „... apparet hanc vere plenam et supremam potestatem esse in ecclesia cum suo capite coniuncta, eadem prorsus ratione, ex eo quod similes promissiones factae sunt Petro soli et eius successoribus, concludendum est, vere plenam et supremam potestatem traditam esse Petro et eius successoribus, etiam independenter ab actione communi cum aliis episcopis." — MANSI, t. 52 Sp. 1109.

auch unabhängig von der Bischofsversammlung seine höchste Gewalt ausüben[58].

6. Zusammenfassung

Mit der Dogmatisierung des päpstlichen Jurisdiktionsprimates auf dem I. Vatikanischen Konzil fand das seit der Alten Kirche während Ringen um die Verfassung der Kirche einen vorläufigen Abschluß. Der Papst ist Inhaber der „potestas
suprema, ordinaria et immediata". Diese Amtsgewalt ist dem Papst von Jesus
Christus in der Person des Apostels Petrus verliehen worden. Sie ist auf die ganze
Kirche, auf jede Diözese und alle Gläubigen bezogen. Der primatialen Gewalt
gegenüber sind die Hirten und Gläubigen zu hierarchischer Unterordnung und
zum Gehorsam verpflichtet. Der Primat ist das die Einheit des Episkopates
sichernde Prinzip.

Die Relation zwischen Primat und Episkopat wird im Konzilstext, wie auch in
den Primatsdebatten in erster Linie als Abhängigkeit der Bischöfe vom Papst
verstanden. Das Konzil hat auf Grund der Einwände der Bischöfe einen Abschnitt
über das ius divinum der Bischöfe in den Text aufgenommen; es sagt ausdrücklich,
daß die Rechte der Bischöfe durch die Ausübung der primatialen Gewalt nicht
beschränkt werden. Ein Autoritätsmonopol des Papstes ist somit vom Konzil nicht
behauptet worden. Die Struktur und Verfaßtheit der Kirche läßt sich nicht auf
das Papstamt reduzieren. Gerade der Blick auf die Primatsdebatten zeigt, wie sehr
im Konzil der kollegiale Aspekt der Kirchenleitung gegenüber einer einseitigen
Betonung der Primatsprivilegien, die den Primat aus dem organischen Zusammenhang mit den Bischöfen herauszulösen drohte, von den Rednern der Minorität
herausgestellt worden ist. Die Referenten der Glaubensdeputation haben ihrerseits
das kollegiale Prinzip bestätigt und das Verwiesensein des Bischofs von Rom an
seine Mitbischöfe als Mitarbeiter verdeutlicht. Gleichwohl standen im Zentrum der
Debatten die Hervorhebung der primatialen Gewaltausübung über den Episkopat,
der gegenüber die Einwände der Bischöfe sich vielfach als energischer Widerstand
zur Sicherung der Eigenständigkeit des Bischofsamtes darstellen.

Die politische Welt und die nichtrömisch-katholischen Kirchen haben die Entscheidungen des I. Vatikanischen Konzils überwiegend als „Demontage" des
Bischofsamtes und als den Versuch zur Errichtung einer absolutistischen Monarchie
des Papsttums interpretiert. Die diesbezüglichen Vorwürfe gegenüber dem Papsttum, die Bismarck in seiner Zirkular-Depesche vom 14. Mai 1872 erhoben hatte,
wiesen die deutschen Bischöfe in einer durch Papst Pius IX. bestätigten Erklärung
zu den Konzilsbeschlüssen zurück. „Die Beschlüsse des vatikanischen Concils

---

[58] „Nam cum vere plena et suprema potestas non sit in corpore separato a capite,
episcopi singulares, quotquot essent, dum abest papa, nullo modo sine capite vere plenam
et supremam exercere possent; dum, ut diximus, summus pontifex ut caput etiam independenter a concursu episcoporum, supremam suam auctoritatem exercere potest." —
MANSI, t. 52 Sp. 1110.

bieten ferner keinen Schatten von Grund zu der Behauptung, es sei der Papst durch dieselben ein absoluter Souverän geworden ..."[59]. Die Verfassung der Kirche gründet in göttlicher Anordnung. „Kraft derselben göttlichen Einsetzung, worauf das Papsttum beruht, besteht auch der Episkopat: auch er hat seine Rechte und Pflichten vermöge der von Gott selbst getroffenen Anordnung, welche zu ändern der Papst weder das Recht noch die Macht hat. Es ist also ein völliges Mißverständnis der Vaticanischen Beschlüsse, wenn man glaubt, durch dieselben sei ‚die bischöfliche Jurisdiction in der päpstlichen aufgegangen‘, der Papst sei ‚im Princip an die Stelle jedes einzelnen Bischofs getreten‘, die Bischöfe seien nur noch ‚Werkzeuge des Papstes, seine Beamten ohne eigene Verantwortlichkeit‘ "[60]. Pius IX. wertete diese Erklärung als echte katholische Lehre, die durch unwiderlegbare Beweise treffend begründet sei[61].

In seiner einseitigen Akzentuierung des primatialen Elements in der Kirchenstruktur mußte das Vaticanum I notwendigerweise zu mißverständlichen Interpretationen führen, zumal der Konzilstext nicht in adäquater Weise zu den Konzilsdebatten, in denen das kollegiale Prinzip offiziell durch die Vertreter der Glaubensdeputation bestätigt und begründet worden ist, dem organischen Zusammenhang von Primat und Episkopat Rechnung getragen hat.

---

[59] *Kollektiverklärung des deutschen Episkopates aus Januar/Februar 1875*, in: NEUNER-ROOS, *Der Glaube der Kirche*, 8. Aufl., Regensburg 1971, Nr. 457.
[60] Ebd.
[61] Im Brief Pius IX. vom 2. März 1875 an die deutschen Bischöfe hieß es: „... cum declaratio vestra nativam referat catholicam ac propterea sacri Concilii et huius Sanctae Sedis, sententiam luculentis et ineluctabilibus rationum momentis scitissime munitam et nitide sic explicatam, ut ... — vgl. *Akten der Fuldaer Bischofskonferenz, Band I, 1871 bis 1887*, bearbeitet von ERWIN GATZ, hrsg. v. RUDOLF MORSEY, Mainz 1977, S. 440 (441).

Kapitel II

Das Papstamt im Urteil protestantischer Theologen bis zum II. Vatikanischen Konzil

1. Vorbemerkungen

Eine allgemeingültige protestantische Stellungnahme schlechthin zur Lehre der römisch-katholischen Kirche gibt es nicht. Jeder evangelische Christ muß selbst zu einem Urteil über den konfessionellen Gegensatz kommen; jeder ist verpflichtet, als Glied der Gemeinde selbst zu prüfen und zu urteilen[1]. Entsprechend dem protestantischen Verständnis des Glaubens steht jeder Christ persönlich, im Gewissen an Gottes Wort gebunden, vor dieser Aufgabe. Für diesen Entscheidungsprozeß haben die Bekenntnisschriften eine Normfunktion, insofern sie verbindliche Auslegung der Heiligen Schrift sein wollen.

Das Problem der divergierenden Auffassungen stellt sich bei unserem Thema nur als unterschiedliche Akzentuierung eines prinzipiellen Konsenses dar. Die Ablehnung des Papsttums und des Papstamtes, soweit das römisch-katholische Selbstverständnis Gegenstand der Kritik ist, gehört zu den Grundaussagen aller protestantischen Kirchen. Dieses „Nein" zum Papsttum wurde durch die Definitionen des I. Vatikanischen Konzils anscheinend endgültig festgeschrieben. Als weiteres Faktum, das ebenfalls die Frontstellung der römisch-katholischen Kirche gegenüber verstärkt hat, müssen die Stellungnahmen des Bischofs von Rom zur Ökumenischen Bewegung zwischen dem Ersten und dem Zweiten Vatikanischen Konzil genannt werden. Die Päpste haben eines wiederholt deutlich zum Ausdruck gebracht: Die Wiedervereinigung der Christen kann nur durch die Rückkehr der nichtkatholischen Christen in die Einheit der römisch-katholischen Kirche unter Anerkennung und Unterwerfung unter die Jurisdiktion des Papstes erreicht werden[2].

---

[1] Vgl. K. G. STECK, *Der evangelische Christ und die römische Kirche* (Theologische Existenz heute, NF Nr. 33), München 1952, S. 11. — Steck will mit dieser Betonung der persönlichen Verantwortung des einzelnen für seinen Glauben nicht einem subjektivistischen Glaubensverständnis das Wort reden. Ihm geht es darum, den Unterschied zur katholischen Haltung zu verdeutlichen. „Es gehört auf der anderen Seite zum Wesen der katholischen Haltung, daß sie es auf die Entscheidung des einzelnen nicht in dieser Weise abstellen kann, sondern daß sie an dem Grundsachverhalt festhalten muß, der sich in der Formel ausdrückt: ich glaube, was die Kirche glaubt." — ebd.

[2] Enzyklika *„Mortalium animos"* 1928, in: *Ökumenische Dokumente*, hrsg. v. H. L. ALTHAUS, Göttingen 1962, S. 163—174 (172): „Es gibt nämlich keinen anderen Weg, die Vereinigung aller getrennten Christen herbeizuführen, als den, die Rückkehr aller getrennten Brüder zur einen wahren Kirche Christi zu fördern, von der sie sich ja einst unseliger-

49

Diesen Standpunkt hat auch noch Papst Johannes XXIII. in der Enzyklika „Ad Petri cathedram" vertreten[3].

Daß die Wiedervereinigungsvorstellungen der Päpste die Selbstaufgabe des Protestantismus einschlossen, macht die Feststellung des protestantischen Theologen E. Hirsch deutlich. „Die Spaltung zwischen den evangelischen Kirchentümern und der Papstkirche ließe sich also nur überwinden durch völlige Preisgabe des reformatorischen Christentums"[4].

In diesem Kapitel soll eine Übersicht über die Kernaussagen protestantischer Papstkritik vorgelegt werden. Bei der Verneinung der Papstgewalt durch das reformatorische Christentum handelt es sich nicht um einen Verfassungsstreit, sondern es „geht zwischen Papsttum und Reformation um eine in die letzten Wurzeln des Gottesverhältnisses hineinreichende Gegensätzlichkeit im Verständnis dessen, was christliche Kirche ist"[5].

Die Frage nach dem Evangelium als dem Wort Gottes, die Frage nach der Autorität des Wortes Gottes in und gegenüber der Kirche bildet die zentrale Kontroverse zwischen den protestantischen Kirchen und der römisch-katholischen Kirche. Die grundlegende Kritik läßt sich in dem Vorwurf zusammenfassen: Der Papst ordnet seine eigene Autorität der Autorität des Wortes Gottes — und damit der Autorität Gottes selbst — nicht unter, sondern über. Die Autorität des Papstes nimmt eine Stellung für sich in Anspruch, die allein Jesus Christus als dem einzigen Herrn der Kirche zusteht. In diesem Zusammenhang ist auch zu nennen die Auffassung von der Unvereinbarkeit der reformatorischen Rechtfertigungslehre mit dem Selbstverständnis des Papstamtes, wenn, wie in der Bulle „Unam Sanctam", die Unterordnung unter den Papst als heilsnotwendig bezeichnet wird[6].

Schließlich ist hier noch hinzuweisen auf das Problem einer biblischen Legitimation des Papstamtes überhaupt[7].

---

weise getrennt haben ... In dieser Kirche Christi kann niemand sein und niemand bleiben, der nicht die Autorität und die Vollmacht Petri und seiner rechtmäßigen Nachfolger anerkennt und gehorsam annimmt."

[3] Enzyklika „Ad Petri cathedram" 1959, in: Ökumenische Dokumente, a. a. O., S. 191 bis 197 (194 f.): „Möge dies wunderbare Schauspiel der Einheit, das nur die katholische Kirche bietet ..., euch zu Herzen gehen und euch bewegen, euch, die ihr von diesem Apostolischen Stuhle getrennt seid. Laßt Uns die Hoffnung auf eure Rückkehr hegen, die Unserem väterlichen Herzen so teuer ist."

[4] E. HIRSCH, Das Wesen des reformatorischen Christentums, Berlin 1963, S. 5.

[5] Ebd., S. 108 f.

[6] Bulle „Unam Sanctam" von Papst BONIFAZ VIII. vom 18. 11. 1302, in: DS 875: „Porro subesse Romano Pontifici omni humanae creaturae, declaramus, dicimus, diffinimus omnino esse de necessitate salutis."

[7] Die exegetischen Probleme hinsichtlich der Petrustexte im Neuen Testament kommen in einem späteren Kapitel, das die ökumenischen Dokumente zum Petrusamt der Zeit nach dem II. Vatikanischen Konzil behandelt, ausführlicher zur Sprache. Für den Zeitraum zwischen den beiden vatikanischen Konzilien ist auf die umfassende Arbeit von O. CULLMANN hinzuweisen: Petrus. Jünger — Apostel — Märtyrer, Zürich 1952; vgl. auch: F. OBRIST, Echtheitsfragen und Deutung der Primatsstelle Mt 16, 18 f. in der deutschen protestantischen Theologie der letzten dreißig Jahre, Münster 1961.

In der nun folgenden Darstellung der Papstkritik beschränken wir uns auf die Wiedergabe der Positionen von K. Barth, K. G. Steck, P. Brunner und P. Althaus, die wir als repräsentativ für den protestantischen Standort bezüglich der Papstfrage bis zum II. Vatikanischen Konzil ansehen.

2. KARL BARTH

Eine Exegese von Mt 16, 18—19, für die dieser Text, wie es in der römisch-katholischen Kirche der Fall ist, schon vom Papsttum spricht, muß „eine ganze Menge hineinlesen oder zwischen den Zeilen lesen, was eben in Wirklichkeit gar nicht dasteht und was sich auch aus keinem anderen Worte Jesu begründen läßt ...“[8]. Barths Urteil über das Papsttum, das Papstamt und seine theologischen Grundlagen wurzelt jedoch nicht einfach in einer anderen Interpretation des Felsenwortes, die Ursachen für die Trennung in der Papstfrage liegen viel tiefer. Nicht die unterschiedliche Einzelexegese eines Textes, sondern die unterschiedlichen Auffassungen von der Autorität des Wortes Gottes in und gegenüber der Kirche zerschneiden das Tischtuch zwischen den protestantischen Kirchen und der römisch-katholischen Kirche gerade auch hinsichtlich der Stellung des Papstamtes.

„Als gleichbleibendes theologisches Prinzip und Anliegen nennt man in der Barthschen Theologie: Die Darstellung der Majestät, der Freiheit und Ehre Gottes: Gott im Himmel, der Mensch auf Erden, das Verständnis der Offenbarung Gottes als dessen souveränen Akt, als freie Tat, als göttliches Geschehen und Ereignis“[9]. Seine ganze Sorge gilt der Erhaltung der Souveränität Gottes in seiner Offenbarung. In dieser Sorge fällt die Entscheidung zur notwendigen Abgrenzung gegenüber der römisch-katholischen Kirche, die für Barth die Souveränität der Offenbarung, ihre einzigartige Bedeutung nicht garantiert, sondern im Gegenteil aufhebt. „Man kann dem Typisch-Katholischen verschiedene Namen geben: Bemächtigung Gottes, Eigenständigkeit des freien Geschöpfes Gott gegenüber, Relativierung der Hoheit Gottes in seiner Gemeinschaft mit den Menschen ...“[10]. Der Inbegriff des Versuches, sich Gottes zu bemächtigen, stellt für K. Barth die Lehre von der analogia entis dar.

„Ich halte die analogia entis für die Erfindung des Antichrist und denke, daß man *ihretwegen* nicht katholisch werden kann. Wobei ich mir erlaube, alle anderen Gründe, die man haben kann, nicht katholisch zu werden, für kurzsichtig und unernsthaft zu halten“[11]. Die Lehre von der analogia entis als Grundlage einer natürlichen Theologie, einer Erkenntnis Gottes neben der Selbstoffenbarung

---

[8] K. BARTH, *Gesamtausgabe Predigten 1913*, hrsg. v. M. BARTH u. G. SAUTER, Zürich 1976, S. 391—403 (397).

[9] H. FRIES, *Kirche als Ereignis. Zu Karl Barths Lehre von der Kirche*, in: Catholica, 11. Jg. (1958), S. 81—107 (81).

[10] H. KÜNG, *Rechtfertigung. Die Lehre Karl Barths und eine katholische Besinnung*, Einsiedeln 1957, S. 17.

[11] K. BARTH, *KD I, 1*, S. VIII f.

Gottes ist das Grundübel im katholischen Denken. Sie ist von weitreichender Wirksamkeit in den einzelnen theologischen Traktaten: in der Gnadenlehre, in der Sakramentenlehre, der Ekklesiologie, der Lehre von Schrift und Tradition, in der Lehre vom römischen Primat und der Unfehlbarkeit des Papstes, vor allem in der Mariologie[12]. Wenn Barth vom „vatikanischen Frevel"[13] spricht, dann deshalb, weil mit den Dogmen des I. Vatikanischen Konzils zum Papstamt eine Entwicklung ihren krönenden Abschluß fand, die in der römisch-katholischen Kirche zur Identifizierung von Offenbarung und Kirche in der hierarchischen Spitze des Papstamtes geführt hat[14]. „Daß es des Primats des Petrus und der Päpste bedarf, damit die mit der Offenbarung identische Kirche eine solche konkrete Spitze haben *kann*, ist interessant, aber interessanter ist das längst sichtbare und jetzt konstatierte Faktum: die mit der Offenbarung identische Kirche *hat* eine solche Spitze"[15]. Die Autorität der Offenbarung, die Autorität des Wortes Gottes scheint K. Barth in der Autorität des Papstamtes aufgehoben zu sein. Von der Autorität der Kirche, von der Autorität des Amtes kann nur gesprochen werden, wenn zuvor gesprochen wird von der Autorität des Wortes Gottes, der einzigen Autorität, der alle kirchliche Autorität zu dienen hat.

2.1 Die Autorität des Wortes Gottes und die Autorität der Kirche

„Gottes Wort ist Gott selbst in der heiligen Schrift"[16]. Die heilige Schrift ist das Zeugnis von Gottes Offenbarung. Gott, der zu Mose und den Propheten, zu den Evangelisten und Aposteln geredet hat, redet durch ihr geschriebenes Wort als derselbe Herr zu seiner Kirche.

Durch das Medium der in der Bibel geschriebenen Worte der Propheten und Apostel, „in welchem sie als die unmittelbaren, direkten Empfänger der Offenbarung für uns weiterleben, durch welche sie auch zu uns reden", ist die Bibel auch für uns Offenbarung[17]. Die heilige Schrift bezeugt der Kirche Gottes Offenbarung: Jesus Christus, das Wort Gottes."Die Fleischwerdung des Wortes Gottes und die Ausgießung des Heiligen Geistes *ist geschehen, geschieht und wird geschehen* für die Kirche aller Zeiten, weil und indem die Kirche sich angesichts der Einmaligkeit der Offenbarung bescheidet, deren authentisches *Zeugnis* anzunehmen und in seiner Authentie aufzunehmen und weiterzugeben"[18]. Die Autorität des Wortes Gottes in der heiligen Schrift begründet und begrenzt die Autorität der Kirche als eine „mittelbare" und „relative" Autorität. „Unmittelbare, absolute und inhaltliche Autorität" kommt nur der heiligen Schrift als Gottes Wort zu[19]. Die Kirche befindet sich gegenüber Jesus Christus, dem fleischgewordenen Wort

---

[12] *KD II, 1,* S. 657.
[13] *KD I, 2,* S. 634.
[14] *KD I, 2,* S. 606 ff.
[15] *KD I, 2,* S. 631.
[16] *KD I, 2,* S. 505.
[17] *KD I, 2,* S. 512.
[18] *KD I, 2,* S. 605 f.
[19] *KD I, 2,* S. 598.

Gottes in einem erkennbaren und je neu zu vollziehenden Gehorsamsverhältnis[20]. Weder vom Alten noch vom Neuen Testament her kann der Beweis angetreten werden, daß dieses Gehorsamsverhältnis der biblischen Zeugen sich in ein solches verwandelt hätte, „in welchem diese Menschen Jesus Christus oder Jahve gegenüber als Träger einer ihnen nunmehr zu eigen gewordenen Mächtigkeit über das ihnen Offenbarte dastehen würden ..."[21]. Die heilige Schrift kennt „kein solches Nachher eines gesicherten Offenbarungsbesitzes, das ... der Offenbarung gegenüber auch ein Vorher, einen Offenbarungsstandpunkt neben oder gar über der Offenbarung bedeuten könnte"[22]. Nur dort, wo dieses Gehorsamsverhältnis immer wieder realisiert wird, kann nach Barth Kirche Jesu Christi sein[23]. Wo kirchliche Verkündigung nach dem Willen Gottes geschieht, wo sie auf Gottes Auftrag beruht, da wird sie „das Ereignis des bevollmächtigten *Vikariates* Jesu Christi"[24]. Wenn die Kirche Zeugnis gibt von dem lebendigen und gegenwärtigen Wort Gottes in Anerkennung seiner exklusiven Autorität, dann kommt ihrem Zeugnis Autorität zu. Kirchliche Verkündigung entspricht aber nicht mehr dem Willen Gottes und stellt eine Aufkündigung des Gehorsamsverhältnisses dar, wo sich die Kirche einer „von ihr selbst aufgerichteten und also ihr immanenten Autorität" unterwirft[25].

Jesus Christus ist der Kirche gegenwärtig in seinem Wort. Seine Autorität steht der Autorität der Kirche gegenüber und kann von ihr nicht „angeeignet" und „assimiliert" werden, „um dann auf einmal als die göttliche Autorität der Kirche selbst wieder sichtbar zu werden"[26].

2.2 Die Autorität des Wortes Gottes in der römisch-katholischen Kirche

Ungehorsam gegenüber der Autorität des Wortes Gottes kennzeichnet nach Barth aber nun gerade das Wesen der römisch-katholischen Kirche. Zwar vertritt auch sie die Auffassung, daß Gott selber in Jesus Christus der in der Kirche primär Handelnde ist, jedoch zieht diese Einsicht gefährliche Konsequenzen nach sich. Dieses „göttliche Ich der Kirche hat nämlich irdisch-menschliche Gegenbilder: im Amt seines Stellvertreters auf dem römischen Bischofsstuhl, im opfernden Priester und in der geopferten Hostie, schließlich in der gesamten Sichtbarkeit der Kirche als solcher ..."[27]. Die Reformation dagegen hat das *Tu solus* wiederaufgenommen und in der Kirche konkret werden lassen. Der Protest gegen das römische

---

[20] *KD I, 2*, S. 603.
[21] *KD I, 2*, S. 603.
[22] Ebd.
[23] *KD I, 2*, S. 604.
[24] *KD I, 1*, S. 97.
[25] *KD I, 2*, S. 639.
[26] *KD I, 2*, S. 645.
[27] K. BARTH, *Der römische Katholizismus als Frage an die protestantische Kirche*, in: DERS., *Die Theologie und die Kirche. Gesammelte Vorträge*, Zürich 1928, S. 329—363 (339).

Papsttum diente somit der Wiederherstellung der Autorität Gottes „in reiner gewaltigerer Form"[28].

Die römische Kirche ist eine Kirche der Selbstregierung. Ihr kirchliches Lehramt beansprucht für sich, die Schrift und Tradition zusammenfassende und mit unüberbietbarer Autorität interpretierende Instanz zu sein[29]. „Daß die Bibel in ihrer eigenen Konkretion das Wort Gottes und als solches das überlegene Kriterium der kirchlichen Lehre sei, das ist hier nicht anerkannt"[30]. Für Karl Barth ist die römisch-katholische Kirche eine Kirche, die letztlich keine höhere Autorität als ihre eigene kennt. Dies zeigt sich schon daran, daß sie bereits „die Möglichkeit des Gehorsams gegen eine solche mit ihrer eigenen nicht identischen, sondern ihr transzendenten Autorität mit ihrem Anathema ... belegt und als Trennung von der Kirche qualifiziert"[31].

Seit der Altkirche befindet sich die römisch-katholische Kirche in einem Prozeß, in dem die Schriftautorität in Kirchenautorität verwandelt wurde. Dabei ist es für die römisch-katholische Kirche charakteristisch, daß sie „die angebliche Einengung der Offenbarung auf ihre biblische Bezeugung ablehnt und anstelle dessen zunächst ein bestimmtes, als göttliche Offenbarung qualifiziertes Moment des kirchlichen Lebens, die sog. Tradition, neben die heilige Schrift stellt"[32], wobei die Tradition schließlich das Ganze des kirchlichen Lebens umschließt und die heilige Schrift diesem Ganzen untergeordnet wird. Der Prozeß der Identifikation von Offenbarung und Kirche erreicht im 19. Jahrhundert, vorbereitet durch die Tübinger Schule mit der Ausbildung des Traditionsprinzips, seinen Abschluß[33]. Nach J. S. Drey[34] sind Schrift, Tradition und Theologie „die lebendige Bewegung und Entfaltung des christlichen Geistes in der Kirche ..."[35]. Da in der Kirche diese Bewegung und Entfaltung stattfindet, ist die Kirche zu hören, und zwar entscheidend im jeweils letzten Stadium der Entfaltung des christlichen Geistes. Die Kirche der Gegenwart ist somit die entscheidende Instanz, in der die Offenbarung gehört wird. Der eigentliche Wegbereiter für die Entscheidungen des I. Vatikanums ist nach Barth aber Johann Adam Möhler. Für J. A. Möhler ist die Kirche „*der* unter den Menschen in menschlicher Form fortwährend erscheinende, stets sich erneuernde, ewig sich verjüngende *Sohn Gottes, die andauernde Fleischwerdung desselben*"[36], „seine sichtbare Gestalt, seine bleibende, ewig sich verjüngende Menschheit, *seine ewige Offenbarung*"[37]. Nach Möhler bleibt Christus insofern Autorität, als die Kirche den Menschen Autorität ist. Möhler selbst hat die konkrete

---

[28] Ebd., S. 340.
[29] *KD I, 2*, S. 639 f.
[30] *KD I, 1*, S. 271.
[31] *KD I, 2*, S. 640.
[32] *KD I, 2*, S. 607.
[33] *KD I, 2*, S. 622 ff.
[34] J. S. Drey (1777—1853) begründete die Tübinger Schule.
[35] Zit. n. *KD I, 2*, S. 623.
[36] J. A. MÖHLER, *Symbolik*, 3. Aufl., Mainz 1834, S. 355, zit. n. *KD I, 2*, S. 624.
[37] J. A. MÖHLER, a. a. O., S. 360, zit. n. *KD I, 2*, S. 624.

Spitze der Kirchenautorität noch als „dialektisches Nebeneinander" von Konzil und Papst begriffen. Das Erste Vatikanische Konzil jedoch hat mit dem Unfehlbarkeitsdogma dieses „dialektische Nebeneinander", die „wohltätigen Gegensätze" aufgelöst und konsequent als Spitze der Fleischwerdung des Wortes einen Menschen als den lebendigen Träger der mit der Offenbarung identischen Überlieferung und als den Repräsentanten der in Besitz der Offenbarung gelangten christlichen Menschheit erklärt[38].

Für Barth sind die vatikanischen Dogmen im eigentlichen Sinn aus der Geschichte der Lehre von Schrift und Tradition zu verstehen[39]. Die Geschichte der Lehre von Schrift und Tradition ist für Barth aber gerade die Geschichte des Ungehorsams der römisch-katholischen Kirche gegenüber der Autorität Gottes in seinem Wort, das in der heiligen Schrift zu uns redet, somit auch die Geschichte der Anmaßung über die Autorität Gottes, die in Kirchenautorität aufgelöst und im I. Vatikanischen Konzil in die Hände des Papsttums übergeben worden ist. „Nicht das können wir besonnenerweise gegen das Papsttum haben, daß es Gewalt übt. Wäre sie nur kirchliche, geistliche, und darum Gott dienende, nicht aber Gott verdrängende und ersetzende Gewalt geblieben, wir wollten wohl mit Luther nichts dagegen haben, dem Papst die Füße zu küssen"[40].

Autorität hat nach Barth nur die Kirche „unter dem Wort". Sie übt Autorität, wenn sie darauf verzichtet, für die Geltung ihrer Worte, Haltungen und Entscheidungen sich unmittelbar auf Jesus Christus und den Heiligen Geist zu berufen und also unfehlbar reden zu wollen[41]. Autorität kommt der Kirche nur dann zu, wenn sie sich Jesus Christus und dem Heiligen Geist in der Gestalt unterordnet, in der sie tatsächlich gegenwärtig sind, in der „Bezeugung durch die Propheten und Apostel, in der durch deren Schriftlichkeit bedingten Unterschiedenheit von ihrem eigenen Zeugnis"[42].

2.3 Die Einheit der Kirche als die Einheit des „Leibes" mit seinem „Haupt"

Wie für Barths gesamte Theologie, so bleibt auch bei der Erörterung der Einheit der Kirche Christus als die einzig entscheidende Autorität Ausgangspunkt und Mitte seiner Überlegungen. Die Frage nach der Einheit der Kirche ist „identisch ... mit der Frage nach Jesus Christus als dem Haupt und Herrn der Kirche"[43]. Alles, was Karl Barth zur Thematik ‚Einheit der Kirche' sagt, ist Explikation der Auffassung von der Kirche als Leib Christi[44]. Die Gemeinde lebt nur, indem

---

[38] KD I, 2, S. 630.
[39] Ebd.
[40] K. BARTH, Der römische Katholizismus als Frage ..., a. a. O., S. 347.
[41] KD I, 2, S. 653.
[42] Ebd.
[43] K. BARTH, Die Kirche und die Kirchen (Theologische Existenz heute, Heft 27), München 1935, S. 7.
[44] Vgl. K. A. BAIER, Unitas ex auditu. Die Einheit der Kirche im Rahmen der Theologie Karl Barths, Bern-Frankfurt/M.-Las Vegas, 1978, S. 137 ff.

im Geschehen seines Machtwerkes Christus selbst in ihr lebt, „indem sie nur eben *seine* irdisch-geschichtliche Existenzform, *sein* Leib ist, in allen seinen Gliedern und deren Funktionen zu *seiner* Verfügung stehend, von ihm regiert und bewegt"[45]. Somit kann Barth sagen: *„Jesus Christus* ist die Gemeinde"[46]. Weil die Gemeinde zur ewig geschichtlichen Einheit mit ihrem Haupt berufen ist, kann sie nur eine sein[47].

2.4 Die Struktur der Gemeinde

Die Einheit der Gemeinde wird durch den einen Herrn aller lokal getrennten Kirchen begründet und garantiert; deshalb müssen aber ihre Sendung, ihr Dienst und ihr Bekenntnis nicht einheitlich sein[48]. Barth lehnt die Auffassungen der römisch-katholischen und der hochkirchlichen Theologie ab, nach der die Einheit des Leibes Christi nur durch die „Existenz eines die Einheit der Gemeinden hier und dort garantierenden kirchlichen Organs synodalen oder episkopalen Charakters" zu gewährleisten sei[49]. Ein solches Amt kann zwar als *Dienst* an der Einheit fruchtbar sein, *wesentlich* ist es für die Kirche nicht. Gerade vom Neuen Testament her läßt sich der Anspruch einer „hierarchischen Sicherung der kirchlichen Einheit" nicht stützen[50]. Jesus Christus, der Schöpfer kirchlicher Einheit, ist auch ihr alleiniger Bürge.

„Gerade die Verkündiger der Autorität Jesu Christi haben die einzelnen Gemeinden ... auf ihn und seinen Geist als den Schöpfer und Bürgen ihrer Einheit (auch ihrer Einheit untereinander) hingewiesen: im Vertrauen darauf, daß er als Garant in dieser Sache grundsätzlich *genüge*, und offenbar in der Voraussetzung, daß ein *anderer* Garant als er selbst in dieser Sache grundsätzlich *nicht* in Frage kommen könne"[51].

2.5 Die Sünde der Trennung

Eine Legitimation der Kirchenspaltung ist für Barth undenkbar. Alle Versuche, die Vielheit der Kirchen erklären oder rechtfertigen zu wollen, weist er entschieden zurück. Die Vielheit der Kirchen kann nur als Schuld verstanden werden, die die Christenheit zu tragen hat, ohne sich selbst von ihr befreien zu können[52]. „Alle guten Gründe für die Entstehung solcher Kirchenspaltung und alle schweren Hindernisse, sie zu beseitigen, alle Interpretationen und Milderungen, die ihr widerfahren mögen, ändern nichts daran, daß jede Kirchenspaltung als solche ein finsteres Rätsel, ein Skandal ist"[53].

---

[45] *KD IV, 2*, S. 740 f.
[46] *KD IV, 2*, S. 741.
[47] Ebd.
[48] *KD IV, 1*, S. 753.
[49] *KD IV, 1*, S. 752.
[50] Ebd.
[51] *KD IV, 1*, S. 753.
[52] K. BARTH, *Die Kirche und die Kirchen*, a. a. O., S. 10.
[53] *KD IV, 1*, S. 754.

2.6 Die Aufgabe der Einigung der Kirchen

Es gibt ein die Christen zwingendes theologisches Motiv, nach der Einheit der Kirche zu fragen: den „gebieterischen" und „verbindlichen" Auftrag Christi, der die Existenz der Kirche ausmacht: die Verkündigung der Menschwerdung des Wortes Gottes, die Verkündigung des Heilsereignisses in Jesus Christus[54]. Dieser Auftrag Christi sieht eine Vielheit von Kirchen nicht vor. „Ist Christus wirklich ... die Einheit der Kirche, dann kann es offenbar normalerweise nur Vielheit *in* der Kirche, ... dann kann es also keine Vielheit von Kirchen geben"[55]. Wenn Christus die Einheit der Kirche ist, dann stellt die Einigung der Kirche ein den Kirchen vom Herrn gegebenes Gebot dar[56].

Wann ist nun für Barth die Einigung der Kirchen erreicht? Einigung der Kirchen zur Einheit der Kirche verlangt mehr als gegenseitig erwiesene Toleranz und Respekt voreinander und gelegentliche Zusammenarbeit oder auch gelegentliche Gottesdienstgemeinschaft. Einigung der Kirchen im Sinne des Auftrages Christi schließt die „Einigung der Konfessionen zu einer einhelligen Konfession" ein. „Bleibt es bei den verschiedenen Konfessionen, so bleibt es bei der Vielheit der Kirchen"[57]. Einigung zu einer „einhelligen Konfession" heißt für Barth: Das Zeugnis der Kirchen, in Lehre, Ordnung und Leben verkündet, muß trotz Unterschiedenheit und Vielfalt in der Sprache und Gestalt in der Sache „Eines und Dasselbe" zum Ausdruck bringen[58].

Die Aufgabe der kirchlichen Einigung kann nur Wirklichkeit werden, indem die Kirchen sich immer wieder unter das Wort Gottes stellen: d. h. Christus hören[59]. Christus als den hören, der die Einheit der Kirche ist, erfordert zunächst das Bekenntnis „zur *besonderen* kirchlichen Existenz ...". „Solange uns Christus nicht anders gerufen hat, bekennen wir uns zu ihm nur, indem wir uns zu unserer *eigenen* Kirche bekennen"[60]. Jede Kirche muß sich allerdings die Frage stellen, ob sie wirklich auf Christus hört. Diese Frage gilt für alle Bereiche: für das Verhältnis zur Welt, zum Staat, für das Problem der eigenen kirchlichen Ordnung, vor allem für das zentrale Problem der kirchlichen Lehre. Dennoch kann die Einigung der Kirche nicht „gemacht" werden, denn diese Aufgabe ist schon in Christus erfüllt, seine Stimme, sein Ruf allein kann diese Einigung bewirken. „Was wir in dieser Sache tun, das wird in dem Maß gut oder nicht gut sein, als es uns und anderen dazu dient, diese Stimme, diesen Ruf zu hören[61].

---

[54] K. BARTH, *Die Kirche und die Kirchen*, a. a. O., S. 6.
[55] Ebd., S. 10 f.
[56] Ebd., S. 14.
[57] Ebd., S. 17.
[58] Ebd.
[59] Vgl. Ebd., S. 20—24.
[60] Ebd., S. 21.
[61] Ebd., S. 19.

2.7 Der späte Barth und der moderne Katholizismus

Barth, der in seiner Frühzeit der römisch-katholischen Kirche den Vorwurf der Bemächtigung und Mißachtung der Autorität Gottes gemacht hat, der sie als eine Kirche der Selbstregierung in polemischer Weise attackiert hat, korrigierte dieses Urteil in dem Maße, in dem er im modernen Katholizismus eine Neubesinnung auf das Evangelium festzustellen vermochte. Das Zweite Vatikanische Konzil ist für ihn nur ein Symptom einer vorausgegangenen geistlichen Bewegung und Erneuerung vom Evangelium her, die einem Erdrutsch gleichkommt. Mit einer solchen Bewegung hätte — so Barth — vor fünfzig Jahren noch niemand gerechnet[62]. „Davon, daß die Römischen morgen oder übermorgen oder irgendeinmal in unserem Sinn ‚evangelisch' werden möchten, sollte niemand träumen. Sie könnten es aber in ihrem *eigenen* Sinn werden"[63]. Barth erkennt evangelischerseits eine gewisse Gefahr, nur danach zu fragen, ob und was Rom von uns Anderen lernen will; demgegenüber fordert er zu intensiver Beschäftigung mit der katholischen Erneuerung als solcher auf[64]. Mit Sorge fragt er sich, ob sich nicht gegenwärtig die Erneuerung vom Evangelium her im Katholizismus entschiedener als im Protestantismus vollzieht. „Wie wenn Rom (ohne aufzuhören, Rom zu sein) uns Andere eines Tages, sofern es um die Erneuerung der Kirche aus dem Wort und Geist des Evangeliums geht, einfach überflügeln und in den Schatten stellen würde — wenn wir es erleben müßten, daß aus Letzten Erste und aus Ersten Letzte würden, daß nämlich die Stimme des guten Hirten drüben ein klareres Echo fände als bei uns"[65]? Barth hat sich mit dem Konzil und dem nachkonziliaren Katholizismus ausführlich befaßt. Eine Einladung als Beobachter der letzten Konzilssessionen hatte er im Jahre 1963 aus Krankheitsgründen absagen müssen. Im Jahre 1966 konnte er diese Begegnung mit Rom nachholen, wobei er mit prominenten Theologen und Kurienmitgliedern Gespräche führte und auch von Papst Paul VI. in Privataudienz empfangen wurde. Sein Gesamteindruck nach dieser Romfahrt lautete: „Ich habe eine Kirche und Theologie aus der Nähe kennengelernt, die in eine in ihren Auswirkungen unübersehbare, langsame, aber sicher echte und nicht mehr rückgängig zu machende Bewegung geraten ist ...", und jedenfalls: „Der Papst ist nicht der Antichrist"[66]! Zwar hat das Konzil in Kapitel 2 von „Dei Verbum" einen „Schwächeanfall" erlitten „durch die Art, in der da *neben* die *Sacra Scriptura* die *Sacra Traditio* und im Art. 10 auch noch das *Magisterium Ecclesiae* gestellt wird"[67], aber diesen sieht Barth durch die vorangehenden und nachfolgenden Ausführungen „mehr als gutgemacht"[68]. Barth sieht aufgrund der theologischen und konziliaren Reformen die Chancen für eine

---

[62] *Überlegungen zum Zweiten Vatikanischen Konzil,* in: *Zwischenstation,* hrsg. v. E. WOLF, München 1963, S. 9—18 (11).

[63] Ebd., S. 12 f.

[64] Ebd., S. 10 f.

[65] Ebd., S. 15 f.

[66] *Ad Limina Apostolorum,* Zürich 1967, S. 17 f.

[67] Ebd., S. 52.

[68] Ebd., S. 56.

Verständigung größer werden, inwieweit er jedoch Einheit zwischen reformierter und katholischer Kirche für möglich gehalten hat, ist schwer zu sagen. In „Ad Limina Apostolorum" schreibt er, daß er in unveränderter Einstellung als evangelisch-katholischer Christ so zurückgekehrt, wie er auch dort hingefahren sei[69]. Für Barth ist die sichtbare Einheit eine eschatologische Dimension. Die Wiedervereinigung erwartet er erst kurz vor der Wiederkunft Christi. Deshalb ist es auch besser, etwas auf dem Weg zu diesem Ziel zu tun, als zuviel davon zu reden[70]. Jede Konfession — so schreibt er im I. Band der Kirchlichen Dogmatik — kann sich nur „als eine Etappe auf einem Weg" verstehen, „die als solche durch eine weitere Etappe in Gestalt einer veränderten Konfession relativiert und überboten werden kann"[71]. Mit der notwendigen Respektierung ihrer Autorität muß sich eine prinzipielle Bereitschaft verbinden, einer möglichen Veränderung entgegenzusehen[72]. Einheit kann für Barth immer nur eine partielle Einheit bedeuten: eine „unitas ex auditu", die es bisher getrennten Kirchen ermöglicht, nunmehr den Glauben einhellig zu bekennen.

3. KARL GERHARD STECK

„Die Geschichte der Christenheit ist nicht nur Mischmasch von Irrtum und Gewalt, sondern sie ist die Geschichte ständig neuer Versuchungen und Versuche, aus der Sendung Jesu Christi eine Kirchenherrschaft zu machen ..."[73]. Nach Steck, einem Schüler Karl Barths, gibt es ein grundlegendes Element, das alle Lehrunterschiede zwischen den Konfessionen bestimmt, auf das alle Kontroversen letztlich zurückgeführt werden können: das Selbstverständnis der römischen Kirche[74]. Die Frage nach dem Verhältnis der Vollmacht und Autorität der Kirche zur Autorität Christi als des Herrn der Kirche gilt als Brennpunkt aller Kontroversen zwischen den Kirchen. In diese Thematik gehören ebenfalls die Streitpunkte hinsichtlich des Papstamtes.

3.1 Die Bedingtheit kirchlicher Vollmacht

Der neutestamentliche Befund hinsichtlich der Vollmacht Jesu zeigt eines sehr deutlich. Sie ist vom Vater geschenkte, verliehene, aber nie eigenständige Vollmacht[75]. In gleicher Weise kommt auch den Jüngern Jesu keine eigenständige Vollmacht zu. „Sie sind dienstbare Werkzeuge Gottes in Christus. Ihrer Vollmacht

---

[69] Ebd., S. 19.
[70] Kirche in Erneuerung, in: Einheit und Erneuerung der Kirche, hrsg. vom INSTITUT FÜR ÖKUMENISCHE STUDIEN, Freiburg (Schweiz) 1968, S. 9—18 (9).
[71] KD I, 2, S. 739.
[72] Ebd.
[73] K. G. STECK, Recht und Grenzen kirchlicher Vollmacht (Theol. Existenz heute, NF Nr. 54), München 1956, S. 42.
[74] Der evang. Christ und die römische Kirche (Theol. Existenz heute, NF Nr. 33), München 1952, S. 18.
[75] Recht und Grenzen ..., a. a. O., S. 17.

fehlt jede Betonung des Selbständig-Kontinuierlichen"[76]. Alle Diskussionen um die kirchliche Vollmacht müssen deshalb garantieren, daß dieser grundlegende „Unselbständigkeitsbezug" kirchlicher Vollmacht gewährleistet bleibt[77].

3.2 Der Begriff „Stellvertretung"

Der Begriff „Stellvertretung" erscheint Steck zur Bezeichnung der apostolischen und kirchlichen Vollmacht nicht angemessen zu sein, da er eine verführerische Wirkung in der Versuchung des Stellvertreters zur Eigenmächtigkeit enthält[78]. Jeder Versuch der formelhaften Gleichordnung von übertragener kirchlicher Vollmacht und der Vollmacht Jesu Christi birgt die Gefahr in sich, „daß dies im strengsten Sinne unumkehrbare Machtverhältnis nun doch in ein Verhältnis der Ergänzung, der Polarität, der ausgewogenen Partnerschaft sich verwandelt"[79].

3.3 Der Papst als Stellvertreter Christi

Eigenmächtigkeit der kirchlichen Vollmacht kommt im katholischen Verständnis vom Papstamt aber nun sehr deutlich zum Ausdruck. Ausgangspunkt von Stecks Kritik bilden die Aussagen der Enzyklika „Mystici Corporis Christi" bezüglich des Papstes als Stellvertreter Christi[80]. Zwar betont auch die Enzyklika das „Christus Allein" in der Leitung der Kirche, im Abschnitt 36 heißt es: „Weil aber Christus eine so erhabene Stellung einnimmt, lenkt und regiert Er allein mit Fug und Recht die Kirche", jedoch wird aufgrund der Idee der Stellvertretung seiner Leitung durch den Papst: Aber er „übt auch eine sichtbare, ordentliche Leitung über seinen mystischen Leib aus durch seinen Stellvertreter auf Erden" (Abschnitt 39), die alleinige Autorität Christi wieder in Frage gestellt, ja aufgehoben[81]. Dies gilt um so mehr, wenn das menschliche Heil an die Unterordnung unter diesen Stellvertreter gebunden wird, wenn es keine Verehrung Christi geben kann ohne Treue zu seinem Stellvertreter (Abschnitt 40).

In diesem Zusammenhang muß auch der Darstellungs- und Repräsentationsgedanke erwähnt werden, hinter dem „die Idee der Versichtbarmachung Christi und seiner Herrschaft" steht[82]. Der Anspruch, Christus repräsentieren, Christus darstellen zu können, stellt für Steck eine „verhängnisvolle Entartung" der Sendung und Beauftragung der Jünger Jesu dar[83]. Darum lehnt die evangelische Christenheit den Anspruch des Papstes, sichtbares Oberhaupt der Kirche zu sein, ab, da durch diesen Anspruch Christus nicht als der alleinige Herr der Kirche anerkannt wird[84].

---

[76] Ebd., S. 20.
[77] Ebd., S. 20—22.
[78] Ebd., S. 21.
[79] Ebd., S. 22.
[80] Vgl. *Der evang. Christ und die römische Kirche*, a. a. O., S. 40—45.
[81] Ebd., S. 40.
[82] Ebd., S. 44.
[83] Ebd.
[84] Vgl. *Was trennt uns von der römischen Kirche?* Wuppertal-Barmen 1958, S. 14—19.

4. PETER BRUNNER

Peter Brunner gehört zu den lutherischen Theologen, die auch über das II. Vatikanische Konzil hinaus gegenüber der römisch-katholischen Kirche den Vorwurf der Häresie in scharfer Form erheben. Der Häresievorwurf betrifft die Grunddifferenz zwischen den lutherischen Kirchen und der römisch-katholischen Kirche hinsichtlich der unterschiedlichen Antwort auf die Heilsfrage, die durch die Mariendogmen, das Meßopferverständnis und die Dogmen über den Jurisdiktionsprimat und die Unfehlbarkeit des Papstes bedingt ist. So schreibt Peter Brunner im 450. Gedächtnisjahr von Luthers Ablaßthesen, daß in der Papstfrage aufgrund der Lehrentscheidung des I. Vatikanischen Konzils „die Tür ins Schloß gefallen" ist[85]. P. Brunners Beurteilung des Papstamtes erfolgt im Rahmen seiner Gesamtkritik der römisch-katholischen Kirche. Nur in seinem Aufsatz „Evangelium und Papsttum"[86] hat er sich dieser Thematik in spezieller Weise zugewandt. Bindung an das lutherische Bekenntnis schließt die Absage an die Ansprüche des Papsttums ein. „Das lutherische Nein zur Papstkirche hat das Ja zur katholischen Kirche zur Voraussetzung, das zusammenfällt mit dem Ja zum apostolischen Evangelium"[87].

4.1 Die Interpretation der petrinischen Texte im Neuen Testament in ihrem Anspruch auf dogmatische Konsequenzen für das Bekenntnis einer lutherischen Kirche

In Auseinandersetzung mit dem Werk „Fels der Welt" — Tübingen 1956 — von Richard Baumann[88] überprüft P. Brunner die Frage, ob sich aufgrund des

---

[85] P. BRUNNER, *Reform — Reformation. Einst — Heute. Elemente eines ökumenischen Dialoges im 450. Gedächtnisjahr von Luthers Ablaßthesen*, in: DERS., *Bemühungen um die einigende Wahrheit*, Göttingen 1977, S. 9—33 (32).

[86] *Evangelium und Papsttum*, in: Evangelisch-Lutherische Kirchenzeitung, 10. Jg. (Berlin 1956), S. 439—443.

[87] *Was bedeutet Bindung an das lutherische Bekenntnis heute*, in: DERS., *Pro Ecclesia*, Bd. I, 2. Aufl., Berlin-Hamburg 1962, S. 46—55 (51).

[88] Richard Baumann wurde im Jahre 1953 aufgrund eines Lehrzuchtverfahrens seines Amtes als Pfarrer der Evangelischen Landeskirche in Württemberg enthoben (vgl.: R. BAUMANN, *Prozeß um den Papst*, Tübingen 1958 — DERS.: *Der Lehrprozeß*, Rottweil 1974). Anlaß der langjährigen Auseinandersetzungen mit der Kirchenleitung war seine Schrift „Herr, bist Du es? Versuch einer Antwort auf die Papstrede vom 2. Juni 1945", in der er erstmalig eine Lehrmeinung zum Papstamt vertrat, die als unvereinbar mit dem Amt eines evangelischen Pfarrers betrachtet wurde. Für Baumann ist das Papstamt in der Bibel grundgelegt. Das Amt des Petrus ist eine dauernde, von Jesus gestiftete heilsnotwendige Institution. „Das Amt Petri ist also göttlichen Rechts, offenbart Gottes Gerechtigkeit: es ist reichsnotwendig, also auch heilsnotwendig" (*Herr, bist Du es?* zit. n.: *Der Lehrprozeß*, S. 22). Des weiteren fordert Baumann eine Korrektur der Aussagen der Bekenntnisschriften zum Papstamt. „Darum bitten wir Gott, daß er das zerbröckelte Gestein aus unseren Bekenntnisschriften entferne. Unser Fuß braucht für die Zukunft den festen Stand. Der Weg unseres evangelischen Kirchenvolkes muß einträchtig und einmütig in Richtung zum Fels geschehen, den Christus im Evangelium gesetzt hat, dem Evangelium

Erkenntnisstandes der modernen protestantischen Exegese bezüglich der petrinischen Texte im Neuen Testament dogmatische Konsequenzen ergeben[89].

Die Reformatoren haben mit ihrer Interpretation von Mt 16, 18 f. „Der Fels ist Christus, der Fels ist das Christusbekenntnis, der Fels ist das Predigtamt des Neuen Bundes, der Fels ist der Glaube" den exegetischen Sinn dieses Textes nicht richtig erfaßt. „Handelt es sich bei der besonderen Stellung des Petrus, die nach dem Zeugnis des Neuen Testamentes in einem Mandat Christi gründet, um eine Sache, die nur die damalige erste Generation anging, oder hat sie in einem noch näher zu bestimmenden Sinn eine Bedeutung für die Zeit der Kirche überhaupt, also bis zur Wiederkunft Christi?"[90].

P. Brunner sucht zunächst die Frage nach der heutigen Relevanz der Sonderstellung des Petrus vom Einmaligkeitscharakter des Apostelamtes her zu beantworten. Die kirchenkonstituierende Funktion des Apostelamtes erlischt mit dem Tode seines Trägers. Entsprechend gilt das gleiche für das Amt des Petrus, insofern das petrinische Felsenamt ein spezifisch geprägtes Apostelamt ist. Mit dem Tode des Petrus erledigt sich auch sein Felsenamt, da das Fundament der Kirche nur einmal gelegt werden kann. Nach der Fundamentlegung erlischt somit auch die spezielle Aufgabe, die dem Auftrag Christi gemäß dem Apostel Petrus bei der Grundlegung der Kirche zukommen sollte. Die Bedeutung des Felsenamtes für die gegenwärtige Kirche könnte demnach nur darin zum Ausdruck kommen, zu verdeutlichen, „in welchem Sinn die Kirche stets auf das apostolische Fundament im allgemeinen und den petrinischen Felsen im besonderen gegründet ist"[91]. Die Grundlegung im Fundament der Apostel besteht im Gehorsam gegenüber der im Evangelium begegnenden apostolischen Botschaft. Inhalt der apostolischen Botschaft ist die

---

vom Reich." (Ebd., S. 26.) In zahlreichen Veröffentlichungen hat Baumann seine Auffassungen zum Papstamt niedergelegt (*Evangelische Romfahrt*, Stuttgart 1951; *Des Petrus Bekenntnis und Schlüssel*, Stuttgart 1950; *Primat und Luthertum*, Tübingen 1953; *Fels der Welt. Kirche des Evangeliums und Papsttum*, Tübingen 1956), wobei er das Ziel einer schrittweisen Angliederung der evangelischen Kirchen an eine von Rom universal geleitete Kirche vor Augen hatte. Richard Baumann vollendete am 5. August 1979 sein 80. Lebensjahr. Nach seiner Amtsenthebung hatte er sich Anfang 1956 in der „Sammlung" unter Hans Asmussen engagiert, deren Weg er letztlich nicht mitgehen konnte. Auch den Weg des 1961 gegründeten „Bundes für evangelisch-katholische Wiedervereinigung" konnte Baumann nicht mitvollziehen (GUSTAV HUHN, *Utopie oder Wirklichkeit? Zum 80. Geburtstag eines Freundes*, in: Bausteine, Heft 75, 19. Jg. [1979], S. 12—15). Die „Sammlung" und der „Bund für evangelisch-katholische Wiedervereinigung" mögen hier als Beispiele genannt werden für Bewegungen innerhalb des Protestantismus, die schon vor dem II. Vatikanischen Konzil eine Wiedervereinigung mit der römisch-katholischen Kirche anstrebten.

Baumanns Einstellung zum Petrusamt stellt innerhalb des Protestantismus eine auch heute noch als einmalig zu bezeichnende Position dar, insofern er das Amt des Petrus als heilsnotwendige Institution versteht. Seine Überlegungen zur Papstfrage sind aber im Hinblick auf die gegenwärtige ökumenische Papstdiskussion letztlich ohne Wirkungsgeschichte geblieben.

[89] Vgl. *Evangelium und Papsttum*, a. a. O.
[90] Ebd., S. 440.
[91] Ebd.

Augenzeugenschaft derer, die den auferstandenen Herrn gesehen haben. Somit kommt dem Christuszeugnis des Petrus als dem Erstzeugen der Auferstehung eine hervorragende Bedeutung zu. „Auf den Felsen Petrus gegründet sein bedeutet also für die Kirche konkret: auf das Christuszeugnis des Petrus gegründet sein, das im Neuen Testament in seiner ganzen Breite entfaltet ist"[92]. Jedoch dieser Lösungsversuch ist nach P. Brunner dem lebendigen Anspruch des Evangeliums nicht angemessen. Daß die moderne Exegese ihre Ergebnisse in dieser Frage in die Einmaligkeit der Gründungssituation der Kirche und in die Einmaligkeit des Apostelamtes „hineinbannt", ist für P. Brunner nicht mit dem Schriftgebrauch Luthers und der lutherischen Bekenntnisschriften vereinbar. Luthers Exegese der Petrustexte muß von der der alten und mittelalterlichen Kirche gemeinsamen Voraussetzung aus verstanden werden, „nach der diese Stellen ohne inhaltlichen Abzug in der Ganzheit ihres exegetischen Sinnes auf die gegenwärtige Kirche und auf die Kirche aller Zeiten zu beziehen sind"[93]. Wenn Luther die gleichen Erkenntnisse bezüglich Mt 16, 18 f. und Jo 21, 15 ff. gehabt hätte wie die neuere Exegese von Bultmann bis Cullmann, hätten diese Erkenntnisse dogmatische Folgerungen für seine Lehre von der Kirche und ihrer Ordnung gehabt. Welche Konsequenzen sind nun nach P. Brunner aus dem exegetischen Sachverhalt zu ziehen, daß das Zeugnis des Neuen Testamentes im Apostelkreis eine auf Christi stiftendes Wort zurückgeführte Struktur voraussetzt, nach der unter den Aposteln einer einen ganz bestimmten Vorrang innehat[94]?

Die Antwort der römisch-katholischen Kirche: die Lehre vom Primat des Papstes weist P. Brunner entschieden zurück, da sie nicht der Schrift entspricht. Wenn die Struktur des Apostelkreises für die Ordnung der Kirche zu allen Zeiten Relevanz hat, dann stellt der Anspruch eines Bischofes, kraft göttlichen Rechtes die „volle und oberste Gewalt der Rechtsbefugnis über die ganze Kirche" zu besitzen, eine Entstellung des petrinischen Vorranges dar[95]. Der Vorrang Petri im Gefüge der Dienste und Ämter der Kirche darf die wesentliche Eigenständigkeit des Bischofsamtes nicht beeinträchtigen. Die Unmittelbarkeit und Selbständigkeit des apostolischen Amtes muß ihren Ausdruck finden in der wesentlichen Gleichheit aller Hirten und Bischöfe[96]. Eine Kirchenstruktur, in der „mehrere Hirten und Bischöfe um *einen* geschart sind", widerspricht nach P. Brunner nicht der Hl. Schrift[97]. „Die Lehre vom Amt, die in der evangelischen Kirche einen Anspruch auf Geltung hat, muß also Raum haben für folgende Überzeugung: Der Bestand der Kirche hängt nicht daran, daß sie auf Erden einen sichtbaren Mittelpunkt hat. Von da aus gesehen gilt das folgende ‚nur' de iure humano. Weil aber alle örtlichen Kirchen auf der ganzen Welt mit ihren Hirten und Bischöfen untereinander in einer konkreten, in bestimmten Vorgängen sichtbar werdenden und darum auch

---

[92] Ebd.
[93] Ebd.
[94] Ebd., S. 440 f.
[95] Ebd., S. 441.
[96] Ebd.
[97] Ebd., S. 442.

rechtlich greifbaren Gemeinschaft stehen sollten, ist es dem geistlichen Wesen der Kirche angemessen, daß unter den Vielen, die für größere Gebiete eine besonders gewichtige Verantwortung für die Stärkung ihrer Brüder und für die Erhaltung des Predigtamtes tragen, *einer* bezeichnet wird, der als Träger des einen Predigt- und Bischofsamtes auftragsgemäß allen Ekklesien und allen Hirten und Bischöfen als ihr Mitbruder und Mitbischof durch sein tröstendes und mahnendes Wort Wegleitung geben und in solchem Dienst und Amt ein Zeichen und ein Schutz für den Frieden und die Gemeinschaft der Kirchen sein soll"[98].

An dieser Stelle zieht Brunner gegenüber der von R. Baumann vertretenen Auffassung die Grenze: Eine Identifizierung des gesamtkirchlichen Hirten mit dem jeweiligen Bischof von Rom entbehrt jeglicher Grundlage in der Hl. Schrift[99]. Die Identifizierung des gesamtkirchlichen Hirten mit dem Bischof von Rom stellt ein „dogmatisches Postulat" dar. Die Verbindung des petrinischen Primates mit dem Bischofssitz von Rom bezeichnet P. Brunner als „enthusiastisches" Dogma, da ihm sowohl die biblische wie auch die historische Grundlage fehlt[100].

Das schwerwiegendste Hindernis für eine Union mit dem Bischof von Rom stellen die Inhalte seiner Lehre dar. Auch den Bischof von Rom könne man nicht durch irgendeine Sukzessionstheorie vor Irrtum in der Lehre schützen. „Auch der Bischof von Rom bleibt dem in der Schrift gegebenen Worte Gottes unterworfen"[101]. Der Inhalt der Lehre ist bei jedem „Nachfolger" der Apostel das Kriterium für seine Apostolizität. „Solange feststeht, daß der Bischof von Rom Dogmen lehrt, die nicht in der Heiligen Schrift gegründet sind, die ihr sogar widersprechen, muß die Christenheit ihn selbst unter das Anathema stellen"[102].

4.2 Das Verhältnis der getrennten Kirchen zum Bischof von Rom — Der Anspruch der getrennten Kirchen, apostolische Kirche zu sein

Die römisch-katholische Kirche hält nach P. Brunner mit Unerbittlichkeit die Wunde der Trennung offen, da sie sich als einzig wahre Kirche betrachtet und alle anderen Konfessionen als von der Kirche Christi getrennt ansieht[103]. Diese Trennung wird noch durch die Tatsache verschärft, daß die vier großen Kirchenkörper der Christenheit, die orthodoxen Kirchen des Ostens, die lutherischen Kirchen, die reformatorischen Kirchen und die anglikanischen Kirchen „in der Weise, wie sie Kirche sind, durch ihr Verhältnis zur römisch-katholischen Kirche, genauer durch ihr Verhältnis zum Bischof von Rom mitbestimmt sind"[104]. Diese

---

[98] Ebd., S. 442.
[99] Ebd.
[100] Ebd., S. 443.
[101] Ebd.
[102] Ebd.
[103] *Das Geheimnis der Trennung und die Einheit der Kirche*, in: *Konzil und Evangelium, Lutherische Stimmen zum kommenden römisch-katholischen Konzil*, hrsg. v. K. E. SKYDSGAARD, Göttingen 1962, S. 168—209 (168 f.).
[104] Ebd., S. 169.

Kirchen können den jurisdiktionellen Anspruch des Bischofs von Rom, den er über sie erhebt, nicht übersehen. Keine dieser Kirchen begreift sich als in der Kirchengeschichte neugegründete Kirche, sondern jede erhebt den Anspruch, apostolische Kirche zu sein[105]. „Das Konstitutive im Merkmal des Apostolischen ist die bewährte Treue gegenüber dem Zeugnis der Apostel"[106]. Die Sendung „mit dem aus dem Munde der Apostel entsprungenen Christuszeugnis" macht die Apostolizität der Kirche aus.

4.3 Zusätze zum apostolischen Evangelium in der römisch-katholischen Lehre

In der römisch-katholischen Kirche wird das apostolische Evangelium nicht rein gelehrt, da die römische Kirche Zusätze zum apostolischen Evangelium gemacht hat, die in ihm keine Grundlage haben. Solche Zusätze sind mit den Dogmen vom Meßopfer, der Jungfrau Maria und vom Papstamt gegeben. „Was die römisch-katholische Kirche über diese Punkte in ihrem Dogma lehrt, sind für die evangelischen Christen Lehren, die dem Evangelium unmittelbar widersprechen, sie sind darum Häresien im strengen Sinn des Wortes"[107]. Nach Meinung P. Brunners schaffen die genannten Dogmen der römisch-katholischen Kirche eine Verkündigung und eine Sakramentsverwaltung mit solchen Inhalten, „die nach unserer Erkenntnis und Überzeugung keinen Anspruch auf das Merkmal des Apostolischen haben, aber dennoch den Menschen als heilsnotwendig zu glaubende Inhalte auferlegt werden und überdies das Heil des Menschen gefährden"[108]. Die Lauterkeit des apostolischen Evangeliums wird nach P. Brunner durch den Anspruch des Jurisdiktionsprimates des Papstes über die ganze Christenheit und den Unfehlbarkeitscharakter seiner ex cathedra gesprochenen Lehrentscheidungen angetastet.

4.4 Die Verwirklichung der Kirchengemeinschaft mit der römisch-katholischen Kirche

Kann es zwischen der von Häresien durchsetzten Papstkirche und den Kirchen der Reformation einen Weg zur Verwirklichung der Kirchengemeinschaft geben? P. Brunner hat verschiedentlich Leitlinien für die Realisierung der Kirchengemeinschaft innerhalb der Reformationskirchen und für das Miteinanderleben mit der römisch-katholischen Kirche — darin sieht Brunner eine Vorstufe zur Verwirklichung der Kirchengemeinschaft — entwickelt[109].

---

[105] Ebd.

[106] *Die Einheit der Kirche und die Verwirklichung der Kirchengemeinschaft*, in: DERS., *Pro Ecclesia*, Bd. I, Berlin-Hamburg, 2. Aufl., 1962, S. 225—234 (228).

[107] *Das Geheimnis der Trennung . . .*, a. a. O., S. 117.

[108] *Vom Wesen der Kirche*, in: DERS., *Pro Ecclesia*, Bd. II, Berlin-Hamburg 1966, S. 283—294 (292).

[109] Vgl. *Die Einheit der Kirche und die Verwirklichung der Kirchengemeinschaft*, in: *Pro Ecclesia, Bd I*, a. a. O., S. 225—234 — *Die Kirche und die Kirchen heute. Thesen zu einer konkreten Ekklesiologie und einem ökumenischen Ethos*, in: *Pro Ecclesia, Bd. II*, a. a. O., S. 225—231 — *Koinonia. Grundlagen und Grundformen der Kirchengemeinschaft*, in: *Pro Ecclesia, Bd. II*, a. a. O., S. 305—322.

Doch müssen zunächst die Voraussetzungen einer möglichen Kirchengemeinschaft dargelegt werden, wie sie im Verständnis vom Wesen der Kirche und ihrer Einheit gegeben sind.

4.5 Der Kirchenbegriff

Die Kirche ist die endzeitliche Gestalt des Volkes Gottes auf Erden zwischen Himmelfahrt und Wiederkunft Christi. „Die maßgeblichen Kennzeichen, an denen sich entscheidet, ob in einem bestimmten geschichtlichen, soziologischen, rechtlichen Gebilde die Kirche Gottes da ist, sind die Verkündigung des apostolischen Evangeliums und die der Einsetzung Christi entsprechende Verwaltung der Sakramente[110]. Die Antwort auf diese Frage schließt immer die Entscheidung für eine bestimmte Konfession ein, jedoch übergreift die Kirche Jesu Christi nach Brunner die konkreten Konfessionskirchen. Sie ist nicht nur in einer Konfessionskirche gegeben, nicht nur mit einer Konfessionskirche identisch.

4.6 Die Einheit der Kirche

Die Aufgabe der Ökumenischen Bewegung kann nicht darin bestehen, die Einheit der Kirche wiederherzustellen. Die Einheit der Kirche ist als pneumatische Einheit immer gegeben. „Die Einheit des pneumatischen Leibes Jesu ist unzerstörbar"[111]. Die durch den Hl. Geist gewirkte Einheit muß ihren Ausdruck finden in dem Zusammenleben der konkreten Konfessionen. „Der Geist drängt auf Verleiblichung"[112]. Brunner warnt in diesem Zusammenhang vor zwei extremen Auffassungen: der maximalistischen, zu meinen, nur die rechtliche Einheitsverfassung, in der alle Gemeinden und Kirchen unter einer einzigen Spitze zusammengefaßt werden, sei das Zeichen der Überwindung aller Trennungen zwischen den Kirchen, und der minimalistischen, nach der schon die gegenseitige Zulassung zum Abendmahl als die Überwindung der Trennung betrachtet wird[113]. Statt dessen müssen wir uns mit dem Gedanken vertraut machen, „daß es eine Fülle von wirklich gelebten, konkret geschichtlich und allerdings auch rechtlich greifbaren Verhältnissen und Ausdrucksformen ist, in denen Kirchenvereinigung sich realisiert"[114]. Unmittelbar vor dem II. Vatikanum ist es für Brunner die Heilsfrage, die nach wie vor einen großen Teil der Christenheit von Rom trennt[115]. Diese Trennung zwischen den Reformationskirchen und Rom hat jedoch keinen Anspruch auf Ewigkeitscharakter. Die Dauer der Trennung hängt vor allem von den Entscheidungen der römisch-katholischen Kirche und damit vor allem von den Entschei-

---

[110] *Vom Wesen der Kirche*, in: *Pro Ecclesia, Bd. II*, a. a. O., S. 291.
[111] *Die Einheit der Kirche und die Verwirklichung der Kirchengemeinschaft*, in: *Pro Ecclesia, Bd. I*, a. a. O., S. 226.
[112] Ebd., S. 230.
[113] Ebd., S. 231.
[114] Ebd.
[115] *Das Geheimnis der Trennung und die Einheit der Kirche*, in: *Pro Ecclesia, Bd. II*, a. a. O., S. 255.

dungen des Papstes ab[116]. Eine Wiedervereinigung nach dem Modell der mit Rom unierten Ostkirchen lehnt Brunner ab, da ein solcher Plan die Aufgabe reformatorischer Überzeugungen, soweit sie römisch-katholischen Dogmen widersprechen, und die Annahme der römisch-katholischen Dogmen sowie Unterordnung unter die Jurisdiktion des Papstes und sein unfehlbares Lehramt einschließt[117]. Die Chancen, die Trennungen zwischen den Reformationskirchen und der römisch-katholischen Kirche — Kirchen, die sich um der Heilsbotschaft willen gegenseitig Häresien vorhalten — zu überwinden, werden grundlegend dadurch bestimmt und begrenzt, ob es der römisch-katholischen Kirche im Konzil gelingen wird, die Frage neu zu überdenken, wie sie die Kirchen, von denen sie am Altar getrennt ist, „in ihrer Beziehung zum Herrn, zum Geist, zum Evangelium, zur Wahrheit, zum Reiche Gottes" sieht[118]. Die Frage nach dem kirchlichen und geistlichen Status der getrennten Christen und ihrer Kirchen muß von der römisch-katholischen Kirche und auch von den protestantischen Kirchen in einem neuen Horizont durchdacht werden[119]. „Es könnte ja sein, daß eine prinzipiell vergangene geschichtliche Situation des Abendlandes und der Menschheit überhaupt unsere dogmatischen Urteile über den anderen in einer Weise mitbestimmt hat, die vor der Wahrheit des apostolischen Evangeliums nicht bestehen kann"[120]. In den zwischenkirchlichen Beziehungen würde sich nach Brunners Meinung vieles ändern, wenn die sich gegenseitig wegen Häresien exkommunizierenden Kirchen „den Blick für die Wirklichkeit des Leibes Christi bei der anderen ,Kirche' nicht verlieren würden"[121].

4.7 Die Einheit in der Rechtfertigungslehre als Voraussetzung der Kirchengemeinschaft

Die Einheit in der Lehre von der Rechtfertigung aus dem Glauben allein stellt für Brunner die entscheidende Voraussetzung für die Kirchengemeinschaft dar. „Um es noch schärfer zu formulieren: Regiert ... der Artikel von der Rechtfertigung, dann läßt sich nicht nur über alles, was die Christen kirchlich trennt, offen reden, sondern dann kann es unter den Christen schlechterdings nichts geben, was sie trennen dürfte, trennen könnte"[122]. Luther lehnte das Papsttum ab, weil dieses das Heil nicht allein vom Glauben an das Heilsereignis in Jesus Christus abhängig sein ließ. Gegenüber Luthers Verständnis von Gesetz und Evangelium mußte das Papsttum „als der große diabolische Gegenspieler gegen Gesetz und Evangelium erscheinen, weil die Stimme des Papstes mit ihren Satzungen und

---

[116] Ebd., S. 254.
[117] Ebd., S. 259.
[118] Ebd., S. 262.
[119] Ebd., S. 263.
[120] Ebd., S. 263 f.
[121] Ebd., S. 280.
[122] *Die Reformation Martin Luthers als kritische Frage an die Zukunft der Christenheit*, in: *Bemühungen um die einigende Wahrheit*, a. a. O., S. 34—57 (55).

Forderungen sich gerade in den Vollzug der Heilswende einmischte"[123]. Recht-fertigung aus dem Glauben allein läßt nach P. Brunner im Blick auf das Papsttum nur die Aussage zu: „Nicht ein Patriarch des Abendlandes ist eine teuflische Erfin-dung, aber die Ausstattung des Bischofs von Rom mit einer Vollmacht, die das Seelenheil an die Befolgung seiner Setzungen und Satzungen bindet, steht in einem antichristlichen Licht"[124].

P. Brunner anerkennt die Bemühungen katholischer Theologen, die reformato-rische Erkenntnis Luthers mit den eigenen dogmatischen Traditionen zu verbinden, jedoch sieht er die Grenzen solcher Integrationsversuche durch die Lehre der römisch-katholischen Kirche dort als gegeben an, wo das Thema des Verhältnisses des Glaubenden zum Worte Gottes ansteht. Hier bestehen schwerwiegende Un-terschiede zwischen dem katholischen und protestantischen Verständnis. Durch das in der Verkündigung des Evangeliums vom Menschen im Glauben ergriffene Christusheil „ereignet sich an diesem Menschen ein Heilsgeschehen, in welches außer dem Evangelium Gottes kein anderes Wort ... hineinreden darf"[125]. „Rechtfertigung und Glaube schließt unmittelbar ein solches Verhältnis zum Worte Gottes ein, daß sich keine Instanz, und sei es das Konzil aller Bischöfe mitsamt dem Bischof von Rom, zwischen den Glaubenden und dieses Wort Gottes schalten kann"[126]. Dieses unmittelbare Verhältnis zwischen dem Glaubenden und dem Wort Gottes sieht P. Brunner durch das katholische Verständnis vom Lehr-amt des Papstes, wie es auf dem I. Vatikanischen Konzil dogmatisiert worden ist, als aufgehoben an. Die Lehre von der Rechtfertigung ist wegen ihres einzigartigen Bezuges zum Wort Gottes mit dem vom I. Vatikanischen Konzil definierten päpstlichen magisterium nicht vereinbar. Die Rechtfertigungslehre und die Lehre vom päpstlichen Lehramt schließen sich aus[127]. P. Brunner sieht zwar die durch das II. Vatikanische Konzil eingeleitete Erneuerung des geistlichen Lebens und der Theologie in der Kirche, dennoch ist die römisch-katholische Kirche für ihn „nach wie vor, aufs Ganze gesehen, immer noch eine Kirche ohne Reformation. Ohne Einigung in der Wahrheit des Evangeliums, wie sie durch die Heilserkenntnis Luthers an den Tag getreten ist, wird die Christenheit keine Einigung in Kirchen-gemeinschaft erhalten"[128].

5. PAUL ALTHAUS

5.1 Kirchenbegriff

„Der tiefste Gegensatz zwischen *römischem Katholizismus* und *Protestantismus* liegt im *Kirchengedanken*," im Verständnis der Kirche, ihrer Ämter und ihrer

---

[123] Ebd., S. 53.
[124] Ebd., S. 54.
[125] *Reform — Reformation*, a. a. O., S. 31.
[126] Ebd.
[127] Ebd., S. 33.
[128] *Die Reformation Martin Luthers als kritische Frage an die Zukunft der Christen-heit*, a. a. O., S. 57.

Autorität[129]. Das Wesen der Kirche ist personell und institutionell zu verstehen: personell, insofern sie die Gemeinschaft der Gläubigen ist, institutionell, insofern sie Sendung und Amt ist[130]. Eine Wesensbestimmung der Kirche, die nur einen dieser beiden Aspekte gelten läßt, bringt das Kirchenverständnis nicht angemessen zum Ausdruck. „Kirche ist die um das Evangelium, in Verkündigung und Sakrament gesammelte *Gemeinde*. Untrügliches und ausreichendes Kennzeichen der Kirche ist die *Darbietung des Evangeliums* in Verkündigung und Sakrament"[131]. Darüber hinaus erachtet P. Althaus keine weiteren Kennzeichen der Kirche als unerläßlich und sicher. Eine bestimmte Kirchenverfassung gehört nicht zu ihren wesensnotwendigen Kennzeichen. „Keine konkrete Gestalt der Ordnung ist göttlichen Rechtes, nur das Gegenüber von Evangelium, in Verkündigung und Sakrament, und Gemeinde"[132].

Die hierarchische Verfassung der römisch-katholischen Kirche, der Primatsanspruch des Bischofs von Rom, die Forderung der Unterordnung unter den Papst als heilsnotwendigen Akt des Gehorsams, können weder biblisch noch dogmatisch begründet werden[133]. Wenngleich Petrus in der Kirche eine weithin autoritative Stellung eingenommen hat, liegt doch der Gedanke der Weitergabe dieser autoritativen Stellung an einen Nachfolger dem Neuen Testament fern. „Die These, daß Petrus und der Papst stellvertretend das Königtum Christi ausüben, beruht auf säkularistischem Verkennen der königlichen Herrschaft Jesu. Jesus Christus herrscht in seiner Kirche durch sein lebendiges Wort, das die Gewissen bindet und überführt. Es gibt in der Kirche keine andere Hierarchie als die Herrschaft des Wortes Christi"[134]. Recht und Ordnung der Kirche stammen nicht aus der Offenbarung, sondern aus der menschlichen Vernunft. Wert und Gültigkeit des kirchlichen Rechtes sind danach zu messen, ob sie dem Amt der Kirche, der Verkündigung des Evangeliums und der Verwaltung der Sakramente dienen[135].

5.2 Das Papsttum als Garant kirchlicher Einheit

Die katholische Kirche erhebt den dogmatischen Anspruch, daß der Papst als sichtbares Oberhaupt der Kirche ihre Einheit garantiert und repräsentiert. Rein geschichtlich betrachtet, hat das Papsttum Jahrhunderte hindurch eine solche Einheit sichernde Funktion innerhalb der abendländischen Christenheit wahrgenommen. Nach Althaus kann die Einheit der Kirche durch die Leitung eines Führers grundsätzlich gewahrt und dargestellt werden — „wenn und solange er ein treuer Zeuge des Evangeliums ist und mit seinem Zeugnis immer wieder überführende Autorität in der Gemeinde gewinnt"[136]. Unter Berufung auf K. A. v. Hase stellt

---

[129] P. ALTHAUS, *Grundriß der Dogmatik*, 4. Aufl., Gütersloh 1958, S. 81.
[130] *Die christliche Wahrheit*, 4. Aufl., Gütersloh 1958, S. 500.
[131] Ebd., S. 501.
[132] Ebd., S. 504.
[133] Ebd., S. 505.
[134] Ebd.
[135] Ebd., S. 506.
[136] Ebd., S. 517.

auch Althaus fest, daß aber ein irdisches Haupt für die Kirche nicht wesensnotwendig ist, da Christus die Einheit seiner Kirche der Einigkeit seiner Apostel anvertraut hat, nicht dem Gehorsam gegen einen[137]. Diese Feststellung muß — so Althaus — getroffen werden unter Außerachtlassung des späteren Versagens des Papsttums, „angesichts dessen ein Teil der Christenheit sich um Christi willen von dem Papste trennen mußte"[138].

5.3 Das unfehlbare Lehramt als Garant kirchlicher Einheit durch die Sicherung eines einheitlichen Verständnisses des Evangeliums

Die römisch-katholische Lehre, nur das unfehlbare Lehramt des Papstes könne durch ein einheitliches Verständnis des Evangeliums die Einheit der Kirche bewahren, wird nach Althaus durch das tatsächliche Verhalten des päpstlichen Lehramtes widerlegt. „Das Papsttum hat tatsächlich die Reinheit des Evangeliums und damit die wahre Einheit der Kirche nicht immer gewahrt"[139]. Gegensätze in der Interpretation des Evangeliums „können nur durch das Evangelium selbst im freien Ringen der Geister miteinander" überwunden werden. Das unfehlbare Lehramt kann einen „Streit nur äußerlich niederschlagen, aber nicht überwinden"[140]. Das Papstamt kann somit nach P. Althaus nur eine „äußerliche Einheit" der Kirche garantieren. Die innere Einheit der Kirche kann nur durch den Heiligen Geist in freier Überwindung der unterschiedlichen Meinungen durch das eine Evangelium gewirkt werden. Dieses Wirken des Heiligen Geistes durch das Evangelium ist natürlich immer durch menschliche Zeugen vermittelt. „Aber diese Lehrgewalt ist ein freies Geschenk der Gnade Gottes und läßt sich nicht für ein kirchliches Amt und seine Sukzession im voraus in Anspruch nehmen und als an es gebunden, durch es gewährleistet behaupten"[141].

5.4 Die Autorität Gottes in der Kirche durch sein Evangelium und kirchliche Autorität

In der römisch-katholischen Kirche ist nach Althaus das Verhältnis von göttlicher und menschlicher Autorität entstellt. „Nach dem Evangelium gibt es in der Gemeinde Jesu nur eine unbedingte Autorität, nämlich die Gottes in seinem Evangelium ..."[142]. Wohl gibt es auch „kirchliche Autorität und Autoritäten in der Kirche"[143]. Diese müssen Zeugen des Evangeliums sein, nur darin besteht ihre Autorität. Wenngleich Gottes Autorität sich durch diese Zeugen vermittelt, setzt sie sich mit ihnen nicht gleich, „sondern ist durch sie alle hindurch zu jedem Glaubenden unmittelbar im Zeugnis des Heiligen Geistes"[144]. In der römischen

---

137 Ebd., S. 518.
138 Ebd.
139 Ebd., S. 506.
140 Ebd.
141 Ebd.
142 Ebd., S. 232.
143 Ebd., S. 233.
144 Ebd.

Kirche jedoch geht die Autorität des Wortes Gottes in die Kirche so ein, „daß sie mit ihr identisch, von ihr absorbiert wird"[145]. Die Souveränität des Evangeliums, seine kritische Funktion gegenüber der Kirche ist verloren, gegangen. „Der unbedingte Gehorsam, der allein Gott in seinem Wort gebührt, wird für die Kirche in Anspruch genommen. Der Spruch des Papstes, das Gebot der Kirche hat als solches gewissensbindende Macht. An die Stelle der Herrschaft Christi im Heiligen Geist ist die Hierarchie getreten"[146]. Die Entstellung der Autorität des Wortes Gottes in der römischen Kirche hat auch das Verständnis der Kirche verfälscht. Sie ist nicht mehr die vom Heiligen Geist gesammelte Gemeinde der Gläubigen, sondern Hierarchie, Papsttum und Kirchenrecht gehören notwendig zu ihrem Wesen hinzu. Nicht mehr Evangelium und Glaube sind die heilsnotwendigen Bedingungen, sondern zusätzlich auch die Unterordnung unter den Papst und die Hierarchie. Althaus sieht in der römisch-katholischen Kirche das Evangelium in ein neues Gesetz eingefangen. Die Herrschaft Christi ist mit Zügen weltlichen Herrschens vermengt worden. „Diese Kirche ist in der Tat ‚römisch' "[147]. Die kirchliche Bedeutung der Reformation besteht darin, die Christenheit von dieser Entartung zurückgerufen und ihr gegenüber das Evangelium des Neuen Testamentes in seiner Reinheit neu geltend gemacht zu haben[148].

---

[145] Ebd.
[146] Ebd.
[147] Ebd., S. 233.
[148] Ebd., S. 233 f.

Kapitel III

Das Papstamt gemäß dem II. Vatikanischen Konzil und die Kritik protestantischer Theologen

1. Vorbemerkungen

Am Anfang dieses Kapitels steht eine Darstellung der vom Konzil verabschiedeten Lehre der Kollegialität der Bischöfe und der daraus sich ergebenden Fragestellungen. Diese haben zu einer ausführlichen kritischen Kommentierung und zukunftsorientierten Diskussion der hierarchischen Stellung des Papstamtes in der Kirche geführt.

Die Papsttumsthematik, so zeigen die Ausführungen zur grundlegenden Kritik protestantischer Theologen, stellt keinen isolierten und selbständigen Fragenkomplex dar; dies kann allenfalls bezüglich der biblischen Legitimation des Papsttums gesagt werden. Bei der Papstfrage handelt es sich nicht um ein Randthema zwischen den Kirchen, nicht um eine Kontroverse neben anderen. In ihr kulminieren gleichsam die protestantischen Vorwürfe, da durch dieses Amt die Autorität des Wortes Gottes und damit die Autorität Christi selbst bedroht erscheint. Angesichts dieser fundamentalen Bedrohung erhalten die exegetischen Probleme einer biblischen Fundierung des Papsttums einen sekundären Stellenwert. Zwischen der Rechtfertigungslehre, dem Schrift/Tradition — Verständnis, der Lehre von der Kirche und ihrer Einheit sowie dem Amtsverständnis und dem Selbstverständnis des Papsttums bestehen Correlationen. Deshalb gehört die radikale Ablehnung des Papsttums zu den Selbstaussagen der protestantischen Kirchen, sie hat ihr Verhältnis zur römisch-katholischen Kirche auch über das II. Vatikanische Konzil hinaus bestimmt.

Die Frage nach einer möglicherweise neuen protestantischen Wertung des Papsttums zu stellen, die durch das Ereignis des II. Vatikanischen Konzils und seiner Dokumente bedingt sein könnte, verlangt zunächst einmal, von der Wirkungsgeschichte des Konzils, die knapp zehn Jahre später zu den Konsenstexten einer evangelisch-lutherischen/römisch-katholischen Dialoggruppe und einer anglikanisch/römisch-katholischen Dialoggruppe über die Problematik des päpstlichen Primats geführt hat, abzusehen und die Meinung protestantischer Theologen zu erfragen, die selbst am Konzil teilgenommen haben bzw. die Papstthematik nach dem Konzil neu erörtert haben. Diese konziliare und postkonziliare Diskussion kreist um die auf Ergänzung, Fortführung und Korrektur zielende Lehre des kollegialen Prinzips der seit dem I. Vaticanum einseitig primatsorientierten Kirche.

2. Das Papstamt gemäß dem II. Vatikanischen Konzil

2.1 Das Verhältnis von Primat und Episkopat nach der Kirchenkonstitution „Lumen Gentium"

Im eigentlichen Sinn hat das Vaticanum II die Primatslehre nicht thematisiert. Eines der wichtigen Themen war vielmehr das Bischofsamt. Papst Paul VI. hat in der Eröffnungsrede zur dritten Konzilssession die Aufgabe, Wesen und Auftrag des Bischofsamtes zu formulieren, als die Frage bezeichnet, die dem Konzil im Gedächtnis der Nachwelt den „besonderen historischen Wert verleihen" wird. Die Integrität der katholischen Wahrheit erfordert die Darlegung der Würde und Aufgaben des Episkopats in Übereinstimmung mit der Lehre vom Bischof von Rom[1]. Im Kapitel 3 der Kirchenkonstitution „Lumen Gentium"[2] und im Dekret „Christus Dominus"[3] über die Hirtenaufgabe der Bischöfe hat das Konzil den Episkopat hinsichtlich seiner speziellen Autorität beschrieben und ihn als Struktur-element der Kirche verdeutlicht. Für unser Thema sind die Aussagen zum Kolle-gialitätsprinzip zu berücksichtigen, da hier das Selbstverständnis und die Praxis des Papstamtes direkt tangiert werden. „Der wichtigste Punkt der vom Konzil nun verabschiedeten Lehre besteht darin, daß es für den Papst und die übrigen Bischöfe einen gemeinsamen Oberbegriff gibt, den der Kollegialität"[4].

Der Kollegialitätsgedanke hat seine Grundlage in einem Verständnis von Kirche nicht als monarchisch verfaßtem Superstaat, sondern als Gefüge gottesdienstlicher Gemeinschaften, deren verbindlicher Orientierungspunkt im Sitz des heiligen Petrus zu Rom besteht[5].

Wie schon gesagt, hat das Konzil keine Lehre über den Primat des Papstes formulieren wollen, jedoch treten in „Lumen Gentium" bei der Entfaltung des Kollegialitätsprinzips unvermittelt Aussagen hinzu, die den Primat sichern sollen, neben die Ausführungen, die die eigenständige Autorität des Bischofskollegiums hervorheben sollen. Diese inhaltliche Absicherung ist bedingt durch das ängstliche Bemühen, die Identität mit der Lehre des Ersten Vatikanischen Konzils zu garan-tieren. Diese Wertung wird nicht nur durch die Entstehungsgeschichte der „Nota praevia" eindeutig bestätigt, sondern auch durch die Tatsache der Hinzufügung

---

[1] HK 19. Jg. (1964/65), S. 42—48 (44 f.).
[2] *Lumen Gentium*, in: *LThK, Das Zweite Vatikanische Konzil, Teil I*, Freiburg-Basel-Wien 1966, S. 137—347 (211 ff.).
[3] *Christus Dominus*, in: *LThK, Das Zweite Vatikanische Konzil, Teil II*, Freiburg-Basel-Wien 1967, S. 127—247.
[4] U. BETTI, *Die Beziehungen zwischen dem Papst und den übrigen Gliedern des Bischofskollegiums*, in: *De Ecclesia, Bd. II*, hrsg. von G. BARAÚNA, 1. Aufl., Freiburg-Basel-Wien-Frankfurt a. M. 1966, S. 71—83 (72).
[5] J. RATZINGER, *Einleitung zu: Dogmatische Konstitution über die Kirche*, Münster 1965, S. 14.

einer solchen „Nota praevia" an sich, die eine einschränkende Interpretation des Kollegialitätsprinzips bewirken sollte. In dem argumentativen Text des Artikels 22 LG zur Sicherung des Papstamtes wurde die Lehre des Ersten Vatikanischen Konzils über Primat und Unfehlbarkeit bestätigt und bekräftigt. Dort heißt es: „Der römische Bischof hat nämlich kraft seines Amtes als Stellvertreter Christi und Hirt der ganzen Kirche volle, höchste und universale Gewalt über die Kirche und kann sie immer frei ausüben"[6]. Und in der Nota Explicativa Praevia, die auf Wunsch einer „höheren Autorität" der Konstitution beigefügt wurde, steht sogar folgender Satz: „Der Papst als höchster Hirte der Kirche kann seine Vollmacht jederzeit nach Gutdünken ausüben, wie es von seinem Amt her gefordert wird"[7].

Nach J. Ratzinger kann das „ad placitum" nur besagen, „daß der Papst bei seinem Handeln keinem äußeren Tribunal untersteht, das als Appellationsinstanz gegen ihn auftreten könnte, wohl aber an den inneren Anspruch seines Amtes, der Offenbarung, der Kirche gebunden ist". Dieser innere Anspruch des Amtes bindet den Papst aber zweifellos an die Meinung der Gesamtkirche[8]. Auch hinsichtlich des Unfehlbarkeitsdogmas werden die mißverständlichen Formulierungen „ex sese, non ex consensu ecclesiae" des I. Vatikanischen Konzils in den Text aufgenommen[9]. Das Papstamt ist somit keineswegs abgeschwächt oder minimalistisch interpretiert worden. Angesichts der Absicht des II. Vatikanischen Konzils, das Kollegialitätsprinzip als Ergänzung und Korrektur zu den Lehrdefinitionen über das Papstamt des I. Vatikanums in die Ekklesiologie nachdrücklich einzubringen, ist es erstaunlich, daß im Konzil vom Papstamt noch mehr die Rede ist als im Vaticanum I. Dennoch hat das Konzil mit der Formulierung des Kollegialitätsprinzips das Bindeglied geschaffen, mit dessen Hilfe das Papstamt aus seiner durch das Dogma des I. Vatikanums bedingten isolierten Stellung wieder an das Bischofskollegium angeschlossen werden konnte bzw. in das Bischofskollegium reintegriert werden konnte. Die entscheidenden Aussagen zum Kollegialitätsprinzip trifft das Konzil im Art. 22 von „Lumen Gentium": Das Bischofskollegium und sein Haupt. Voraussetzung des Kollegialitätsprinzips ist das Verbundensein von Papst und Bischöfen in Analogie zum apostolischen Kollegium des Petrus und der übrigen Apostel. Vom solchermaßen strukturierten Bischofskollegium sagt das Konzil, daß es gemeinsam mit seinem Haupt, dem Papst, niemals ohne ihn, gleich-

---

[6] *LG* Art. 22: „Romanus enim Pontifex habet in Ecclesiam, vi muneris sui, Vicarii scilicet Christi et totius Ecclesiae Pastoris, plenam, supremam et universalem potestatem, quam semper libere exercere valet." *LThK, Das Zweite Vatikanische Konzil, Teil I,* a. a. O., S. 222.

[7] *Nota Explicativa Praevia* Nr. 4: „Summus Pontifex, utpote Pastor Supremus Ecclesiae, suam potestatem omni tempore ad placitum exercere potest, sicut ab ipso suo munere requiritur." *LThK, Das Zweite Vatikanische Konzil, Teil I,* a. a. O., S. 356.

[8] J. RATZINGER, *Kommentar zu den Bekanntmachungen ...,* in: *LThK, Das Zweite Vatikanische Konzil, Teil I,* a. a. O., S. 356.

[9] Vgl. H. FRIES, *Ex sese, non ex consensu ecclesiae,* in: *Volk Gottes. Zum Kirchenverständnis der katholischen, evangelischen und anglikanischen Theologie* (Festgabe für J. Höfer), hrsg. v. R. BÄUMER — H. DOLCH, Freiburg-Basel-Wien 1967, S. 480—500.

falls Träger der höchsten und vollen Gewalt über die ganze Kirche ist, die auch dem Bischof von Rom kraft seines Amtes als Stellvertreter Christi und Hirt der ganzen Kirche zukommt. Das Bischofskollegium kann diese Gewalt aber nur mit Zustimmung des Papstes wahrnehmen. Die feierlichste Weise, diese oberste Gewalt des gesamten Bischofskollegiums auszuüben, geschieht durch ein ökumenisches Konzil, jedoch kann dieses auch dadurch geschehen, daß der Papst als das Haupt des Kollegiums die Bischöfe zu einer kollegialen Handlung ruft, „oder wenigstens die gemeinsame Handlung der verstreut weilenden Bischöfe billigt oder frei rezipiert, so daß ein wahrhaft kollegialer Akt zustande kommt". Nr. 3 der Nota Praevia betont nochmals ausdrücklich die Notwendigkeit gemeinsamen Handelns von Papst und Bischofskollegium bei der Wahrnehmung der obersten Gewalt[10]. Dieser Abschnitt der Nota Praevia hätte sich insofern erübrigt, als ja auch im Art. 22 von LG das Bischofskollegium nicht getrennt vom Papst verstanden wird, sondern seine Zugehörigkeit zu ihm als Bischof von Rom und seine Stellung als Haupt des Kollegiums ausdrücklich zur Sprache kommen, somit die Möglichkeit einer Handlung des Kollegiums ohne den Papst durch den Text nicht gedeckt ist.

2.2 Einheit oder Zweiheit des Trägers der obersten Gewalt

Auch das II. Vatikanische Konzil hat die Frage nach einer genaueren Bestimmung der Trägerschaft der obersten Gewalt, d. h. die Frage nach der Einheit oder Zweiheit der Trägerschaft offengelassen. Unter der Voraussetzung, daß zwei Träger der obersten Gewalt bestehen, der Papst allein und das Bischofskollegium zusammen mit dem Papst als seinem Haupt, stellt sich für K. Rahner ein Problem: „... Wird nicht praktisch die Autorität und Initiative des Kollegiums zu einer bloß verbalen Fiktion, wenn sie jederzeit ‚frei‘ vom Papst in ihrer Auswirkung unterbunden werden kann"[11]? Rahner sieht hier erhebliche Probleme für den ökumenischen Dialog über den Primat des Papstes und die synodale Struktur der Kirche[12]. K. Rahner hatte sich bereits vor dem Konzil mit dieser Thematik befaßt[13]. Nach dem Konzil greift er sie erneut auf[14] und versucht die These zu begründen: „Der Träger der höchsten und obersten Gewalt in der Kirche ist der Gesamtepiskopat mit und unter dem Papst als seinem Haupt"[15]. Rahner votiert somit für die Einheit des obersten Gewaltenträgers. Dieser eine Träger, der Ge-

---

[10] Nota Explicativa Praevia Nr. 3 „A. v. distinctio non est inter Romanum Pontificem et Episcopos collective sumptos, sed inter Romanum Pontificem seorsim et Romanum Pontificem simul cum Episcopis." LThK, Das Zweite Vatikanische Konzil, Teil I, a. a. O., S. 354.

[11] K. RAHNER, Kommentar zu Kap. III der Kirchenkonstitution, in: LThK, Das II. Vatikanische Konzil, Teil I, a. a. O., S. 227.

[12] Ebd.

[13] Vgl. K. RAHNER — J. RATZINGER, Episkopat und Primat (Quaestiones disputatae 11), Freiburg 1961.

[14] Vgl. K. RAHNER, Zum Verhältnis zwischen Papst und Bischofskollegium, in: Schriften z. Th., Bd. VIII, Einsiedeln-Zürich-Köln 1967, S. 374—394.

[15] Ebd., S. 379.

samtepiskopat, kann seine Vollmacht in zweifacher Weise ausüben: durch einen „kollegialen" Akt oder durch einen Akt seines Hauptes, des Papstes, der auch in diesem Fall auch ohne Beauftragung durch das Kollegium als Haupt des Kollegiums handelt[16]. Seine These — so Rahner — mindert die Bedeutsamkeit und Einzigartigkeit des Primates keineswegs, sondern macht sein Wesen erst verständlich. Der Papst hat seine Amtsvollmachten nicht als Privatperson, sondern als Haupt der ganzen Kirche[17]. Deshalb bedeutet es auch keine Schmälerung des Primates, zu sagen, der Papst habe sein Amt als Haupt des Bischofskollegiums. „Es ist ja auch immer zu bedenken, daß er Haupt der Kirche ist, die eine gesellschaftliche strukturierte Größe ist und deren Struktur nicht allein durch das Papstamt kommt, sondern unter ihren Elementen auch den Episkopat ‚iuris divini' hat. Der Papst kann also gar nicht Haupt der Kirche sein, außer auch dadurch, daß er Haupt des Gesamtepiskopats ist"[18].

Dieses Integriertsein in den Gesamtepiskopat schließt natürlich ein „seorsim" Handeln, d. h. einen eigenen, nicht kollegialen, Akt des Papstes nicht aus. Aber auch in diesem Fall handelt der Papst als Haupt des Kollegiums, weil der Papst nicht ohne Einbindung in das Bischofskollegium verstanden werden kann[19].

2.3 Unterschiedliche Modelle der Kollegialitätsidee

In der Kirchenkonstitution „Lumen Gentium" haben zwei unterschiedliche, aus verschiedenen Phasen der Kirchenorganisation stammende Ansätze der bischöflichen Kollegialität ihren Niederschlag gefunden. Einerseits der neuzeitlich spekulative Ansatz, der die seit dem I. Vatikanischen Konzil ausstehende Diskussion über das Verhältnis der obersten und vollen Gewalt des Papstes und des Bischofskollegiums weitergeführt hat, andererseits der patristische Ansatz des Kollegialitätsverständnisses, der, mehr die Eigenbedeutung der Einzelkirchen vor Augen, die Wiederherstellung des Organismus der Einzelkirchen in der Einheit der Gesamtkirche anstrebt[20].

Der Communiogedanke, die Verbundenheit der Bischöfe als Leiter und Repräsentanten der Einzelkirchen, wird im Konzilstext allerdings durch die organisatorisch-juristische Fragestellung des neuzeitlichen Ansatzes überlagert[21]. Die Idee des Gesamtkollegiums — speziell die Ansicht, daß das Bischofskollegium die Nachfolge des Apostelkollegiums darstellt, war bis zum vierten Jahrhundert unbekannt — war für die alte Kirche von sekundärer Bedeutung, kollegiales Handeln der Bischöfe fand bis zum ersten ökumenischen Konzil von Nicäa 325

---

[16] Ebd.
[17] Ebd.
[18] Ebd., S. 380.
[19] Ebd., S. 379.
[20] J. RATZINGER, Die bischöfliche Kollegialität, in: De Ecclesia, Bd. II, a. a. O., S. 44—70 (56—58).
[21] J. C. GROOT, Die horizontalen Aspekte der Kollegialität, in: De Ecclesia, Bd. II, a. a. O., S. 84—105 (84).

seine Verwirklichung in den Regionalsynoden. Am Ende des sechsten Jahrhunderts lebte die Gesamtkirche in synodaler Verfassung[22].

Art 23 der Kirchenkonstitution ist eher vom patristischen Kollegialitätsdenken bestimmt: Die kollegiale Einheit findet ihren Ausdruck in den wechselseitigen Beziehungen der Bischöfe zu den Teilkirchen wie auch zur Gesamtkirche. Papst und Bischöfe stellen sichtbare Prinzipien und das Fundament der Einheit dar: der Papst für die Einheit in der Vielheit der Bischöfe und Gläubigen, die Bischöfe für die Einheit ihrer Teilkirchen. In und aus den Teilkirchen besteht die eine katholische Kirche. „Daher stellen die Einzelbischöfe je ihre Kirche, alle zusammen aber in Einheit mit dem Papst die ganze Kirche im Band des Friedens, der Liebe und der Einheit dar"[23]. Als Gliedern des Bischofskollegiums und rechtmäßigen Nachfolgern der Apostel obliegt ihnen die verpflichtende Sorge für die Gesamtkirche. „Indem sie ihre eigene Kirche als Teil der Gesamtkirche recht leiten, tragen sie wirksam bei zum Wohl des ganzen mystischen Leibes, der ja auch der Leib der Kirchen ist"[24].

Beide Ansätze der Kollegialitätslehre, der neuzeitliche, der ausgehend vom gesamtkirchlichen Denken die Verantwortung der Bischöfe als Kollegium betont, und der patristische, der von der Eigenbedeutung der Teilkirchen als wahre Kirche Christi die Erkenntnis der Verpflichtung zur gemeinsamen Sorge für die ganze Kirche gewinnt, werden hier im Art. 23 miteinander vermittelt.

2.4 Die Bischofssynode

Mit dem Motu Proprio „Apostolica sollicitudo"[25] hat Papst Paul VI. noch während des Konzils ein synodales Gremium eingerichtet, für das in der neueren Verfassungsgeschichte kein Vorbild existiert[26]. Der Bischofssynode kommt im Unterschied zum ökumenischen Konzil nur beratende Funktion zu, jedoch kann ihr vom Papst Entscheidungsgewalt übertragen werden. Die Bischofssynode untersteht unmittelbar dem Papst. Er bestätigt die rechtmäßig bestimmten Mitglieder, ruft die Synode ein, legt die Verhandlungsthematik fest und führt selbst oder

---

[22] J. HAJJAR, *Die bischöfliche Kollegialität in der östlichen Tradition*, in: De Ecclesia, Bd. *II*, a. a. O., S. 125—147 (146) — *Zur Bedeutung der Konzilien in der alten Kirche*, vgl. W. DE VRIES, *Die kollegiale Struktur der Kirche in den ersten Jahrhunderten*, in: Una Sancta, 19. Jg. (1964), S. 296—317.

„Während jedoch der Papst in Rom seine Synode im klaren Bewußtsein seiner unveräußerlichen, auf die Nachfolge Petri gründenden Autorität des Primates leitete, wurde das synodale Regime des Patriarchates in Konstantinopel auf der Grundlage der Gleichheit aufgebaut und ausgeübt, in dem Sinne, daß der Vorsitz des byzantinischen Primas nicht die qualitative und wesentliche Stellung einschloß, welche die persönliche Autorität des Papstes von jener der Mitglieder seiner Synode abgrenzte und unterschied." J. HAJJAR, a. a. O., S. 146.

[23] *Lumen Gentium*, Art. 23, a. a. O., S. 231.

[24] *Lumen Gentium*, Art. 23, a. a. O., S. 231.

[25] AAS 57 (1965), S. 775—780.

[26] W. AYMANS, *Das synodale Element in der Kirchenverfassung*, München 1970, S. 133.

durch andere den Vorsitz[27]. Die Bischofssynode stellt Aymans zufolge eine Institution dar, die sich praktisch nicht von einem Ökumenischen Konzil aus repräsentativen Vertretern des Episkopates unterscheidet[28]. J. Neumann hingegen sieht in der Einrichtung der Bischofssynode nicht die Verwirklichung der Kollegialität des Episkopates garantiert, da dieses Gremium, „das seinem Wesen nach ein Organ der Körperschaft sein sollte, vom guten Willen des Papstes abhängig" ist. In seine Freiheit ist es gestellt, ob er eine Mithilfe der Synode zulassen will oder nicht. „Die ihr gegebene Verfassung läßt sie somit eher als ein neues päpstliches Organ, nicht aber als Repräsentation der weltweiten Körperschaft der Bischöfe erscheinen"[29].

3. Protestantische Kommentare: Das Kollegialitätsprinzip — ein ökumenisch relevantes Prinzip?

Ob die Lehre vom Kollegialitätsprinzip in irgendeiner Weise ökumenischen Charakter hat, d. h. bedeutsam für die Gemeinschaft mit der römisch-katholischen Kirche werden könnte, ist aufgrund erster Kommentare protestantischer Theologen zur Kirchenkonstitution nicht eindeutig festzustellen. Nach G. Maron ist die neue Entwicklung der katholischen Kirche für evangelisches Empfinden deshalb so fremdartig, „weil sie ganz im Bereich des Hierarchischen geschieht"[30]. G. Steck kann in der Diskussion um das Verhältnis von Papst und Bischofskollegium nur eine innerrömische Debatte erkennen. Das hierarchische Prinzip als die Voraussetzung dieser Debatte steht nach wie vor zwischen dem reformatorischen Protestantismus und Rom. Das „von manchen evangelischen Konfessionsverwandten bekundete Interesse an dieser innerkatholischen Quadratur des Kreises" ist kaum berechtigt[31]. Für H. Ott stellt das Kollegialitätsprinzip unmittelbar nach dem Konzil kein Thema des ökumenischen Dialogs dar[32]. Er vermutet allerdings, daß „die nunmehr definierte Kollegialität der Bischöfe in der Praxis den Gang des ökumenischen Gesprächs nicht unwesentlich beeinflussen wird, indem nun das Lehramt der Kirche eine größere Breite und Fülle gewinnt"[33]. W. A. Quanbeck erwartet sich Veränderungen in der Machtstruktur der Kirche. Das Maß der

---

[27] W. AYMANS, a. a. O., S. 134—149; vgl. auch: K. MÖRSDORF, *Das synodale Element der Kirchenverfassung im Lichte des Zweiten Vatikanischen Konzils*, in: *Volk Gottes*, a. a. O., S. 568—584.
[28] Ebd., S. 345.
[29] J. NEUMANN, *Das Kirchenrecht vor seiner Revision*, in: *Die Autorität der Freiheit*, Bd. II, hrsg. von J. C. HAMPE, München 1967, S. 488—527 (500).
[30] G. MARON, *Evangelischer Bericht vom Konzil. 3. Session.* (Bensheimer Hefte, Nr. 26), hrsg. v. EVANGELISCHEN BUND, Göttingen 1965, S. 20.
[31] G. STECK, *„Lumen Gentium?" Zum Verständnis der „Constitutio dogmatica de ecclesia"*, in: MD, 16. Jg. (1965), S. 85—90 (87).
[32] H. OTT, *Gedanken eines reformierten Theologen zur Constitutio dogmatica „De Ecclesia"*, in: *De Ecclesia*, Bd. II, a. a. O., S. 550—568 (567).
[33] Ebd.

Verwirklichung des Kollegialitätsprinzips in der Zukunft wird das Dekret vom Vaticanum I über die päpstliche Unfehlbarkeit in ein neues Licht rücken[34]. „Doch sind in neuerer Zeit die Schwierigkeiten hinsichtlich des Papsttums und des Episkopats eher größer als geringer geworden, und der Beitrag des II. Vatikanischen Konzils war in dieser Hinsicht nicht eindeutig"[35].

3.1 GOTTFRIED MARON

3.1.1 Papst und Bischofskollegium

„Bei der neuformulierten Lehre vom bischöflichen Kollegium kann nicht von einer Abschwächung des Ersten Vatikanums gesprochen werden, sondern nur von Ergänzung. Unverändert bleibt die wesentliche Leitungsfunktion in der Hand des Papstes, „von dem nach wie vor alles abhängt, dem sich aber in Zukunft nach unten neue Möglichkeiten eröffnen"[36]. Die neue Position bedeutet für die Stellung des Papstes *und* die der Bischöfe eine Stärkung. Sie kann zur Stützung der lokalen und partikularen Kirchen ebenso dienen wie zu einer stärkeren Zentralisierung[37]. Nach Auffassung von G. Maron stand in der Kirchengeschichte kaum ein Konzil dem Papst so „wohlwollend" gegenüber und hat so wenig Zweifel bezüglich der primatialen Stellung des römischen Bischofs gehabt wie dieses erste Konzil nach der Unfehlbarkeitserklärung[38].

3.1.2 Der Papst als Garant der Vielfalt

Das Vaticanum II hat die Aussagen des Vaticanum I über das Papstamt als centrum unitatis wiederholt. Neu ist die Vorstellung, daß die Bischöfe auf einer unteren Ebene Einheitszentren bilden, die im Papstamt zusammengefaßt werden; so kann eine größere Vielfalt in der Kirche Platz greifen[39]. „Der Papst erscheint somit zugleich als Garant auch der Vielheit in der Kirche"[40]. Die Rolle des Papstes als Schützer der „rechtmäßigen Verschiedenheiten" scheint Maron aber eher Wunsch und Programm für die Zukunft zu sein als bereits verwirklichtes Faktum[41].

3.1.3 Verschiebung in der Einheitsfunktion des Papstamtes

In seinem Artikel „Der römische Katholizismus nach dem Konzil. Grundriß einer Analyse"[42] trifft Maron ein dreifaches Urteil über das Konzilsereignis: Der

---

[34] W. A. QUANBECK, *Nach dem Konzil: Das Gespräch,* in: Lutherische Rundschau, 15. Jg. (1965), S. 121—134 (129).

[35] W. A. QUANBECK, *Das Dekret über die Hirtenaufgabe der Bischöfe,* in: *Wir sind gefragt,* hrsg. v. F. W. KANTZENBACH und V. VAJTA, Göttingen 1966, S. 62—79 (72).

[36] G. MARON, a. a. O., S. 20.

[37] Ebd.

[38] G. MARON, *Kirche und Rechtfertigung,* Göttingen 1969, S. 33.

[39] *Kirche und Rechtfertigung,* a. a. O., S. 82 f.

[40] *Kirche und Rechtfertigung,* a. a. O., S. 83.

[41] *Kirche und Rechtfertigung,* a. a. O., S. 83.

[42] *Der römische Katholizismus nach dem Konzil. Grundriß einer Analyse,* in: MD, 17. Jg. (1966), S. 1—8.

Katholizismus ist „evangelischer" geworden, insofern die Bibel im Leben der katholischen Kirche eine neue Stellung einnimmt, der Katholizismus ist „katholischer" geworden, insofern er der Vielfalt der Meinungen mehr Raum gibt; die Vorstellung des Katholizismus als eines „monolithischen Blockes" gilt nicht mehr, und der Katholizismus ist „römischer" geworden, insofern die „neue Katholizität" eine Stärkung des zusammenhaltenden und verbindenden Zentrums notwendig macht[43]. Der Papst gilt also nicht mehr so sehr als „Gubernator", als „Uniformierer" und „Vereinheitlicher", sondern als Schützer und Garant der Einheit[44]. Die Delegation von Vollmachten an die Bischöfe wird das Erscheinungsbild des Papstamtes verändern, so daß es immer weniger das Gesicht eines Universal-Kirchen-Amtes haben wird. „Das eigentliche Amt des Papstes wird immer mehr das werden: Zeichen, ‚signum' einer umfassenden und weltumspannenden Einheit zu sein, in dem alles seinen ihm zukommenden Platz findet"[45]. Die „römische Frage" im traditionellen Verständnis ist hinfällig. „Rom ist jetzt frei für ein Höheres: das geistliche Weltimperium." In diese Richtung eines „wirklich gesamtkirchlichen, ‚katholischen', ja menschheitlichen Amtes der Einheit über allen Gegensätzen" weist auch der Besuch Pauls VI. bei der UNO[46]. Diese neue Bedeutung des Papstamtes hat — so Maron — schon mit dem Pontifikat Pius XII. begonnen, der sich als „moralische Weltautorität" verstand und in dieser Rolle in gewisser Hinsicht akzeptiert wurde[47].

„Es geht dabei um ein neues christlich-religiös-humanitär verstandenes umfassendes Petrusamt als Voraussetzung und Kristallisationspunkt für eine Menschheitseinung, in der die Vielfalt zusammengefaßt ist." Die Aufgabe des Wächteramtes über die Glaubensreinheit wird in Zukunft zugunsten des Dienstes an der Einheit zurücktreten, „deren stärkster Motor künftig in Rom zu finden sein wird"[48].

3.2 VALDO VINAY

3.2.1 Die theologiegeschichtliche Beurteilung des Konzils

Nach V. Vinay kann nur eine theologisch geschichtliche Betrachtungsweise dem II. Vatikanischen Konzil gerecht werden, damit in den Formulierungen nicht nur die Schlußfolgerungen der traditionellen römisch-katholischen Dogmatik gesehen

---

[43] Ebd., 1—6.
[44] G. MARON, Kirche und Rechtfertigung, a. a. O., S. 83.
[45] Ebd.
[46] Der römische Katholizismus nach dem Konzil. Grundriß einer Analyse, in MD, 17. Jg. (1966), S. 4 f.
[47] G. MARON, Kirche und Rechtfertigung, a. a. O., S. 86 — vgl. H. ASMUSSEN, „Die Päpste der Neuzeit sind Potenzen des öffentlichen Lebens geworden, vor allem auch in der Politik. Man kann keine amtliche Stelle in der Welt nennen, die so wie die neuzeitlichen Päpste das lebende moralische Gewissen der Welt wäre." (ASMUSSEN-GROSCHE, Brauchen wir einen Papst? Ein Gespräch zwischen den Konfessionen, Köln-Olten 1957, S. 15).
[48] G. MARON, Der römische Katholizismus nach dem Konzil. Grundriß einer Analyse, in: MD, 17. Jg. (1966), S. 6.

werden, sondern auch die Absichten und Ziele der Erneuerungsströmungen angemessen gewertet werden können[49]. Die Dokumente selbst können verschieden
interpretiert werden, da sie die Auffassungen der Traditionalisten ebenso wie die
der reformfreudigen und ökumenisch orientierten Konzilsväter widerspiegeln[50].

3.2.2 Die Autorität Christi in der Kirche

Von einem konservativen Standpunkt aus scheint die Ekklesiologie der Kirchenkonstitution nichts anderes auszusagen als die Enzyklika „Mystici Corporis": die
Identifikation von Haupt und Leib der Kirche. In dieser Perspektive reicht auch
die Betonung des primatialen Absolutheitsanspruches weit über den des I. Vatikanums hinaus[51]. Eine Interpretation vom Standpunkt der reformfreudigen Strö-
mungen her wird die obengenannte Interpretation zurückweisen. Das Kapitel 2
über das Volk Gottes, Kapitel 4 über die Laien und Kapitel 3 über die Kollegialität werden vielmehr so zu lesen sein, daß hier jene Ekklesiologie der Identifikation von Haupt und Leib durch eine neue Betonung der Herrschaft Christi über
die Kirche und alle ihre Institutionen berichtigt werden sollte[52].

3.2.3 Die Jurisdiktion des Papstes — Verzicht auf die „potestas immediata"

Gegenüber den Aussagen des I. Vatikanischen Konzils stellt Vinay fest, daß die
Bezeichnung der päpstlichen Gewalt als „immediata" nicht wiederaufgenommen
wurde. „Das Eigenschaftswort immediata (unmittelbar) wurde immer — und das
kann nicht unabsichtlich geschehen sein — vermieden"[53]. Für den Fall einer
Leitung der römischen Kirche durch einen kollegialen Episkopat zusammen mit
dem Papst anstelle einer Regierung nach einer monarchisch-absolutistischen Verfassung würde die römisch-katholische Kirche von den Kirchen der Ökumene als
viel verwandter empfunden[54].
Die ekklesiologischen Aussagen des Konzils haben ihre Bedeutung natürlich nur
für das „Innenleben" der römischen Kirche. Ein dauerhaftes ökumenisches Gespräch und die Erneuerung der interkonfessionellen Beziehungen bis zu „irgendeiner" Form der Gemeinschaft stellen ein Ziel dar, das „fast wie ein eschatolo-
gisches Ereignis an der äußersten Grenze unseres historischen Horizontes liegt"[55].

3.3 OSCAR CULLMANN

3.3.1 Die historische Interpretation des Konzils

Gegen eine unhistorische Interpretation des Konzils, die nur die Texte vor
Augen hat und den Erneuerungswillen und die ökumenischen Intentionen außer

---

[49] V. VINAY, *Rom und die Anderen* (Bensheimer Hefte, Nr. 29), hrsg. v. EVANGE-
LISCHEN BUND, Göttingen 1965, S. 5.
[50] Ebd., S. 9.
[51] Ebd.
[52] Ebd., S. 10.
[53] Ebd., S. 20.
[54] Ebd., S. 21.
[55] Ebd., S. 12.

acht läßt, richtet sich auch Oscar Cullmann. „Vaticanum secundum ist nicht nur ein Text, sondern ein Impuls"[56].

Protestantische Enttäuschungen über die Unveränderlichkeit des Katholizismus haben ihre Ursache in falschen Erwartungen und in der Nichtbeachtung der Grenzen jeder katholischen Erneuerung, d. h. der Bindung an Schrift, Dogma und lebendige Tradition. Trotz dieser Bindung ist dem Konzil nach Meinung von O. Cullmann eine Erneuerung gelungen, die in der Geschichte der katholischen Kirche ihresgleichen sucht, die sogar unter Beibehaltung des Wortlautes der Dogmen ihre Starrheit gemildert hat. Diese Milderung wurde erreicht, indem neben den unveränderten Wortlaut des Dogmas eine *Gegenthese* gestellt wurde, die den Erneuerungswillen zum Ausdruck bringt, und indem innerhalb des Kerns der durch die Dogmen konstituierten Lehre vom Erneuerungsprinzip her eine *Umschichtung* vorgenommen wurde, so daß die in den Dogmen ausgesprochenen Wahrheiten eine Rangfolge und eine unterschiedlich gewichtige Bedeutung erhalten[57].

3.3.2 Die Kollegialitätslehre — Milderung des Primatdogmas

Die Konstitution „Lumen Gentium" stellt für Cullmann ein deutliches Beispiel dar, wie im Konzil Erneuerung im „alten Rahmen und unter Beibehaltung des alten Rahmens" geschehen ist: so in der Frage nach dem Verhältnis des Primatsdogmas und der Lehre von der Kollegialität der Bischöfe. „Insofern als sie den Bischöfen größere Rechte und eine gewisse Mitregierung einräumt, kommt die Struktur der katholischen Kirche auf diese Weise gewiß derjenigen der Kirche des Neuen Testamentes näher"[58]. Durch Hinzufügung der Kollegialitätslehre hat das wesenhaft zur Struktur der katholischen Kirche gehörende Primatsdogma eine Milderung erfahren. „Auf jeden Fall sollten wir anerkennen, daß der einzige Weg einer Milderung des Primatsdogmas von diesem Konzil begangen worden ist, und zwar mit diesem Ziel der Milderung"[59]. Die Nebeneinanderstellung von Primatsdogma und Kollegialitätslehre gibt den Päpsten aber auch in Zukunft die Freiheit, die Praxis der Kirchenleitung unterschiedlich zu akzentuieren: Primatial oder kollegial.

3.3.3 Das Verhältnis von Schrift, Tradition und Lehramt

Das II. Vatikanische Konzil erscheint Cullmann als klarer Beweis einer erstaunlichen Annäherung in der Schrift — Tradition — Problematik, während der andere Fragenkomplex, das Verhältnis der Schrift zu Tradition und Lehramt nach wie vor durch scharfe Gegensätzlichkeit bestimmt ist. Die Hl. Schrift muß zwar auch nach protestantischer Theologie *in* der Kirche ausgelegt werden, wobei die

---

[56] O. CULLMANN, *Die Reformbestrebungen des 2. Vatikanischen Konzils im Lichte der Geschichte der katholischen Kirche*, in: Theologische Literaturzeitung, 92. Jg. (1967), Sp. 1—22 (Sp. 2).

[57] Ebd., Sp. 4.

[58] Ebd., Sp. 6.

[59] Ebd., Sp. 7.

kirchliche Tradition eine Interpretationshilfe sein kann, stärker jedoch kommt der Hl. Schrift eine kritische Funktion gegenüber Tradition und Lehramt zu[60]. In der Offenbarungskonstitution stehen Schrift, Tradition und Lehramt auf einer Ebene. An einigen Stellen erscheint die Schrift sogar als „Norm der kirchlichen Verkündigung". „... Man sucht jedoch in der Konstitution vergeblich den Satz, die Schrift stehe als eine höhere Norm *über* Tradition und Lehramt. Die Schrift wird nicht als eine Größe betrachtet, die der Kirche gegenübersteht"[61]. Zwar kommt in der katholischen Theorie, wie sie im Konzilstext über die Offenbarung gegeben ist, expressis verbis die Unterwerfung der Kirche unter die Schrift nicht zur Sprache, faktisch hat sich aber die katholische Kirche sehr oft der Bibel unterworfen. „Letztlich hat sich vielleicht das ganze Zweite Vatikanische Konzil von einer tatsächlichen Unterwerfung unter die Bibel leiten lassen"[62].

3.4   JOHN NORMAN DAVIDSON KELLY

3.4.1 Primat der Ehre und Initiative

In seinem Kommentar zur Kirchenkonstitution stellt der Anglikaner Kelly fest, daß die Konstitution das Papsttum mit fester Hand wieder mitten in das Apostelkollegium gestellt hat und somit der Gefahr der Isolation diesem gegenüber begegnete[63]. Eine große Mehrheit der Anglikaner steht einer Art von Primat keineswegs feindlich gegenüber. Dies kann aber nur ein Primat der Ehre, vielleicht eine Stellung der sittlichen Führung und Initiative in der Christenheit sein[64]. Daß der Papst gemäß katholischem Verständnis kraft seines Amtes, aufgrund der Tatsache, der Nachfolger des Petrus zu sein, eine besondere eigene Autorität besitzt, kann ein Anglikaner nicht akzeptieren. In diesem Sinne hat das Konzil seine Absicht klargelegt, an der Lehre vom Papsttum keine Abstriche zu machen. Nach Auffassung von Kelly hätte das Konzil die höchste und endgültige Oberhoheit über die Kirche dem Kollegium der Bischöfe übertragen müssen, da eine solche Entscheidung dem neutestamentlichen Sachverhalt „getreulicher" zu entsprechen scheint, demzufolge „sogar Petrus selbst von seinen Kollegen im Apostelamt überstimmt wird, erst recht also die, die seine Nachfolger sein wollen"[65].

3.4.2 Lehre der Kollegialität — Milderung einiger seit dem Unfehlbarkeitsdogma bestehender Schwierigkeiten

Durch die Lehre von der Kollegialität der Bischöfe hat das Konzil das „magisterium" der Kirche „entschlossen in einen frischen und annehmbareren Zusam-

---

[60] O. CULLMANN, *Die kritische Rolle der heiligen Schrift*, in: *Die Autorität der Freiheit, Bd. I*, hrsg. von J. C. HAMPE, München 1967, S. 189—197 (189).

[61] Ebd., S. 190.

[62] Ebd., S. 197.

[63] J. N. D. KELLY, *Die Konstitution vom anglikanischen Standpunkt aus gesehen*, in: *De Ecclesia, Bd. II*, a. a. O., S. 526—535 (526).

[64] Ebd., S. 531.

[65] Ebd.

menhang" gestellt[66]. Wenn die Autorität der Kirche beim Kollegium der Bischöfe zusammen mit dem Papst liegt, dann erscheinen Kelly „einige, wenn auch keineswegs die ernstesten der sehr wesentlichen Schwierigkeiten einigermaßen gemildert", die seit dem Dogma der Unfehlbarkeit des Papstes bestehen. Jedoch bedarf es weiterer Interpretationen, gründlicher Neuauslegung der Dogmen, bevor Anglikaner die römische hierarchische Theorie bedingungslos bejahen können[67].

3.5 HERMANN DIETZFELBINGER

Der Heilsanspruch des Papsttums

Das Thema Papsttum ist nach Auffassung von H. Dietzfelbinger auch nach dem Konzil geeignet, ein Feuer des Widerspruchs zu entfachen[68]. Anlaß der Kritik sind ihm die Enzykliken „Pacem in terris" von Johannes XXIII. und „Ecclesiam suam" von Paul VI. In „Pacem in terris" gilt der Stellvertretungsgedanke als Stein des Anstoßes und in „Ecclesiam suam" ein Verständnis des Papsttums, das die Anerkennung des Papsttums als Grundvoraussetzung für die Existenz der wahren Kirche und als Mittel des Heiles begreift. Von diesem Anspruch her vergleicht Dietzfelbinger Paul VI. mit Bonifatius VIII. „ ‚Subesse Romano pontifici omni humanae creaturae . . . esse de necessitate salutis' sagt die Bulle Bonifatius VIII. von 1302. Ist es etwas anderes, wenn Papst Paul VI. in seiner Enzyklika ‚Ecclesiam suam' von 1964 die Anerkennung der auf dem I. Vatikanum zum Glaubenssatz erhobenen Stellung des Papstes als ‚unumgängliche Station auf dem Weg zu Christus' bezeichnet?"[69] Der Heilsanspruch des Papsttums bleibt somit eines der umstrittensten Dialogthemen. In diesen Dialog muß auch die Kirchenkonstitution des II. Vatikanums miteinbezogen werden. Dietzfelbinger sieht hier die Heilsbedeutung der Bischöfe neben die des Papstes gestellt, gegeneinander abgegrenzt und zugleich verbunden. Darin kann Dietzfelbinger nur eine indirekte Bestätigung des reformatorischen Verständnisses der einen Kirche gemäß Confessio Augustana Artikel VII erkennen: „welche ist die Versammlung aller Gläubigen, bei welchen das Evangelium rein gepredigt und die heiligen Sakramente laut des Evangeliums gereicht werden. Denn dies ist genug zur wahren Einigkeit der christlichen Kirche, daß da einträglich nach reinem Verstand das Evangelium gepredigt und die Sakramente dem göttlichen Wort gemäß gereicht werden"[70]. „Wunderbare evangelische Fülle und ökumenische Freiheit dieses ‚Es ist genug'!"[71]

---

[66] Ebd., S. 531 f.
[67] Ebd., S. 532.
[68] H. DIETZFELBINGER, *Konzil und Kirche der Reformation*, in: *Dialog unterwegs*, Göttingen 1965, S. 259—273.
[69] Ebd., S. 265.
[70] *Confessio Augustana VII*, in: *Die Bekenntnisschriften der evang.-luth. Kirche*, 2. Aufl., Göttingen 1952, S. 61.
[71] H. DIETZFELBINGER, a. a. O., S. 266.

3.6 PETER MEINHOLD

3.6.1 Die Begründung des Petrusamtes

Peter Meinhold sieht in der Kirchenkonstitution eine andere Begründung für das Petrusamt vorgelegt als die traditionelle, die nun den Dialog über die Grundlagen des Primates oder des „Petrusamtes" auf eine neue Ebene hebt. Die Konstitution versteht die Übertragung der Leitungsgewalt der Kirche an Petrus als das Werk des Auferstandenen. Eine Begründung der Sonderstellung des Petrus vom Glauben an den Auferstandenen stellt aber eine andere Argumentation dar als „jene, der man bisher häufig begegnet ist, welche die Übertragung der Leitungsgewalt der Kirche an Petrus als ‚göttliches Recht' proklamiert"[72].

Demgegenüber haben die nichtkatholischen Kirchen immer auf die geschichtliche Entwicklung des Primats verwiesen, um seinen Verbindlichkeitscharakter abzulehnen. Eine Begründung des Primats aus dem Auferstehungsglauben verpflichtet dagegen nach Meinhold die nichtkatholischen Kirchen, ihre Einwände gegenüber dem Primat zu überprüfen, „ob es sich bei ihnen nicht auch um solche aus dem Glauben hervorgegangenen Urteile handelt, die von der Schrift her gerechtfertigt werden müssen", was natürlich auch für die katholischen Aussagen gilt[73]. Meinhold empfiehlt in diesem Zusammenhang beiden Seiten eine stärkere Beachtung von Jo 21, 17: der Berufung des Petrus zum Weiden der Herde und Mt 28, 18: der Berufung der übrigen Apostel zur Leitung und Mission der Kirche[74].

3.6.2 Fortführung von Tendenzen des I. Vatikanums

Die „Nota explicativa praevia" zur Konstitution „Lumen Gentium", in der die rechtlichen Beziehungen von Primat und Episkopat klargestellt werden, stellt nach Meinhold „eine Fortführung von Tendenzen" dar, „die bereits auf dem Ersten Vaticanum zur Hervorkehrung der besonderen Stellung des Papstes gegenüber dem Episkopat aufgetreten waren"[75]. Wenn auch im Konzilstext und in der „Nota explicativa praevia" der Gedanke der „Gemeinschaft" zwischen Papst und Bischöfen verwandt ist, so wird dieser durch die Betonung der Sonderstellung des Papstes, „der im Grunde auf den Episkopat bei Ausübung seiner Hirtengewalt nicht angewiesen ist, durchbrochen"[76].

3.7 WOLFGANG DIETZFELBINGER

Die Gefahr der Identifizierung von Christus — Kirche — Papst

Nach Meinung von W. Dietzfelbinger hat das Konzil den trinitarischen Ansatz zur Begründung der Kirche in Kapitel I von „Lumen Gentium" nicht durchgehalten. „Die dauernde Spannung zwischen dem dreieinigen Gott, der in der Kirche am Werk ist, und dem dreieinigen Gott, der eben dieser Kirche schöpferisch und

---

[72] P. MEINHOLD, *Die Konstitution „De Ecclesia" in evangelisch-lutherischer Sicht*, in: *De Ecclesia, Bd. II*, a. a. O., S. 536—549 (538).
[73] Ebd., S. 538 f.
[74] Ebd., S. 539.
[75] Ebd., S. 543.
[76] Ebd.

kritisch gegenübersteht, spielt in der Gesamtstruktur der Kirchenkonstitution nicht mehr die Rolle, die ihr zukäme"[77]. Eine ausschließlich christologische Argumentation birgt die Gefahr einer Identifizierung von Christus und Kirche in sich, die Gefahr, daß die Beziehungen von Christus und Kirche nicht mehr als eine Beziehung ständiger Abhängigkeit vom Herrn der Kirche gesehen wird. Dieser Gefahr ist auch „Lumen Gentium" erlegen, insofern christologische und ekklesiologische Aussagen „unkontrolliert" ineinander übergehen und die Unterscheidung „zwischen dem Göttlichen in der Kirche, das von Christus kommt, und dem Menschlichen, das unter seinem Gericht steht", nicht scharf gesehen wird[78]. Zeichen für die Gleichsetzung von Christus und Kirche sind auch die Universalitätsaussagen der ersten beiden Kapitel von „Lumen Gentium". Wenn der Anspruch Christi auf alle Menschen gelehrt wird, wenn gesagt wird, daß er alle Mittel ihres Heils bereithält, können die nichtkatholischen Kirchen einer solchen Aussage zustimmen. Wenn aber anstelle Christus hier die römische Kirche eingesetzt wird, wird aus der obigen Aussage ein Machtanspruch. „Schließlich sei an die Einrichtung des Papsttums erinnert. Der evangelische Christ könnte auch bei den bereitwilligsten Bemühungen um ein sachgerechtes Verständnis dieser Frage nicht über den Punkt hinausgelangen, an dem er im Papstamt eine Schöpfung des Heiligen Geistes sieht. Gerade so verstanden, müßte das Papsttum aber bereit sein, sich jederzeit der Kritik seines Schöpfers auszuliefern. Wenn aber eine direkte Verbindung zwischen Christus und seinem ‚Stellvertreter' hergestellt wird, wie es gerade Paul VI. bei zahlreichen Anlässen getan hat, so ergibt sich daraus notwendigerweise die Lehre von einer Unfehlbarkeit, welche sich gegenüber dem unberechenbaren Wirken des Heiligen Geistes selbständig zu machen droht"[79].

3.8 EDMUND SCHLINK

Die Einigung der getrennten Kirchen mit der römischen Kirche

Als Hauptaufgabe des Konzils gilt zwar nicht die Einigung der getrennten Kirchen, sondern die Erneuerung der römisch-katholischen Kirche, jedoch wird die Einigung als „Auswirkung" der Erneuerung erwartet[80]. Mit diesem Ziel ist verbunden das Bekenntnis des einen Glaubens, die sakramentale Gemeinschaft und die Einheit in der Leitung, d. h. die Anerkennung der vollen Primatsgewalt des Papstes gemäß der Lehre des Ersten Vatikanischen Konzils[81]. Dieses Ziel, wie es im Ökumenismusdekret entfaltet wird, ist nicht neu, dennoch darf nach Schlink hierin nicht einfach „die mit anderen Methoden und unter einem anderen Namen

---

[77] W. DIETZFELBINGER, *Ökumenische Fragen an die Kirchenkonstitution,* in: *Die Autorität der Freiheit,* Bd. I, München 1967, S. 325—335 (333).

[78] Ebd., S. 333 f.

[79] Ebd., S. 334.

[80] E. SCHLINK, *Das Dekret über den Ökumenismus,* in: *Dialog unterwegs,* Göttingen 1965, S. 197—235 (210).

[81] Ebd., S. 214.

wiederholte Einladung zur Rückkehr[82] in die römische Kirche" vermutet werden, da dieses Ziel des Ökumenismus sehr verschiedene Gesichter haben könnte[83].

„Das Herzutreten zu der in der römischen Kirche vorhandenen Einheit ist nicht dasselbe, wenn es um den jetzigen Zustand oder eine zukünftig erneuerte römische Kirche geht — wenn der Primat allein im Sinne des I. Vatikanums oder in brüderlicher Gemeinschaft mit den Leitern der Kirchen ausgeübt wird — wenn es um Rückkehr zur römischen Kirche oder wenn es um wechselseitige Versöhnung der römischen und der anderen Kirchen geht — wenn nach dem Verständnis der römischen Kirche die nichtrömischen Kirchen erst durch die Rückkehr wahre Kirche werden oder wenn wechselseitig sich anerkennende Kirchen die volle Gemeinschaft miteinander aufnehmen"[84]. Das Ausmaß der Erneuerung der katholischen Kirche bestimmt nach Schlink maßgeblich dieses Bild des Endzieles des Ökumenismus, d. h. die Möglichkeit der Einigung nicht als Rückkehr, sondern als Versöhnung, nicht als Unterwerfung, sondern als wechselseitige Aufnahme der Gemeinschaft.

Eine Neuinterpretation der Dogmen des I. Vatikanums in einer veränderten Gestalt kirchlichen Lebens und Handelns hält Schlink nicht für ausgeschlossen[85]. „Aber einstweilen können sich die nichtrömischen Kirchen nur an die gegenwärtige Wirklichkeit der römischen Kirche halten, und sie müssen in aller Nüchternheit sehen, daß die Anerkennung *aller* römisch-katholischen Dogmen, und zwar *auch des päpstlichen Primats* in der *vollen* Bedeutung der Unfehlbarkeitserklärung des

---

[82] W. Dietzfelbinger unterscheidet drei noch nebeneinander bestehende Phasen im römisch-katholischen Ökumenismus. (*Die Hierarchie der Wahrheiten*, in: *Die Autorität der Freiheit, Bd. II*, München 1967, S. 619—624.) Die erste Phase ist gekennzeichnet durch die Rückkehrforderung: In ihr kommt die römisch-katholische Kirche den anderen Kirchen zwar freundlich entgegen, legt aber unmißverständlich ihr Kirchenverständnis dar, das die als anstößig empfundenen Merkmale des Primats und der Unfehlbarkeit des Papstes enthält sowie den Anspruch auf Einzigkeit (S. 620 f.). Das Ökumenismusdekret hat diese Phase überwunden. Die zweite Phase: Die römische Kirche wendet sich den anderen Kirchen und Christen zu und erkennt dort in unterschiedlicher Vollständigkeit Elemente der eigenen Kirche, was es ihr erlaubt, diesen Kirchen die Bezeichnung „Kirche" im theologischen Sinn in gestufter Weise je nach Übereinstimmung mit kirchenbildenden Elementen in der katholischen Kirche zuzuerkennen. Aber dieser Schritt führt über eine Bestandsaufnahme als Vergleich mit den kirchenkonstituierenden Elementen der katholischen Kirche nicht hinaus (S. 621). Die dritte Phase ist bestimmt durch das Prinzip von der Hierarchie der Wahrheiten, nach dem die Einzelstücke der Lehre einer Kirche nicht als gleichwertig anzusehen sind, sondern je nach ihrer sachlichen Nähe zum Christusereignis gewertet werden müssen, was zur Ausbildung von qualitativen anstelle von quantitativen Kategorien der Beurteilung führt (S. 622). Zwar ist durch das Prinzip der Hierarchie der Wahrheiten die Einheit aller Christen nicht greifbarer geworden, aber bei „seiner Anwendung kann der Gedanke einer ‚Rückkehr der anderen' in die römisch-katholische Kirche auch von der Sache her nicht mehr als Lösung verstanden werden . . ." (S. 623).
[83] Ebd., S. 214; vgl. auch E. SCHLINK, *Bericht über das II. Vatikanische Konzil vor der Synode der Evangelischen Kirche in Deutschland,* in: KuD, 12. Jg. (1966) S. 235 bis 254, DERS., *Nach dem Konzil,* München-Hamburg 1966.
[84] E. SCHLINK, *Das Dekret über den Ökumenismus,* a. a. O., S. 214.
[85] Ebd., S. 215.

I. Vatikanischen Konzils die römische conditio sine qua non für die Einigung ist"[86].

4. Zusammenfassung

Kein Wandel des protestantischen Urteils über das Papstamt aufgrund der Konzilstexte

Die vorliegenden Kommentare protestantischer Theologen zur Kirchenkonstitution lassen einen grundlegenden Wandel des protestantischen Urteils über das Papstamt nicht erkennen. Die als Korrektiv gegenüber den einseitig den Primat betonenden Texten des I. Vatikanischen Konzils zu verstehende Lehre der Kollegialität wird als Lösungsversuch einer innerkatholischen Problematik der Kirchenstruktur beurteilt; darüber dürfen Wertungen des Kollegialitätsprinzips im Sinne einer nun erreichten größeren Nähe zur Struktur der neutestamentlichen Kirche nicht hinwegtäuschen. Das Konzil hat für den Papst hinsichtlich seiner Amtsvollmachten keine gravierenden Beschränkungen zur Folge gehabt. Der traditionelle Rahmen des Verständnisses von synodaler bzw. konziliarer Gemeinschaft zwischen Papst und Bischofskollegium ist vom Vaticanum II nicht durchbrochen worden. Stärker als in anderen Kontroversen, in denen die tatsächliche Erneuerung in den Texten erkennbar ist, erweist sich das Janusgesicht[87] der Texte, wie Lukas Vischer formuliert, als Hindernis, die Reform hinsichtlich der Papstfrage deutlich zu erfassen. Selbst O. Cullmann, der die Konzilstexte über das Kollegialitätsprinzip als Versuch des Konzils zur Milderung des Papstdogmas anerkennen kann, kommt in seinem Bemühen gegenüber der ständigen Betonung protestantischer Theologen, das Konzil habe keine Türen zugeschlagen, den Nachweis zu erbringen, daß auch keine Türen geöffnet wurden, nicht um die folgende Feststellung herum: „Diese Diskussion hätte nur dann wirklich fruchtbar werden können, wenn gleichzeitig jene Türe geöffnet worden wäre, die leider das Dogma von 1870 über die Papstgewalt endgültig geschlossen hat. Statt dessen hat man versucht, eine Tür zu öffnen, die aber nur dann einen wirklichen Ausgang ins Freie hätte gewähren können, wenn jene andere nicht gleichzeitig hätte verschlossen bleiben müssen. Das konnte nicht anders sein, und so war es geradezu tragisch, festzustellen, daß

---

[86] Ebd., S. 216.
[87] LUKAS VISCHER, *Nach der dritten Session des Zweiten Vatikanischen Konzils*, in: ÖR, 14. Jg. (1965), S. 97—116: „Die angenommenen und promulgierten Texte gehen zwar noch immer weit über das hinaus, was die kühnsten Voraussagen vor dem Konzil erhofft hatten. Diese Tatsache kann nicht genug unterstrichen werden. Sowohl ‚de ecclesia' als auch ‚de oecumenismo' eröffnen neue Perspektiven. Die Ergebnisse tragen aber ein doppeltes Gesicht, so wie auf antiken Münzen Janus, der Gott der Tordurchgänge, ein doppeltes Gesicht trägt. Sie öffnen einerseits die Türe, nicht nur zu einer tiefgreifenden Erneuerung, sondern auch zu einer tieferen Gemeinschaft mit den von Rom getrennten Kirchen. Sie setzen aber andererseits auch die spezifisch römisch-katholische Tradition fort ... (S. 98). Alles wird davon abhängen, wie die Texte in den kommenden Jahren interpretiert werden, welchem Gesichte des Janus die römisch-katholische Kirche den Vorzug geben wird oder ob sie beide behalten wird." (S. 99)

trotz echtem Reformwillen die Bemühungen an diesem Punkt nicht zu einer wirklich befriedigenden Lösung gelangen konnten"[88]. Eine befriedigende Lösung der mit dem Papstamtsverständnis verbundenen Probleme bezüglich der ökumenischen Beziehungen zwischen den Kirchen kann nicht ohne Neuinterpretation dieses Amtes erreicht werden. Ohne diese Voraussetzung muß die gesamte Fragestellung hinsichtlich der Beziehungen der römischen Kirche zu den anglikanischen, reformierten und orthodoxen Kirchen als falsch und unannehmbar erscheinen[89]. In den protestantischen Kommentaren zu den Konzilstexten wird auch jene kritische Anfrage an das Verständnis des Papstamtes erneut vorgebracht, die schon die Behandlung dieses Themas zwischen den beiden Vatikanischen Konzilien bestimmt hat: die Gefahr der Auflösung der der Kirche und Amt gegenüberstehenden Autorität Christi in die Autorität der Kirche und des Papsttums durch den Stellvertretungsbegriff. Alle Würdigung der einzigartigen Stellung und Bedeutung der Heiligen Schrift[90] in „Dei Verbum" sowie die im Konzil sichtbar werdende und die nachkonziliare Zeit bestimmende biblische Erneuerung der römisch-katholischen Kirche richtet die Heilige Schrift nicht als eine die Kirche richtende Instanz auf.

---

[88] O. CULLMANN, Die „offenen Türen" des Konzils, in: MD, 15. Jg. (1964), S. 101 bis 103 (101).

[89] J. N. D. KELLY, a. a. O., S. 528.

[90] So kommt G. A. LINDBECK zu dem Ergebnis, „daß die gegenwärtige römisch-katholische Erneuerung tiefgreifend und zugleich im wahrsten Sinne ‚evangelisch' ist. Sie ist jedoch auch durch und durch ‚römisch'. ... So schwer das auch für uns zu verstehen ist: es scheint, als werde die römische Kirche dem christlichen Evangelium treuer werden als in der Vergangenheit und gleichzeitig weiterhin an falscher Lehre, z. B. hinsichtlich der Jungfrau Maria und des Papsttums, festhalten." (Das Konzil des Papstes Johannes XXIII., in: Dialog unterwegs, Göttingen 1965, S. 29—59 [29]).

Kapitel IV

Der Wandel des Urteils protestantischer Theologen über das Papstamt im nachkonziliaren ökumenischen Gespräch

1. Vorbemerkungen

Das Konzil hat keinen grundsätzlichen Wandel des *theologischen* Urteils protestantischer Theologen über das Papstamt bewirkt; dieser ist erst in der Wirkungsgeschichte des Konzils festzustellen. Jedoch haben die beiden Päpste des Konzils Johannes XXIII. und Paul VI. durch ihren persönlichen Amtsstil das Gesicht des Papsttums in der Öffentlichkeit in einer neuen Weise geprägt, so daß in der Zukunft das Papstamt auch theologisch, sowohl innerhalb der römisch-katholischen Kirche wie auch im Bereich der Weltökumene in einer universaleren Perspektive erscheinen könnte. Für beide Päpste trifft das Wort von F. Heyer zu, mit dem er die Chancen und Grenzen einer umfassenderen Ökumenizität des Papstamtes bestimmt. „Man wird überhaupt die Evangelischen nicht durch Argumentation dahinkriegen, daß sie das Papstamt auch für sich verbindlich anerkennen. Es gibt nur den Weg (der schon längst eingeschlagen ist) des Vertrauensgewinns angesichts überzeugender persönlicher Realisierung des Petrusamtes"[1].

Trotz des II. Vatikanischen Konzils ist die Kirche unter Paul VI. in eine seinen gesamten Pontifikat durchziehende Krise geraten, innerhalb derer eine leidenschaftliche Diskussion um das Verständnis und die Grenzen päpstlicher Autorität entbrannte und diese radikal hinterfragt und in Frage gestellt wurde[2]. Die nachkonziliaren Überlegungen zum Papstamt vollziehen sich in einer paradoxen Gesprächssituation, zu der innerkatholisch eine radikale Infragestellung des Papsttums ebenso gehört[3] wie der ökumenische Dialog über einen universalen Dienst dieses Amtes an der Einheit aller Kirchen.

---

[1] F. HEYER, *Das Petrusamt — evangelisch anvisiert,* in: *Petrus und Papst. Evangelium-Einheit der Kirche — Papstdienst, Bd. II,* hrsg. v. A. Brandenburg u. H. J. URBAN, Münster 1978, S. 228—232 (229).

[2] Vgl. H. KÜNG, *Unfehlbar? Eine Anfrage.* Zürich-Einsiedeln- Köln 1970. — H. KÜNG (Hrsg.), *Fehlbar? Eine Bilanz.* Zürich-Einsiedeln-Köln 1973; K. RAHNER (Hrsg.), *Zum Problem Unfehlbarkeit. Antworten auf die Anfrage von Hans Küng* (Quaestiones disputatae 54), Freiburg-Basel-Wien 1971.

[3] „Appelle sind nutzlos, Reformen müssen erzwungen werden. An dieser Stelle ist es wohl unnötig, eine Liste frommer Appelle zusammenzustellen, etwa in der Art: Das Papsttum sollte auf eine Praktizierung seiner ,Unfehlbarkeit' oder die Durchsetzung

Da der Wandel protestantischen Denkens über das Papstamt gerade auch durch den Wandel päpstlicher Amtspraxis bestimmt ist, steht am Anfang dieses Kapitels eine Würdigung der Pontifikate Johannes XXIII. und Pauls VI., wenngleich die Vorstellungen über ein ökumenisches Papstamt protestantischerseits und ebenso katholischerseits in erster Linie Bezug auf das exemplarische Pontifikat des charismatischen Roncalli-Papstes nehmen. Paul VI. hat sein Erbe insofern fortgesetzt, als unter seinem Pontifikat und Protektorat die römisch-katholische Kirche zu einem Gesprächspartner für die anderen Kirchen wurde und der ökumenische Dialog zumindest mit der Ostkirche zu konkreten Ergebnissen *und Konsequenzen* durch die Aufnahme zwischenkirchlicher Beziehungen geführt hat. Daran anschließend wird das breite Spektrum der Ansichten über die Möglichkeiten und Funktionen eines ökumenischen Papstamtes entfaltet, wobei den Konsenstexten bezüglich des bisherigen Haupthindernisses der Einheit ein besonderer Rang zukommt.

2. Die Päpste des Konzils

2.1 Der Pontifikat Johannes XXIII. — Initiator der kirchlichen Erneuerung und ökumenischen Öffnung

Neue Konturen hat das Papstamt erstmalig durch Johannes XXIII. erhalten, der aufgrund seines hohen Alters zunächst als „Übergangspapst", d. h. als „Übergangslösung" nach dem überragenden Pius XII., gegolten hatte, der sich dann aber in einer völlig unvermuteten Weise als „Übergangspapst" erwies, indem er nicht nur für das Papsttum, sondern für die gesamte römisch-katholische Kirche das „Amt der Schlüssel" dazu nutzte, die Tür zu einer neuen Epoche aufzuschließen. Der Idealvorstellung vom Papst als einem großen Diplomaten oder Gelehrten stellte der Papst selbst das Leitbild des „guten Hirten" entgegen[4].

Johannes XXIII. hat durch Besuche in Krankenhäusern, Kinderheimen und Gefängnissen das Amt des Bischofs von Rom seelsorglich ausgeübt, genauso wie er das Papstamt als Seelsorgsamt verstanden hat. Er hat dem Papstamt, das noch

---

einer römischen Theologie verzichten; es sollte lediglich subsidiär eingreifen und den Regionalkirchen eine größere Autonomie zugestehen; es sollte der innerkirchlichen Kommunikation dienen und auf Herrschaft und Herrschaftsgesten verzichten. ... Alles das ist wohl richtig, aber — nutzlos. Absolutistische Führungseliten haben noch niemals in der Geschichte die Fähigkeit oder Kraft zur Selbstkorrektur aus eigener Einsicht bewiesen." K. H. OHLIG, *Reformen müssen erzwungen werden*, in: *Papsttum — heute und morgen*, hrsg. v. G. DENZLER, Regensburg 1975, S. 142—145 (145).

[4] „Die einen hoffen im Papst vor allem den geschickten Diplomaten und Staatsmann zu finden, die anderen den Wissenschaftler, den Organisator des Gemeinschaftslebens oder den, dessen Geist allen Formen des Fortschritts des modernen Lebens ohne Ausnahme aufgeschlossen ist." ... Sie „alle sind nicht auf dem rechten Weg, da sie sich ein Papstideal vorstellen, das der wahren Idee keineswegs entspricht. ... Der neue Papst stellt in sich vor allem jenes wunderbare Bild des Evangeliums dar, das der Evangelist Johannes mit den Worten des göttlichen Erlösers selber vom Guten Hirten gibt." *Homilie der Krönungsmesse*, in: HK, 13. Jg. (1958), S. 116—117 (116).

unter seinem Vorgänger von der Erde entrückt schien, ein liebenswürdiges, menschliches Gesicht gegeben.

Der protestantische Theologe J. C. Hampe schreibt über ihn: „Dieser Papst Johannes XXIII. ließ die Ökumene und die Gesellschaft über Nacht vergessen, daß das römische Papstamt historisch, theologisch und geistlich diskutabel ist und sich dem modernen Menschen jeden Tag weniger glaubwürdig macht, an dem es statt der Nachfolge der charismatischen Verwirklichung die der juristischen Ansprüche sucht.

An Angelo Roncalli wurde sichtbar, daß die Menschen unserer nachchristlichen Gesellschaft Sehnsucht haben nach der moralischen Autorität einer verbindenden, einer ökumenischen Gestalt an der Spitze der Menschengesellschaft"[5]. Die menschliche Größe Johannes XXIII. scheint auch bewirkt zu haben, daß in der Gesellschaft das Papsttum wieder als etwas empfunden wurde, das alle Menschen betrifft. Der Vertrauensgewinn des Papsttums ist also vor allem auf die charismatische Persönlichkeit Johannes XXIII. zurückzuführen. „Pius hatte regiert, dieser liebte. Pius war vollkommen, dieser ein Mensch"[6].

Die bedeutendste Maßnahme des Roncalli-Papstes, die das Erscheinungsbild des Papsttums veränderte, liegt darin, daß er persönlich die Öffnung der römisch-katholischen Kirche zur Ökumenischen Bewegung initiiert hat. Im Unterschied zu seinen Vorgängern gab er die schroff ablehnende Haltung gegenüber der Ökumenischen Bewegung auf, weil er auch diese als Frucht des Heiligen Geistes verstanden wissen wollte. Johannes XXIII. hat somit überraschenderweise gezeigt, daß die Nachfolger Petri nicht Hindernis der Einigung der Christenheit, sondern im Gegenteil Motor des Einigungsprozesses sein können. Als das wichtigste Signum des johanneischen Pontifikates gilt die Einberufung des II. Vatikanischen Konzils, das die Kirche tiefgreifend erneuert hat, dessen nachkonziliare Realisierung aber eine ebenso tiefgreifende Krise der Kirche auslöste. Johannes XXIII. war der erste ökumenische Papst der neueren Kirchengeschichte, er steht am Anfang der „ökumenischen" Ära der römisch-katholischen Kirche.

2.2 Der Pontifikat Pauls VI. — Pontifikat der Krise und Reform

H. U. v. Balthasar erachtet es als ein beunruhigendes Phänomen, daß nach dem II. Vatikanischen Konzil der antirömische Affekt auch innerhalb der katholischen Kirche weithin „als die normale Seelenlage bezeichnet werden muß"[7].

Die Verantwortung für die nachkonziliare Krise der Kirche ist vielfach der persönlichen Veranlagung und Amtsauffassung Pauls VI. angelastet worden, der sich nicht durch die Unbekümmertheit eines Johannes XXIII. oder die noch nicht hinterfragte Autorität eines Pius XII. auszeichnete, zudem waren Überzeugungs- und Führungskraft wohl keine herausragenden Eigenschaften des Montini-Papstes.

---

[5] J. C. HAMPE, Autorität durch Freiheit, in: Papsttum — heute und morgen, a. a. O., S. 65—68 (66).
[6] R. RAFFALT, Wohin steuert der Vatikan? München-Zürich 1973, S. 127.
[7] H. U. v. BALTHASAR, Der antirömische Affekt, Freiburg-Basel-Wien 1974, S. 29.

Diese Auffassung scheint, oberflächlich betrachtet, dadurch bestätigt zu werden, daß die beiden Nachfolger Pauls VI., Johannes Paul I. und Johannes Paul II., die in ihrer Persönlichkeitsausstrahlung Johannes XXIII. ähneln, den unter dem Pontifikat Pauls VI. eingetretenen Glaubwürdigkeitsverlust des Papsttums innerhalb der Kirche spontan auffangen konnten. In die Geschichte wird Paul VI. wahrscheinlich als großer Reformpapst eingehen, während das Urteil der Zeitgenossen sehr divergierend ausgefallen ist. Paul VI. besaß nicht das „charismatische" Fluidum seines Vorgängers. Die Möglichkeiten persönlicher Amtsprägung blieben während seines gesamten Pontifikates vom „Johannesmythos" überschattet. Bezeichnend für diesen Johannesmythos ist die Klage einer Bildchenverkäuferin auf dem Petersplatz an den Tagen nach dem Tode Pauls VI., die meisten Touristen wünschten nur Bilder von Johannes XXIII., und nur wenige von Paul VI.[8].

Scharfe Kritik am persönlichen Amtsstil Pauls VI. findet sich nicht nur bei Autoren, die, wie Balthasar sagt, „den Unrat der vergangenen Papstgeschichte aufwühlen und in die geklärten Gewässer der heutigen hineinleiten"[9], sondern auch bei solchen, die sich vom Papsttum in der Zukunft durchaus Aktivitäten für die Fortführung innerkirchlicher Reformen und die Einigung der christlichen Kirchen erwarten. So würde es nach Auffassung von O. H. Pesch einen Autoritätsgewinn für das Papsttum bringen, wenn der Papst nicht ständig warnte, einschärfte, verurteilte, klagte, sondern vor allem Mut machte, die Welt anzunehmen, weil sie Gottes Welt ist, die uns zur Aufgabe gestellt ist. „Welch ein Autoritätsgewinn, wenn der Papst nicht der Exponent der Angst, sondern der Gelassenheit, der Geduld und der Zuversicht wäre, die Frucht des Glaubens sind"[10].

Trotz Schwächen im persönlichen Amtsstil hat Paul VI. eine hohe moralische Autorität innerhalb und außerhalb der katholischen Kirche als Mahner für Frieden und soziale Gerechtigkeit besessen.

Sein Einsatz für die „Dritte Welt" trug ihm den Vorwurf moralischer Unterstützung revolutionärer Bewegungen ein. Der Pontifikat Pauls VI. war einer der schwierigsten in der neueren Zeit; in diesem Pontifikat hat die Kirche in einer Epoche des Umbruches und Aufbruches ihr Gesicht mehr verändert als in vielen Jahrhunderten zuvor. Die Durchführung der Konzilsbeschlüsse — die Liturgiereform wird für immer mit seinem Namen verbunden sein —, die Wahrung der Einheit der Kirche, die Förderung des ökumenischen Dialoges und eine neue vatikanische Ostpolitik sind markante Zielsetzungen seines Pontifikates.

Eine tragische Rolle für die Glaubwürdigkeit des paulinischen Pontifikates spielte die Enzyklika „Humanae vitae". Paul VI. stellte sich aus Gründen der

---

[8] D. A. SEEBER, *Ende und Anfang. Zum Pontifikatswechsel,* in: HK, 32. Jg. (1978), S. 425—435 (428).

[9] H. U. v. BALTHASAR, a. a. O., S. 22.

[10] O. H. PESCH, *Moderne Variante eines „Hofnarren",* in: *Papsttum — heute und morgen,* a. a. O., S. 153—157 (155). „Wir brauchen wieder eine Papstpersönlichkeit, die keine Identitätskrise hat und damit auch nicht die Identität des Papsttums ständig gefährdet sieht." S. H. PFÜRTNER, *Bruder unter Brüdern,* in: *Papsttum — heute und morgen,* a. a. O., S. 158—163 (162).

Tradition gegen die Mehrheit der Gutachterkommission. Ein Teil der Kirche, so auch die deutsche Bischofskonferenz, akzeptierte seine Entscheidung nicht. „Humanae vitae" war in vielfacher Hinsicht der Anlaß einer radikalen Entmythologisierung päpstlicher Autorität.

Seit „Humanae vitae" finden römische Stellungnahmen nicht mehr kritiklos Gehör, es sei denn, daß sie sich durch Sachkompetenz ausweisen können. Für J. Blank hat diese Enzyklika die Bedeutung eines „geschichtlichen Symbols". „Während Johannes XXIII. mit seiner Enzyklika ‚Pacem in terris' sich überall in der Welt Freunde verschaffte, hat Paul VI. es fertiggebracht, das größte Desinteresse an kirchlichen Verlautbarungen zu erzeugen"[11]. In der Tat haben die Enzykliken Pauls VI. wenig Resonanz gefunden mit Ausnahme von „Populorum progressio". Seinem Progressismus in politisch sozialen Belangen wurde infolge des durch „Humanae vitae" ausgelösten Vertrauensschwundes ebenfalls weniger Beachtung entgegengebracht.

Paul VI. war ein Papst einsamer Entscheidungen, obwohl unter seinem Pontifikat die kollegiale Leitung der Kirche mit der Beratungsfunktion der Bischofssynode und der Internationalisierung der Kurie gemäß den Forderungen des II. Vatikanischen Konzils anfanghaft verwirklicht worden ist. Die Sorge um die Erhaltung und Sichtbarmachung der Autorität des Papsttums hat im Pontifikat Pauls VI. eine große Rolle gespielt. Ihr dienten auch die Reisen ins Heilige Land, zum Eucharistischen Kongreß in Bombay und zur UNO.

Die ökumenische Verständigung führte einzig hinsichtlich der Beziehung zur Ostkirche zu konkreten Ergebnissen. Die Verständigung wurde vor allem durch Begegnungen der Kirchenführer und symbolträchtige Gesten erreicht. Mehrmals trafen sich Papst Paul VI. und der Patriarch Athenagoras I. von Konstantinopel. Im Jahre 1965 wurde die gegenseitige Exkommunikation zwischen Rom und Konstantinopel aus dem Jahre 1054 aufgehoben. Bei der Jubiläumsfeier der Bannaufhebung im Jahre 1975 erwies Paul VI. dem Gesandten des Ökumenischen Patriarchen eine Geste der Demut, indem er vor ihm niederkniete und ihm die Füße küßte.

Über die Aufnahme und Förderung des ökumenischen Dialoges hinaus sind mit den protestantischen Kirchen bisher keine konkreten Ergebnisse der Verständigung erreicht worden. Wohl hat Paul VI. auch hier Gesten der Verständigungsbereitschaft gesetzt, z. B. durch einen Besuch des Weltkirchenrates in Genf. Während des Besuches des anglikanischen Erzbischofs von Canterbury M. A. Ramsey im Jahre 1966 steckte er dem nach bislang geltendem katholischen Verständnis ungültig geweihten Erzbischof seinen kostbaren Bischofsring an den Finger. Die Gesten der Armut, Demut und ökumenischen Verständigungsbereitschaft wurden zwar verstanden, führten aber nicht zu *theologischen* Lösungen der Verständigung.

Im Vergleich mit seinen beiden Vorgängern Johannes XXIII. und Pius XII. war Paul VI. ein umstrittener Papst. Die weitreichenden Erwartungen konziliarer

---

[11] J. BLANK, *Gefangener seiner eigenen Tradition,* in: *Papsttum — heute und morgen,* a. a. O., S. 35—39 (37).

Erneuerung und ökumenischer Einigung sind unter seinem Pontifikat nicht in Erfüllung gegangen. Im Spannungsfeld zwischen holländischen Progressisten und Traditionalisten des Erzbischofs Lefèbvre wurde Paul VI. innerhalb einer plural gewordenen Kirche als „Progressiver" und „Konservativer" zugleich abgestempelt.

3. Perspektiven eines ökumenischen Papstamtes

3.1 USA — Bericht: „Amt und universale Kirche"

Im Mai 1974 wurde von der offiziellen lutherisch/römisch-katholischen Dialoggruppe in den Vereinigten Staaten ein Bericht mit dem Titel „Ministry and the Church Universal" veröffentlicht[12].

Diese Dialogkommission wurde nach Beendigung des II. Vatikanischen Konzils ins Leben gerufen. Ihr gehören Theologen an, die vom USA-Nationalkomitee des Lutherischen Weltbundes und dem Ausschuß für ökumenische Angelegenheiten der römisch-katholischen Bischofskonferenz in den USA beauftragt wurden, offizielle Lehrgespräche zu führen. In dem Dokument legen die Vertreter beider Konfessionen ihre Auffassungen zum Papsttum nieder und klären die Bedingungen, unter denen das Papstamt das Amt der Einheit in einer universalen Kirche übernehmen könnte. Die Diskussion beschränkt sich auf die Frage des päpstlichen Primats; das Problem der päpstlichen Unfehlbarkeit wurde von derselben Kommission inzwischen in einem weiteren Dokument behandelt.

Als Fazit der Gespräche ergibt sich die Frage an die lutherischen Kirchen, „ob sie bereit sind, zu bekräftigen, daß der päpstliche Primat, erneuert im Licht des Evangeliums, kein Hindernis zur Versöhnung zu sein braucht"[13]. Der USA-Bericht enthält in vier Teilen die Ergebnisse der Theologenkommission:

Teil I: Eine gemeinsame Erklärung aller Teilnehmer;

Teil II: Das Papsttum als Möglichkeit. Überlegungen der lutherischen Teilnehmer;

Teil III: Die Suche nach einer Form der Einheit. Überlegungen der katholischen Teilnehmer;

Teil IV: (Anhang) Die Entwicklung des Papsttums. Bericht über die Ergebnisse der neutestamentlichen und der patristischen Arbeitsgruppe[14].

---

[12] Deutscher Text, in: H. STIRNIMANN — L. VISCHER (Hrsg.), *Papsttum und Petrusdienst*, Frankfurt 1975, S. 91—139 — Originaltext: *Ministry and the Church Universal*, in: *Papal Primacy and the Universal Church*, edited by P. C. EMPIE and T. A. MURPHY, Minneapolis 1974, S. 9—42.

[13] *Amt und universale Kirche*, a. a. O., S. 109.

[14] Mit dem Dokument „*Amt und universale Kirche*" hat sich der katholisch-lutherische Dialog in den Vereinigten Staaten von Amerika weltweit Gehör verschafft. Zum erstenmal ist die Rolle des Papstes im Einigungsprozeß der Kirchen Gegenstand eines offiziellen ökumenischen Gesprächs gewesen. Im „Malta-Bericht", der von der Studienkommission zwischen dem Lutherischen Weltbund und dem Sekretariat für die Einheit der Christen unter dem Titel „*Das Evangelium und die Kirche*" im Jahre 1971 veröffentlicht wurde, ist

3.1.1 Gemeinsame Erklärung aller Teilnehmer

Erneuertes Papstum kein Hindernis für die Einheit — Möglichkeiten eines päpstlichen Primats in einer umfassenderen kirchlichen Gemeinschaft

Die wachsende Einsicht unter lutherischen Christen für die Notwendigkeit eines besonderen Dienstamtes an der Einheit und universalen Sendung der Kirche, sowie unter katholischen Christen ein differenzierteres Verständnis des Papsttums innerhalb der katholischen Kirche kennzeichnen die ökumenische Situation, die das Entstehen eines solchen Dokumentes ermöglicht haben. Die Erkenntnis, daß Katholiken und Lutheraner zum Teil ähnliche Mittel zur Förderung der Einheit eingesetzt haben, hat das ökumenische Gespräch über das Papsttum ebenfalls erleichtert. Ein solches Mittel ist z. B. im konziliaren Prinzip gegeben, wie die Konzilspraxis auf katholischer Seite und die Bildung eines Lutherischen Weltbundes und die Beteiligung am Ökumenischen Rat der Kirchen auf lutherischer Seite beweisen.

Der Einheit der Kirche dient die „petrinische Funktion" des Amtes, die von Bischöfen, Patriarchen und Kirchenpräsidenten ausgeübt worden ist, jedoch in einmaliger Weise vom Bischof von Rom. Die Autoren stellen fest, daß die Reformatoren nicht die päpstliche Ausdrucksform der petrinischen Funktion in ihrer

---

die Primatsfrage nur kurz angesprochen. (Text in: G. GASSMANN u. a., *Um Amt und Herrenmahl*, 2. Aufl., Frankfurt/M. 1974, S. 23—54). Beide Berichte, „*Das Evangelium und die Kirche*" und „*Amt und universale Kirche*", stehen in einem inneren Zusammenhang. Aus diesem Grunde sei hier aus dem Dokument „*Das Evangelium und die Kirche*" der Textabschnitt über den Primat des Papstes zitiert. Im Teil IV: Evangelium und kirchliche Einheit heißt es: „Als besonderes Problem ergab sich hierbei für das Verhältnis von Lutheranern und Katholiken die Frage des Primates des Papstes. Von katholischer Seite wurde auf die Ansätze dieser Lehre im biblischen Zeugnis von der besonderen Stellung des Petrus sowie auf das unterschiedliche Verständnis des Primats im 1. und 2. Jahrtausend hingewiesen. Durch seine Lehre von der Kollegialität des Episkopats hat das 2. Vatikanische Konzil den Primat in einen neuen Interpretationshorizont gestellt und dadurch ein weitverbreitetes einseitiges und isoliertes Verständnis verhindert. Der Jurisdiktionsprimat muß als Dienst an der Gemeinschaft und als Band der Einheit der Kirche verstanden werden. Dieser Dienst an der Einheit ist vor allem ein Dienst an der Einheit im Glauben. Das Amt des Papstes schließt auch die Aufgabe ein, für die legitimen Verschiedenheiten der Ortskirche Sorge zu tragen. Die konkrete Gestalt dieses Amtes kann den jeweiligen geschichtlichen Bedingungen entsprechend sehr variabel sein. Von lutherischer Seite wurde anerkannt, daß keine Ortskirche, weil sie Manifestation der Universalkirche ist, sich isolieren kann. In diesem Sinne wird die Wichtigkeit eines Dienstes an der Gemeinschaft der Kirchen gesehen und zugleich auf das Problem hingewiesen, welches durch das Fehlen eines solchen wirksamen Dienstes an der Einheit für die Lutheraner entsteht. Es wurde deshalb das Amt des Papstes als sichtbares Zeichen der Einheit der Kirchen nicht ausgeschlossen, soweit es durch theologische Reinterpretation und praktische Umstrukturierung dem Primat des Evangeliums untergeordnet wird. Kontrovers zwischen Katholiken und Lutheranern blieb jedoch die Frage, ob der Primat des Papstes für die Kirche notwendig ist oder ob er nur eine grundsätzlich mögliche Funktion darstellt. Man stimmte jedoch darin überein, daß die Frage einer Abendmahlsgemeinschaft und die Frage einer gegenseitigen Anerkennung des Amtes nicht unbedingt von einem Konsens in der Frage des Primats abhängig gemacht werden kann." (*Das Evangelium und die Kirche*, a. a. O., S. 47 f.)

Gesamtheit verurteilt haben, sondern nur die Vollzüge, in denen sie einen Macht-mißbrauch erkannten[15]. Eine Schlüsselfunktion kommt im Konsenstext der Verständigung über die hermeneutische Methode zur Auslegung des biblischen Sachverhaltes zu.

Die Frage nach der Einsetzung des Petrus als ersten Papst würde heute jeder Exeget als anachronistisch betrachten, „da diese Frage von einem späteren Modell des Papsttums ausgeht, das in das Neue Testament zurückprojiziert wird"[16]. In dem vorliegenden Text steht aus exegetischen Erwägungen der traditionell für die Begründung des Primates herangezogene Mt 16, 18 ff. Text nicht im Mittelpunkt der biblischen Studien, sondern es wird der Versuch unternommen, vom Gesamt-zeugnis des Neuen Testamentes die Bedeutung des Petrus für die Urkirche zu erheben. Die neuere Exegese befaßt sich vor allem mit der Frage, in welchem Maße die spätere Verwendung der Petrusbilder im Blick auf das Papsttum in Übereinstimmung mit der Ausrichtung des Neuen Testamentes steht[17].

Im Abschnitt über die historischen und theologischen Fragen wird ausgeführt, „daß die Frage des päpstlichen Primats nicht im Sinne von biblischen Beweisstellen oder als eine Sache des Kirchenrechts angemessen behandelt werden kann, sondern im Lichte vieler — biblischer, sozialer, politischer und theologischer — Faktoren gesehen werden muß, die zur Entwicklung der Theologie, Struktur und Funktion des modernen Papsttums beigetragen haben"[18].

Die aus der Kirchengeschichte gewonnenen Erkenntnisse und die aus einem zeitgeschichtlichen Verständnis erwachsene Interpretation des Neuen Testamentes machen eine neue Einstellung zur Struktur des Papsttums und eine adäquate Haltung gegenüber zeitgemäßen Wirkungsmöglichkeiten des Papstes erforder-lich[19]. Im Ausblick auf die Erneuerung der Strukturen des Papsttums setzen die Kommissionsmitglieder einige Normen der Erneuerung fest. Diese sind: das Prin-zip legitimer Vielfalt, das Prinzip der Kollegialität und das Prinzip der Subsidia-rität[20]. Am Ende der gemeinsamen Erklärung stellen die Diskussionsteilnehmer noch einmal die wichtigsten aus dem Dialog erwachsenen übereinstimmenden Auffassungen dar: „Christus will für seine Kirche eine Einheit, die nicht nur geistlich ist, sondern in der Welt manifest sein muß." Eine „besondere Verantwor-tung hierfür könnte, unter dem Evangelium, einem einzelnen Amtsträger anver-traut werden. ... Der Bischof von Rom ... kann in der Zukunft in solchen Wei-sen wirken, die besser gestaltet sind, um den universalen und regionalen Bedürf-nissen der Kirche in der komplexen Umwelt der modernen Zeit zu ent-sprechen"[21].

Die Kommissionsmitglieder verhehlen nicht die Tatsache noch bleibender Un-

---

[15] *Amt und universale Kirche*, a. a. O., S. 91—95.
[16] Ebd., S. 97.
[17] Ebd., S. 101.
[18] Ebd.
[19] Ebd., S. 104.
[20] Ebd., S. 105 f.
[21] Ebd., S. 108 f.

terschiede in der theologischen Lehre wie vor allem in der Frage der päpstlichen Unfehlbarkeit. Dennoch fühlen sie sich aufgrund des erreichten Teilkonsenses berechtigt, ihre Kirchenleitungen um verstärkte Bemühungen zur Versöhnung zu bitten. Sie fragen die lutherischen Kirchen, „ob sie bereit sind, mit uns zu bekräftigen daß der päpstliche Primat, erneuert im Lichte des Evangeliums, kein Hindernis für Versöhnung zu sein braucht; ob sie in der Lage sind, … die Möglichkeit und Wünschbarkeit des päpstlichen Amtes, erneuert unter dem Evangelium und der christlichen Freiheit verpflichtet, in einer umfassenderen Gemeinschaft, die die lutherischen Kirchen mit einschließen würde, anzuerkennen; ob sie willens sind, in Gespräche hinsichtlich der konkreten Implikationen eines solchen Primats für sie einzutreten"[22].

An die römisch-katholische Kirche richten die Theologen die Frage, ob sie bereit ist, der Versöhnung mit den lutherischen Kirchen einen besonderen Vorrang zu geben, Gespräche über mögliche Strukturen für die Versöhnung zu führen, in denen die legitimen lutherischen Traditionen geschützt und ihr geistliches Erbe geachtet würde. Sie fragen weiter, ob die katholische Kirche anerkennen kann, daß eine Versöhnung zwischen den Kirchen durchaus mit einer eigenen Leitung der lutherischen Kirchen innerhalb einer weltweiten Gemeinschaft im Einklang stehen kann. Schließlich fragen die Theologen die römisch-katholische Kirche, ob sie bereit ist, im Blick auf die zukünftige Versöhnung die an diesem ökumenischen Dialog beteiligten lutherischen Kirchen als Schwesterkirchen anzuerkennen[23].

3.2.1 Überlegungen der lutherischen Teilnehmer

Im Teil II des Dokumentes wenden sich die lutherischen Kommissionsmitglieder an die Gläubigen ihrer Kirchen, um ihnen die überraschenden Ergebnisse dieses Dialoges näher zu erläutern, da die neueren biblischen und historischen Erkenntnisse viele ehemalige Streitpunkte um das Papsttum in einem neuen Licht erscheinen lassen.

3.1.2.1 Wandel im Verständnis des Papsttums aufgrund neuer historischer und biblischer Erkenntnis

Der Dialog zwischen den Konfessionen galt einer ökumenischen Standortbestimmung, die Ausmaß und Grenzen der Gemeinsamkeiten zwischen Lutheranern und Katholiken verdeutlichen sollte[24].

Der Wandel im Verständnis des Papsttums läßt sich auf folgende Aspekte der historischen Forschung zurückführen: Die Möglichkeit eines symbolischen oder funktionalen Wertes des Papsttums, gestützt auf das ius humanum, werden durch die lutherischen Bekenntnisschriften nicht ausgeschlossen. Die frühen Reformatoren haben nicht die petrinische Funktion verworfen, sondern das historische Papsttum ihrer Zeit. Zudem haben viele Lutheraner ein ökumenisches Konzil des Papsttums erhofft. Sie erkannten dem Papst alle Befugnisse eines Bischofs in seiner Diözese

---

[22] Ebd., S. 109 f.
[23] Ebd., S. 110.
[24] Ebd., S. 112.

zu. Sie gaben einer umfassenderen päpstlichen Jurisdiktion über die Gemeinschaften, die sich ihm aus eigener Entscheidung unterstellten, ihre Zustimmung[25].

Als Ergebnis der biblischen Forschungen muß festgehalten werden, daß die Form des Papsttums, wie sie sich im Laufe der Jahrhunderte entwickelt hat, nicht in das NT hineingelesen werden darf. In der Schrift findet sich eine Vielfalt von Petrusbildern. Eine vor- und nachösterliche Vorrangstellung des Petrus ist biblisch eindeutig nachzuweisen. Den Dienst des Petrus an der Einheit der gesamten apostolischen Kirche bezeichnet die Theologenkommission als „petrinische Funktion"[26].

Die Rückkehr zu den Quellen, insbesondere zur Bibel und zu den Kirchenvätern, war ein Grund, der ein umfassenderes Verständnis des allen Christen gemeinsamen Erbes ermöglicht hat.

In der heutigen Zeit weltweiter Zusammenarbeit in allen Bereichen wird die mangelnde Einheit der Kirche schmerzlich empfunden. Die Lutheraner empfinden die dringende Notwendigkeit von Symbolen und Zentren der Einheit, wobei den historisch überkommenen Formen der Einheit eine besondere Bedeutung zukommt. Sie schließen dabei nicht aus, „daß eine bestimmte Form des Papsttums, das unter dem Evangelium erneuert und umgestaltet ist, ein angemessener sichtbarer Ausdruck des Amtes sein kann, das der Einheit und Ordnung der Kirche dient"[27]. Jede Form des päpstlichen Primats muß die Freiheit des Evangeliums garantieren. Nur wenn diese Bedingung erfüllt ist, können lutherische Christen einen päpstlichen Primat bejahen[28].

3.1.2.2 Wandel im innerkatholischen Verständnis des Papsttums durch das II. Vatikanische Konzil

Die lutherischen Theologen erkennen die Tatsache an, daß das Vaticanum Secundum einen Wandel im Verständnis des Papsttums im römisch-katholischen Denken eingeleitet hat. Sie nehmen das Bemühen ihrer katholischen Gesprächspartner, das Papstamt als Dienstamt zu verdeutlichen, zur Kenntnis. Die katholischen Theologen erklären, daß der Papst in gleicher Weise wie die gesamte christliche Gemeinschaft an das Evangelium gebunden ist. Die lutherischen Theologen betonen, daß in den Dokumenten des Zweiten Vatikanischen Konzils der kollegiale Aspekt der kirchlichen Leitung unterstrichen wird. Allerdings weisen sie darauf hin, daß auch in den Konzilstexten und in neueren Dokumenten der Anspruch auf eine ausschließliche päpstliche Gewalt erhoben wird.

Dennoch sind die lutherischen Kommissionsmitglieder der Meinung, daß das Gespräch zwischen den Konfessionen in eine neue Phase getreten ist. Sie sind sich der Tatsache bewußt, daß die Verwirklichung der angesprochenen Möglichkeiten des Papsttums eine Sache der Zukunft ist[29].

---

[25] Ebd., S. 113—116 — vgl. *Schmalkaldische Artikel II. 4, 1*, in: *Die Bekenntnisschriften der evang.-lutherischen Kirche*, 5. Aufl., Göttingen 1963, S. 427.

[26] Ebd., S. 120 f.

[27] Ebd., S. 120.

[28] Ebd., S. 125.

[29] Ebd., S. 125 f.

3.1.2.3 Zusammenfassung

Als Fazit der Gespräche ergibt sich für die lutherischen Theologen folgende Feststellung: „Unsere lutherische Lehre über die Kirche und das Amt zwingt uns zu der Überzeugung, daß eine Anerkennung des päpstlichen Primats in dem Maße möglich ist, in dem ein erneuertes Papsttum wirklich die Treue dem Evangelium gegenüber fördert und in rechter Weise eine petrinische Funktion in der Kirche ausübt"[30].

3.1.3 Überlegungen der katholischen Teilnehmer

Im Teil III des USA-Berichtes geben die katholischen Kommissionsmitglieder eine Stellungnahme zu der Gemeinsamen Erklärung ab. Sie werten diese als einen Fortschritt in einer der strittigsten Fragen zwischen den Konfessionen.

3.1.3.1 Anerkennung der Notwendigkeit eines Amtes der Einigung durch lutherische Theologen

Die Bedeutung der „Gemeinsamen Erklärung" sehen die katholischen Theologen in der Anerkennung der Notwendigkeit eines Amtes der Einigung für die Kirche durch die lutherischen Kommissionsmitglieder sowie in der Anerkennung der Möglichkeit, „daß dieses Amt wirksam durch ein erneuertes Papsttum, zumindest als einem nach menschlichem Recht konstituierten Organ, ausgeübt werden könnte". Dieser Beurteilung des erreichten Teilkonsenses folgt eine ausführliche Darlegung der römisch-katholischen Auffassungen über das Papstamt: „Die Annahme des päpstlichen Amtes ist für uns zwingend, denn wir glauben, daß es von Gott für seine Kirche gewollt ist." Das Papsttum ist ein von Gott geschenktes Zeichen der Einheit[31].

Die petrinischen Texte und die verschiedenen neutestamentlichen Petrusbilder enthalten nach katholischem Verständnis positive Hinweise auf das Papsttum, wenngleich eine direkte Bestätigung des Papsttums biblisch nicht nachgewiesen werden kann[32]. Die Konzentration auf das Papsttum, die vom I. Vatikanischen Konzil vorgenommen wurde, sollte die Kirche vor politischem Druck schützen und ihre Universalität in einem Zeitalter der besonderen Betonung nationaler Eigenständigkeit erhalten.

Das II. Vatikanische Konzil hat zu einem kollegialen Verständnis der Autorität in der Kirche beigetragen. Hierdurch werden Änderungen in der römisch-katholischen Auffassung der päpstlichen Führung notwendig. Die katholischen Mitglieder der amerikanischen Dialoggruppe erhoffen Änderungen des päpstlichen Führungsstils. Sie betonen aber ausdrücklich, daß es für sie keine Gründe gibt, die eine Abschaffung des Papsttums als sinnvoll erscheinen lassen[33].

---

[30] Ebd., S. 127.
[31] Ebd., S. 127.
[32] Ebd., S. 128.
[33] Ebd., S. 132.

3.1.3.2 Forderung eines kanonischen Status für die lutherischen Christen

Die katholischen Dialogpartner schlagen ihrer Kirche vor, einen kanonischen Status zu finden, der den lutherischen Christen offizielle Gemeinschaft mit der römisch-katholischen Kirche ermöglicht. „In einer solchen umfassenderen Gemeinschaft von Kirchen könnte das Papsttum als Zeichen und Instrument der Einheit nicht nur für römische Katholiken, sondern auch für andere dienen, die nie aufgehört haben, für die sichtbare Einheit der ganzen Kirche Christi zu beten und zu wirken"[34].

3.1.3.3 Zusammenfassung

Die Autoren des amerikanischen Dokumentes „Amt und universale Kirche" haben einen Teilkonsens in der Frage des päpstlichen Primats erreicht. Dem Papstamt könnte in der Zukunft im Rahmen einer umfassenderen Kirchengemeinschaft der Petrusdienst der Einigung aller christlichen Kirchen zukommen. Die entscheidende Voraussetzung für die Übernahme eines solchen Dienstes ist die Erneuerung des Papsttums unter dem Evangelium. Diese veränderte Sicht des Papstamtes in der lutherischen Theologie ist auf das Ergebnis neuerer biblischer und historischer Studien zurückzuführen sowie auf die Wandlungen im Selbstverständnis der römisch-katholischen Kirche, die das II. Vatikanische Konzil eingeleitet hat. Diese sind gegeben durch eine stärkere Berücksichtigung des synodalen Prinzips, d. h. durch eine kollegialere Leitung der Kirche.

Zum Teil IV können Ausführungen entfallen, da dieser Abschnitt lediglich eine Zusammenfassung der Vorarbeiten zu dem Konsenstext enthält.

3.2 Stellungnahmen protestantischer Theologen zum USA-Bericht „Amt und universale Kirche"

3.2.1 HARDING MEYER

Gesamtkirchliches Amt — keine Kontroversfrage

In seinem Aufsatz „Das Papsttum in lutherischer Sicht" macht Harding Meyer darauf aufmerksam, daß die Bejahung eines gesamtkirchlichen Amtes, das für die Gemeinschaft aller Christen und Kirchen Sorge trägt, für lutherische Theologen im Grunde kein Problem sein dürfte[35].

Diese Frage bedeutet nur eine Unterfrage innerhalb der umfassenderen nach dem kirchlichen Amt überhaupt. Das Amt in der Kirche ist nichts „Nebensächliches", das Amt ist für die Kirche konstitutiv. Entscheidend ist, daß durch das Amt, gleich welcher Gestalt, die Verkündigung des Evangeliums gefördert wird. „Unter diesem Gesichtspunkt sind die lutherischen Kirchen durchaus frei, um der kirchlichen Einheit willen das Bischofsamt zu übernehmen oder sich sogar in die bischöfliche Amtssukzession wieder einzuordnen, wie die lutherischen Bekennt-

---

[34] Ebd., S. 133.
[35] H. MEYER, *Das Papsttum in lutherischer Sicht*, in: *Papsttum und Petrusdienst*, a. a. O., S. 73—90 (74).

nisschriften es immer wieder betonen"[36]. So gesehen, ist die Frage nach dem gesamtkirchlichen Amt keine Kontroversfrage[37]. Meyer betont die hohe Bedeutung der Bekenntnisschriften, aus denen sich ökumenische Perspektiven für die Verständigung über den päpstlichen Primat gerade auf die noch offene „ius divinum — ius humanum" Problematik ergeben[38].

3.2.2 LUKAS VISCHER

Ein von allen respektiertes Amt — eine kirchliche Notwendigkeit

Die Anhänger der ökumenischen Bewegung wollen die sichtbare Einheit der Kirchen in einer eucharistischen Gemeinschaft erreichen. Diese Einheit kann nur zustandekommen, wenn die mit dem Papstamt, d. h. mit der Leitung der universalen Kirche, verbundenen Probleme und Schwierigkeiten beseitigt werden. Die Belastung dieses Themas durch die pro- und antirömischen Affekte ist immer noch sehr stark[39].

Lukas Vischer erarbeitet einige Prämissen, die dem ökumenischen Gespräch über das Papstamt zugrundeliegen sollten: Im Gespräch darf nicht von vornherein vorausgesetzt sein, daß die eine Kirche des Papsttums bedürfe, wenngleich das geschichtliche Erbe ernstgenommen werden muß. Ebenso ist eine das Papsttum grundsätzlich negierende Einstellung für den ökumenischen Dialog unzureichend. Orthodoxe und protestantische Theologen müssen vielmehr Alternativmodelle zum Papsttum entwickeln. „Wenn nicht durch den Dienst des Papstes, wie soll dann die Kirche in der Wahrheit und Einheit erhalten werden?"[40]

Ein Gespräch über das Papsttum muß den Blick in die Zukunft richten. Die universale Gemeinschaft der Kirche kann nur durch die Entfaltung der konziliaren Praxis ermöglicht werden: D. h. die einzelnen Teile der Kirche müssen regelmäßig Kommunikation pflegen und sich gegenseitig beraten, sowie die Lösung von Fragen und Konflikten gemeinsam besorgen[41].

Die Aufgabe des Bischofs von Rom könnte darin bestehen, die konziliare Gemeinschaft der Kirchen aufzubauen und zu einem funktionsfähigen Instrument zu machen[42]. Lukas Vischer weist aber auch darauf hin, daß die universale Gemeinschaft in der Wahrheit des Evangeliums letztlich nicht zu organisieren ist, da im Grunde die charismatischen Gestalten die Kirche in der Wahrheit und der Einheit erhalten. Diese charismatischen Gestalten sind die jeweils neue Gabe des Heiligen Geistes; ihr Kommen und Wirken kann durch Strukturen nicht ersetzt werden[43].

---

[36] Ebd., S. 75.
[37] Ebd.
[38] Ebd., S. 89.
[39] L. VISCHER, *Petrus und der Bischof von Rom — ihre Dienste in der Kirche,* in: *Papsttum und Petrusdienst,* a. a. O., S. 35—50 (35).
[40] Ebd., S. 36 f. Zitat S. 37.
[41] Ebd., S. 48.
[42] Ebd., S. 50.
[43] Ebd., S. 49.

3.2.3 ULRICH ASENDORF

Bejahung eines universalen Papstamtes — mehr als eine ökumenische Geste

Ulrich Asendorf führt die Konvergenz in der Amtsfrage auf den neuen Arbeitsstil zurück: die offizielle Beauftragung von Theologen beider Konfessionen zum Lehrgespräch, die in eigener Verantwortung Gespräche miteinander führen und ihre Arbeitsergebnisse ihren Kirchen zur Stellungnahme vorlegen[44].

Der „rote Faden" des ganzen Dokumentes ist darin zu sehen, „daß die Katholiken von einer Umstrukturierung des Papsttums sprechen, während die Lutheraner der Hoffnung eines im Licht des Evangeliums erneuerten Papstamtes bei voller Wahrung der evangelischen Freiheit Ausdruck geben, wobei sie den Primat der Zukunft mehr pastoral als juridisch verstehen"[45]. Asendorf weist darauf hin, daß in künftigen ökumenischen Gesprächen über das Papstamt die konkreten Strukturen und Funktionen eines solchen Einheitsamtes geklärt werden müssen, wenn der von den amerikanischen Theologen erzielte Teilkonsens nicht eine ökumenische Geste bleiben soll. So müßte darüber nachgedacht werden, in welcher Weise der Papst auch für Lutheraner mitsprechen könnte oder wieweit die lutherischen Kirchen in päpstliche Enzykliken mit einbezogen werden können. Auch müßte von den Konzilstexten her die Frage des Status der lutherischen Kirchen neu definiert werden[46]. Das heikelste noch ungelöste Problem ist mit der Frage der päpstlichen Unfehlbarkeit gegeben. Hier müßte die Möglichkeit einer Neuumschreibung des Petrusdienstes unter Absehung von der päpstlichen Unfehlbarkeit überdacht werden. Eine Beschränkung auf die römisch-katholische Kirche, was einer päpstlichen Doppelfunktion je nach Funktionsbereich gleichkäme, hält Asendorf für unmöglich[47].

3.2.4 REINHARD FRIELING

Gemeinschaft mit, nicht unter dem Papst

Das Ziel eines interkonfessionellen universalen Einheitsamtes ist nach Ansicht von Reinhard Frieling nur durch die Erneuerung der historisch gewachsenen Formen der Ämter und Kirchenverfassungen zu erreichen[48].

Im Hinblick auf die Konturen dieses universalen Amtes stellt auch das Papstamt *eine* Möglichkeit dar. Das Modell „Papstamt" steht somit in Konkurrenz mit anderen Einheitskonzeptionen, etwa dem Modell der „konziliaren Gemein-

---

[44] U. ASENDORF, *Der Dialog über das Papstamt. Ein Versuch eines lutherischen Kommentars*, in: KNA/ÖKI, Nr. 40 (1975), S. 5—9 (5).

[45] Ebd., S. 6.

[46] Ebd., S. 7.

[47] Ebd., S. 7 f.

[48] Vgl. R. FRIELING, *Katholisch-Lutherische Konvergenzen in den USA*, in: MD, 25. Jg. (1974), S. 76—78 — DERS., *Generalsekretär der Gemeinschaft aller Kirchen*, in: *Papsttum — heute und morgen*, a. a. O., S. 58—60 — DERS., *Mit, nicht unter dem Papst*, in: MD, 28. Jg. (1977), S. 52—60 — DERS., *Versöhnte Verschiedenheit und/oder korporative Wiedervereinigung*, in: *Petrus und Papst, Bd. II*, a. a. O., S. 204—219.

schaft"[49], wie es der Ökumenische Rat der Kirchen in Nairobi formulierte, oder dem Modell der „versöhnten Verschiedenheit"[50] des Lutherischen Weltbundes. Auch im USA-Dialog „Amt und universale Kirche" erscheint das Papsttum als eine von vielen Möglichkeiten, die Einheit der Kirche darzustellen. „Konzile, einzelne Kirchenführer, bestimmte Ortskirchen, Bekenntnisaussagen und das Papsttum: alle haben in verschiedener Weise der Einheit der Kirche gedient"[51]. Diese Erkenntnis ist nach Ansicht von R. Frieling seitens der lutherischen Teilnehmer nicht konsequent durchgehalten worden, da schließlich nur „das Papsttum als Möglichkeit" behandelt wurde[52]. Die Einigungsformel des amerikanischen Konsenstextes, daß „ein unter dem Evangelium gereinigtes Papstamt kein Hindernis für Versöhnung zu sein braucht", kann für die zwischenkirchlichen Beziehungen nur dann hilfreich sein, wenn Einverständnis darüber erzielt werden kann, was Erneuerung des Papstamtes unter dem Evangelium konkret bedeutet, und wie die Versöhnung der Kirche Gestalt annehmen soll[53].

Im ökumenischen Dialog über das Papstamt besteht ein kontrovers-theologisches Problem weiterhin, das auch vom USA-Dialog nicht gelöst werden konnte. „Was bedeutet es für die ökumenische Gemeinschaft, wenn Protestanten das Papstamt höchstens als *eine* Möglichkeit ansehen, die Einheit der Kirche zu symbolisieren, während für Katholiken ‚Evangelium' und ‚Papst' so miteinander verbunden sind, daß letztlich nur das Amtscharisma des Papstes die Einheit der Kirche bewirkt"[54]. Nach Frieling kann ein Lutheraner die Rezeptionsmöglichkeit des Papstamtes nur auf das Ziel einer Gemeinschaft mit, nicht unter dem Papst reflektieren[55]. Frieling geht bei seinen Überlegungen zum Papstamt der Frage nach, welche Funktion der Papst innerhalb protestantischer Einheitskonzeptionen: Modell der „konziliaren Gemeinschaft" bzw. der „versöhnten Verschiedenheit" übernehmen könnte. In den beiden genannten Modellen wurde die Frage eines universalen Amtes der Einheit noch nicht miterörtert. Jedoch kann aus beiden die Hoffnung auf ein universales Konzil aller Kirchen gefolgert werden. Orthodoxe und Anglikaner erkennen dem Papst als Oberhaupt der größten christlichen Kirche und als Patriarch des Westens einen Ehrenprimat zu. Auch nach Auffassung neuerer lutherischer Stellungnahmen käme dem Papst auf einem solchen Konzil aller christlichen Kirchen eine spezifische Rolle zu[56]. Frieling selbst be-

---

[49] Vgl. H. KRÜGER und W. MÜLLER-RÖMHELD (Hrsg.), *Bericht aus Nairobi*, Frankfurt/M. 1976, S. 23—37.

[50] Vgl. H. W. HESSLER (Hrsg.), *Daressalam. Offizieller Bericht der Sechsten Vollversammlung des Lutherischen Weltbundes*, Frankfurt/M. o. J., S. 204—206.

[51] *Amt und universale Kirche*, a. a. O., S. 123.

[52] FRIELING, *Mit, nicht unter dem Papst*, a. a. O., S. 54.

[53] FRIELING, *Versöhnte Verschiedenheit und/oder korporative Wiedervereinigung*, a. a. O., S. 213 f.

[54] FRIELING, *Mit, nicht unter dem Papst*, a. a. O., S. 57.

[55] *Versöhnte Verschiedenheit und/oder korporative Wiedervereinigung*, a. a. O., S. 214 — *Mit, nicht unter dem Papst*, a. a. O., S. 60.

[56] *Versöhnte Verschiedenheit und/oder korporative Wiedervereinigung*, a. a. O., S. 214 f.

zeichnet an anderer Stelle diese Rolle als die eines „Generalsekretärs der Gemeinschaft aller Kirchen"[57]. Das Modell einer versöhnten Verschiedenheit in konziliarer Gemeinschaft hat — so Frieling — Berührungspunkte mit katholischen Einheitskonzeptionen, die eine Gemeinschaft der nicht-katholischen Kirchen mit dem Papst vorsehen, in der der Jurisdiktionsprimat des Papstes nicht in gleicher Weise wie für die römisch-katholische Kirche verpflichtend ist[58]. Frieling denkt hier an die Vorstellungen von Bischof H. Tenhumberg[59] und E. Lanne[60], nach denen die evangelischen Kirchen als Teilkirchen anerkannt werden und in den Rang von Patriarchaten erhoben werden sollen. Versöhnte Verschiedenheit in konziliarer Gemeinschaft oder in katholischer Terminologie: Korporative Wiedervereinigung können nicht durch Erlaß von oben realisiert werden, solche Einheit muß von unten wachsen. Auf der Basis der Zusammenarbeit von Ortskirchen, so schlägt Frieling vor, könnten im Prozeß der Einigung auf lokaler, regionaler und nationaler Ebene ökumenische Räte entstehen, die als permanente Minikonzile eine „instrumentale ekklesiologische Bedeutung" erhalten würden. „In versöhnter Verschiedenheit, also in Gemeinschaft miteinander, finden die Kirchen angemessene Einheitsstrukturen. Einer Gemeinschaft mit, nicht unter dem Papst, steht evangelischerseits dann nichts mehr im Wege"[61].

3.2.5 SIEGFRIED VON KORTZFLEISCH

Papsttum — eine Sache der Lutheraner?

Der USA-Bericht „Amt und universale Kirche" hat, so S. v. Kortzfleisch, das Papsttum zu einer Sache der Lutheraner gemacht[62]. Um aber der tatsächlichen Situation in den ökumenischen Beziehungen zwischen den Konfessionen gerecht werden zu können, hält Kortzfleisch einige Gegenfragen an die amerikanischen Theologen für angebracht: Ob Rom die Legitimität kirchlicher Existenz ohne Papsttum akzeptieren könne, ob Rom die gesamtchristliche Einheit in der konziliaren Weise, wie sie der Ökumenische Rat der Kirchen pflege, anerkennen könne, ob Rom die beschworene Erneuerung des Papstamtes „unter dem Evangelium" in eine rechtliche und strukturelle Verwandlung des hierarchischen Spitzenamtes umsetzen könne[63]?

---

[57] *Generalsekretär der Gemeinschaft aller Kirchen*, a. a. O., S. 60.

[58] *Versöhnte Verschiedenheit* ..., a. a. O., S. 216 — *Mit, nicht unter dem Papst*, a. a. O., S. 60.

[59] H. TENHUMBERG, *Kirchliche Union bzw. korporative Wiedervereinigung*, in: *Kirche und Gemeinde*, hrsg. v. W. DANIELSMEYER — C. H. RATSCHOW, Witten 1974, S. 22—33.

[60] E. LANNE, *Schwesterkirchen — Ekklesiologische Aspekte des Tomos Agapis*, in: PRO ORIENTE (Hrsg.), *Auf dem Weg zur Einheit des Glaubens*, Innsbruck-München-Wien 1976, S. 54—82.

[61] FRIELING, *Versöhnte Verschiedenheit und/oder korporative Wiedervereinigung*, a. a. O., S. 219.

[62] S. v. KORTZFLEISCH, *Freundlich vom Papsttum reden*, in: *Papsttum — heute und morgen*, a. a. O., S. 96—98 (96).

[63] Ebd., S. 97.

Doch solche Fragen wären unfreundlich, da sie die geringen Wandlungschancen des Papstamtes offendecken würden. Aus diesem Grunde sei eine nüchterne Beurteilung der tatsächlichen Veränderungsmöglichkeiten der Struktur des päpstlichen Amtes gerade nicht Ausdruck einer mangelnden ökumenischen Haltung. „Unfreundlich ist es eher, katholische Bischöfe mit ökumenischem Überschwang in Verlegenheit zu bringen"[64].

Allerdings darf man die Hoffnung nicht aufgeben, daß die im II. Vatikanischen Konzil deutlich hervorgetretenen synodalen Elemente des Leitungsverständnisses der Kirche in der Zukunft eine gewichtigere Bedeutung erhalten werden, als es zur Zeit der Fall ist[65].

3.2.6 GÜNTHER GASSMANN

Papstamt als Einheitsamt — ein mutiges Vorausdenken

Günther Gassmann sieht die hohe Bedeutung des USA-Berichtes schon in der personellen Zusammensetzung der Theologenkommission gegeben, da es sich bei den lutherischen Mitgliedern nicht um eine romfreundliche Randgruppe innerhalb der lutherischen Kirche handelt, sondern um offiziell beauftragte Theologen, die vom Nationalkomitee des Lutherischen Weltbundes in den USA ernannt wurden[66]. Mit diesem Dokument hat sich die amerikanische Dialoggruppe an die Spitze der interkonfessionellen Gespräche gesetzt. Kritik, die die amerikanischen Theologen treffen könnte, sieht Gassmann in folgenden Vorwürfen gegeben: Das Dokument gehe an den Realitäten der zwischenkirchlichen Beziehungen vorbei, es stelle ein Kapitulationsangebot der lutherischen Theologen dar, das Papsttum könne die genannten Reformvorstellungen nicht in die Tat umsetzen[67]. Nach Gassmann haben die amerikanischen Theologen „ein Stück wichtiges Vordenken geleistet". Es wurde eine Möglichkeit zukünftiger Gemeinschaft von lutherischen und katholischen Christen in Verbindung mit einem pastoral ausgeübten, der universalen Einheit dienenden, dem Evangelium untergeordneten Papstamt entfaltet[68].

3.2.7 G. A. LINDBECK

Papsttum: Amt der Einheit — Zwischen Euphorie und Aussichtslosigkeit

Die ökumenische Bedeutung des Papstamtes für die Beziehungen zwischen Katholiken und Protestanten wird nach Ansicht von G. A. Lindbeck davon abhän-

---

[64] Ebd.

[65] Ebd., S. 98.

[66] G. GASSMANN, *Papstprimat über Lutheraner? Amerikaner spielen ein Modell der Einheit durch.* In: Lutherische Monatshefte, 13. Jg. (1974), S. 217—219 (217) — DERS., *Erwägungen zu zwei bilateralen Dialogen,* in: *Petrus und Papst. Evangelium — Einheit der Kirche — Papsttum,* Bd. I, hrsg. v. A. BRANDENBURG u. H. J. URBAN, Münster 1977, S. 170—182.

[67] Ebd., S. 218 f.

[68] Ebd., S. 219.

gen, daß den Protestanten das Papstamt in „positiver Weise attraktiv" erscheint. Ein Interesse am Papstamt als einem Amt, das „potentiell dem ganzen Volk Gottes einen positiven und unersetzlichen Dienst" leisten könnte, kann Lindbeck jedoch weder bei amerikanischen Lutheranern noch bei anderen Protestanten ausgesprochen häufig erkennen. Vielmehr erwecken auch die Lutheraner, die sich um eine Anerkennung des Papstes bemühen, oft den Eindruck, „als handle es sich dabei nicht um etwas Positives, sondern eher um einen Preis, den wir um unserer katholischen Brüder und Schwestern und um der Einigung der Kirchen willen zahlen müßten"[69].

Auch der USA-Dialog „Amt und universale Kirche" ist nicht aus besonderen Interessen oder Sympathien für das Papsttum entstanden; dies gilt vor allem für die lutherischen Kommissionsmitglieder. Vielmehr stand dieses Thema routinemäßig im Dialog über die gemeinsame Neubeurteilung historischer Lehrstreitigkeiten zwischen Lutheranern und Katholiken auf der Tagesordnung[70]. Lindbeck selbst bietet eine Interpretation des amerikanischen Konsenstextes, die fern aller Euphorie Intentionen, Möglichkeiten und Grenzen dieses Dokumentes aufzeigt. Gegenüber der von Melanchthon im 16. Jahrhundert vertretenen Position, aus Sorge um die getrennten Mitchristen und die Einheit der Kirche Zugeständnisse zu machen, sofern die Freiheit des Evangeliums gewahrt bleibt, stellt der vorliegende Text Lindbeck zufolge keinen großen Fortschritt dar. In einem Punkt geht der Text nicht einmal so weit. Bei Melanchthon sind die Beziehungen der Protestanten gegenüber einem reformierten Papstamt eindeutig juristisch zu interpretieren, im Konsenstext dagegen werden die möglichen Funktionen des Papstes für die nichtrömisch-katholischen Kirchen als symbolisch und pastoral beschrieben. Lindbeck beurteilt die lutherische Position des Dokumentes deshalb nicht als „neuartig, sondern als eine partielle Rückkehr zu einer Auffassung des 16. Jahrhunderts"[71].

Den eigentlichen Fortschritt sieht er überwiegend auf der katholischen Seite. Wenn die von den katholischen Gesprächspartnern für möglich erachteten Reformen des Papstamtes Wirklichkeit würden, könnte der Papst als Zeichen und Symbol der Einheit der weltweiten Kirche wirken. Zum gegenwärtigen Zeitpunkt ist allerdings die hier vertretene lutherische Position der partiellen Rückkehr zur Auffassung Melanchthons für Lutheraner hinreichend schockierend[72].

Die im Dokument angedeuteten Reformen des Papsttums einmal vorausgesetzt, sind es Nützlichkeitserwägungen — „Wie alles andere in der menschlichen Existenz, so muß auch die Einheit institutionalisiert werden, um wirksam und dauerhaft zu werden" —, die nach Meinung von Lindbeck eine vom Papst ausgeübte petrinische Rolle als sinnvoll erscheinen lassen könnte. „Die Befürwortung ist streng funktional (oder vielleicht könnte man sogar sagen: pragmatisch), obwohl

---

[69] G. A. LINDBECK, *Was für ein Symbol der Einheit?* In: Lutherische Monatshefte, 16. Jg. (1977), S. 408—412 (408).

[70] Ebd., S. 410.

[71] Ebd.

[72] Ebd.

sie hineingestellt ist in den Kontext des Vertrauens und der Hoffnung auf Gottes gnädige Führung seiner Kirche und der Notwendigkeit einer geisterfüllten Unterscheidung von Gut und Böse"[73].

Trotz der Möglichkeit, den Primat auch von der reformatorischen Lehre her positiv zu befürworten, sieht Lindbeck einige generelle Probleme einer solchen Anerkennung, die die faktischen Voraussetzungen betreffen. Es müßte erst einmal geklärt werden, ob nicht die historischen Vorstellungen vom Papsttum bei Protestanten so negativ sind, daß es als ein positives Symbol der Einheit in Treue gegenüber dem Evangelium als unrealistisch erscheint. Auch konstatiert Lindbeck bei vielen Protestanten wachsende Skepsis gegenüber der Nützlichkeit selbst so minimaler gemeinsamer Strukturen, wie sie etwa die Organe des Ökumenischen Rates der Kirchen darstellen. Ein theologisches Problem stellt die Spannung zwischen einer theologia crucis und einer theologia gloriae dar. „Es betrifft die Spannung zwischen jeder Art von institutionalisiertem Primat und dem Kreuz Jesu Christi ... Die einzig authentische führende Rolle ist die des Dienstes, des Leidens und der Knechtschaft"[74].

Trotz aller Bedenken müsse man sich aber protestantischerseits für die Möglichkeiten offenhalten, „daß das nächste Zeitalter der Kirche vielleicht einem reformierten und auf das Evangelium zentrierten Papsttum gehört ..."[75]

3.3 Exkurs:

3.3.1 Konsens über die neutestamentlichen Grundlagen des Papstamtes?

Der Streit um die neutestamentlichen Grundlagen des Papstamtes konzentrierte sich in der Vergangenheit vorwiegend auf den Text Mt 16, 18 f., da dieser von der römisch-katholischen Kirche seit dem vierten Jahrhundert als *der* Schriftbeweis für den Primat des Papstes angeführt wurde.

In der protestantischen Exegese dieses Jahrhunderts hat sich gegenüber der Interpretation des Felsenwortes durch die Reformatoren und ihre Nachfolger ein totaler Wandel vollzogen. Das „Dogma" von der Unechtheit des Felsenwortes ist überwiegend aufgegeben worden. Hatte Luther den Felsen auf Christus selbst gedeutet und das Jesuswort auf den Glauben des Petrus bezogen, so ist es heute für protestantische Theologen „keine Frage, daß im Text mit dem Felsen Petrus als Person gemeint ist, also weder sein Glaube, noch sein Bekenntnis, noch sein Charakter, sondern Petrus als bevollmächtigter Apostel des Christus"[76]. Daß im Felsenwort Petrus als Person angesprochen ist, ist in der protestantischen Exegese der letzten Jahrzehnte als nahezu allgemeiner Konsens nachweisbar. Den Aufweis dieses Konsenses hat F. Obrist lange vor dem ökumenischen Dialog über Petrus und Papst erbracht[77]. Strittig ist erst die weitergehende Frage, was es denn

---

[73] Ebd., S. 411.
[74] Ebd., S. 412.
[75] Ebd.
[76] G. SASS, *Der Fels der Kirche*, Neukirchen 1957, S. 27.
[77] Vgl. F. OBRIST, *Echtheitsfragen und Deutung der Primatsstelle MT 16, 18 f. in der deutschen protestantischen Theologie der letzten dreißig Jahre*, Münster 1961.

bedeutet, daß Petrus der Fels genannt wird. Bezüglich der Deutung des Felsenwortes stellt F. Obrist eine sich „mehr und mehr durchsetzende Verlagerung der Sinndeutung von einer an den Anfang gebundenen und damit zeitlich begrenzten zu einer mehr funktionalen Auffassung des Felsenbildes" fest. „Immerhin bleibt die erstere noch so stark und wirksam, daß sie die Felsenfunktion auf die Gründung der Kirche beschränkt und größtenteils als einmalige persönliche Aufgabe des Felsenapostel erklärt"[78]. Aufgrund dieser chronologischen Sicht wird eine Fortdauer der Felsenfunktion in berufenen Nachfolgern weithin ausgeschlossen; auch wird in der Felsenfunktion nicht ein fortsetzbares Amt als grundgelegt erachtet[79].

So erhebt auch O. Cullmann in seinem bahnbrechenden Petrusbuch aus dem Jahre 1952[80] gegenüber der katholischen Exegese des Felsenwortes den Vorwurf der willkürlichen Auslegung, wenn sie annimmt, hier seien Nachfolger des Petrus mitangesprochen. „Exegetisch muß gesagt werden, daß wir kein Recht haben, in Petrus zugleich Nachfolger angeredet zu sehen. Das müßte irgendwie angedeutet sein. Überall, wo Jesus sonst von den von seinen Jüngern auszuübenden Funktionen spricht, meint er doch offenkundig nur die Jünger selber, nicht Nachfolger. Und wenn er im ersten Satze, der vom Bauen handelt, wirklich auch die nachpetrinische Zeit miteinschließt, so heißt dies nur, daß die von dem historischen Petrus ausgeführte *heilsgeschichtlich einmalige* Felsenmission so beschaffen ist, daß sie über seinen Tod hinaus in ihrer Einmaligkeit weiterwirkt, so daß der historische Petrus, und nicht Nachfolger, auch bei diesem unbegrenzten Weiterbauen das Fundament ist und bleibt"[81].

Der exegetisch strittige Punkt ist somit der katholische Anspruch der *personalen* Nachfolge in der Felsenfunktion. Dies gilt unverändert auch für den ökumenischen Dialog der siebziger Jahre über die Petrus- und Papstthematik. E. Gräßer schreibt durchaus repräsentativ für protestantische und katholische Exegeten, daß eine neutestamentliche Grundlegung von Papst und Primat gemäß den Lehraussagen des I. und II. Vatikanischen Konzils heute von keinem Exegeten mehr angenommen wird[82]. Die Frage nach theologisch relevanten, das Papsttum stützenden Sachverhalten des Neuen Testamentes kann nur negativ beantwortet werden, wenn eine Legitimation für die derzeitige Amtsstruktur (der Papst ist Petrus) und die derzeitige Rechtsfigur (caput ecclesiae) gesucht wird[83]. Dem katholischen Exegeten J. Blank zufolge ist für Matthäus Petrus in seiner Funktion als Zeuge der Christus-Offenbarung und als Garant und Lehrer der authentischen Jesus-Tradition der Fels, auf dem die „ekklesia" Jesu erbaut ist. „Diese Fundament-

---

[78] F. OBRIST, a. a. O., S. 113.
[79] F. OBRIST, a. a. O.
[80] O. CULLMANN, *Petrus. Jünger — Apostel — Märtyrer*, Zürich 1952.
[81] O. CULLMANN, a. a. O., S. 235.
[82] E. GRÄSSER, *Neutestamentliche Grundlagen des Papsttums?* in: *Papsttum als ökumenische Frage*, hrsg. von der ARBEITSGEMEINSCHAFT ÖKUMENISCHER UNIVERSITÄTSINSTITUTE, München-Mainz 1979, S. 33—58 (51).
[83] E. GRÄSSER, a. a. O., S. 54.

Rolle ist von Mt kaum als übertragbar gedacht: von einer Petrusnachfolge weiß dieser Evangelist nichts"[84].

Blank spricht allerdings im Anschluß an Jo 21, 15—19 von einem „Petrusamt" im Sinne des „Hirtendienstes". Aber ein „Petrusamt" im Sinne des römischen Primats kann von diesem Text ebenfalls nicht abgeleitet werden[85]. Von einem „neutestamentlichen Petrusamt" kann man sprechen, solange man berücksichtigt, „wie offen und wenig festgelegt dieses Amt war ... Von den Evangelien her gesehen ist ‚Petrus' ... weit mehr Symbol für das ‚eine kirchliche Amt', als Symbol für ein einziges besonderes Amt"[86].

Ähnlich urteilt P. Hoffmann. Die Frage nach der Bedeutung der mattäischen Petrusinterpretation für die Primatslehre ist zunächst negativ zu beantworten. „Mattäus hat aus der dem Simon gegebenen Vollmacht kein Petrusamt im Sinn der späteren dogmatischen Tradition für seine Gemeinde abgeleitet"[87]. Mattäus verdeutlicht an der Petrusgestalt Wesen und Aufgabe der Jüngerschaft. Diese komplexe Sicht der Petrusgestalt verbietet deshalb eine Interpretation der Petrusaussagen, die sie auf die historische Rolle des Simon begrenzen möchte. Somit können also von Mattäus her durchaus Antworten auf die ökumenische Frage nach der Bedeutung des Petrusamtes für die Einheit der Kirche gewonnen werden. Zu den Hauptaufgaben des Petrus gehört der Dienst an der Jesus-Tradition. Bezogen auf die heutige Situation heißt dies, daß die Kirche der ständigen Bedrohung des Jesus-Verlustes begegnen muß[88]. Das Bekenntnis der Kirche zu Jesus muß auch den Gehorsam zu seinem Weg einschließen. Die Kirche bedarf der ständigen Erinnerung an die Wahrheit Jesu, die das *Tun* der Güte verlangt. „Kirche hat — bis in ihre Verfassungsformen hinein — dieser Güte Jesu zu dienen. So macht gerade auch das Mattäus-Evangelium deutlich, daß der Petrusdienst sich gebunden wissen muß an den Weg jenes Messias, der auf Macht verzichtet hat und der Bruder aller wurde"[89]. A. Vögtle hingegen bejaht die biblische Legitimation einer Nachfolge im Petrusamt. Von den Bildern des den Bestand des Baues sichernden Fundamentes, vom Schlüsselinhaber und vom Hirten der Schafe, erscheint, exegetisch betrachtet, die Möglichkeit und Notwendigkeit eines zweiten und dritten Trägers der Petrusfunktion zweifellos als konsequent[90]. „Insofern Jesus der auf Simon als Fels zu erbauenden Kirche die Unüberwindlichkeit durch die Macht des Todes garantiert, impliziert Mt 16, 18 in der Sicht Jesu den Fort-

---

[84] J. BLANK, *Petrus und Petrusamt im NT*, in: *Papsttum als ökumenische Frage,* a. a. O., S. 59—103 (89).

[85] J. BLANK, a. a. O., S. 99.

[86] J. BLANK, a. a. O., S. 102.

[87] P. HOFFMANN, *Die Bedeutung des Petrus für die Kirche des Mattäus,* in: *Dienst an der Einheit. Zum Wesen und Auftrag des Petrusamtes,* hrsg. von J. RATZINGER, Düsseldorf 1978, S. 9—26 (25).

[88] Ebd., S. 25 f.

[89] Ebd., S. 26.

[90] A. VÖGTLE, Art. *Petrus, Apostel,* in: *LThK, Bd. 8,* 2. Aufl., Freiburg(1963), Sp. 334—340 (338 f.).

bestand dieser Kirche bis zum Ende dieses Äons. Die konkrete Frage, ob und in welchem Umfang Jesus an Nachfolger des Petrus und der Apostel überhaupt dachte, mündet deshalb in die allgemeinere Frage ein, wie Jesus über die Dauer dieses Äons, den Zeitpunkt der Parusie, dachte"[91].

Ebenso kommt auch F. Mußner aufgrund redaktionsgeschichtlicher Aspekte zu dem Ergebnis einer Fortdauer der Felsenfunktion des Petrus über seinen Tod hinaus. Das umfangreiche Petrusmaterial des Mattäus-Evangeliums belegt ein deutliches Interesse an Gestalt und Funktion des Petrus, obwohl dieser schon lange tot ist[92]. Der Redaktor des Mattäus-Evangeliums „kennt jedenfalls so etwas wie ein ‚Petrusamt' in der Kirche, repräsentiert in ‚Petrus', also in einer Person, nicht in einer Gemeinschaft oder abstrakten Institution"[93]. Die Aufwertung der Petrusgestalt und des Petrusamtes nach Petri Tod ist aber kein spezielles auf das Mattäus-Evangelium beschränktes Phänomen, sie findet sich in verschiedenen neutestamentlichen Schriften, auch in solchen, die literarisch unabhängig voneinander entstanden sind, sie kann im gesamten damaligen Kirchenbereich aufgewiesen werden[94]. „Grundsätzlich kann gesagt werden: ‚Petrus' ist mit Petrus nicht gestorben"[95]. Anders erscheint Mußner die Aufwertung des Petrus nach seinem Tode unbegreiflich zu sein. Aufgrund der biblischen Grundlage hinsichtlich Petrus und Petrusgestalt können Konsequenzen für das ökumenische Gespräch über das Petrusamt gezogen werden, die nach Mußner eines beachten müssen, daß Petrus und Paulus als die „Pole der Einheit" in Geltung bleiben, denn im Neuen Testament steht neben Petrus immer Paulus. „Das bedeutet im Hinblick auf das Petrusamt, an dessen legitimer Existenz in der Kirche nach dem Neuen Testament nicht zu zweifeln ist, daß dieses Amt sich nur dann in der Kirche in der rechten Weise realisiert, *wenn neben Petrus immer Paulus steht,* neben der Institution das Evangelium, das da lehrt, daß der Mensch sola fide et sola gratia von Gott gerechtfertigt wird"[96].

3.3.2 Die petrinische Funktion

Die Autoren des USA-Berichtes „Amt und universale Kirche" stützen ihre Vorstellungen über das universale Amt der Einheit, das der Papst möglicherweise für alle Kirchen wahrnehmen könnte, auch auf neue exegetische Erkenntnisse. Dem Konsenstext liegt eine biblische Studie zugrunde, die umfassend die Rolle des Petrus im NT behandelt[97]. Diese ökumenische Studie repräsentiert in hohem

---

[91] Ebd., S. 339.
[92] F. MUSSNER, *Petrusgestalt und Petrusdienst in der Sicht der späten Urkirche*, in: *Dienst an der Einheit*, a. a. O., S. 27—45 (31) — vgl. auch: DERS., *Petrus und Paulus — Pole der Einheit*, Freiburg-Basel-Wien 1976.
[93] Ebd., S. 33.
[94] Ebd., S. 41 f.
[95] Ebd., S. 44.
[96] Ebd.
[97] Originaltext: *Peter in the New Testament*, New York, Paramus, Toronto 1973 — Deutscher Text: *Der Petrus der Bibel. Eine ökumenische Untersuchung. Grundlagenpapier für das ökumenische Gespräch über die Rolle des Papsttums in der Gesamtkirche,* getragen

Maße den derzeitigen Stand der exegetischen Forschung in der Petrusfrage. Nach Ansicht von F. Hahn würde eine gleiche Studie im mitteleuropäischen Raum nicht zu wesentlich anderen Ergebnissen führen[98]. Wenngleich diese Studie die Grundlage für die Diskussion über die Rolle des Papsttums in der Gesamtchristenheit bildet, verwahren sich die Verfasser von Anfang an gegen eine anachronistische Betrachtungsweise, die durch die Brille der späteren Gestalt des Papsttums das NT lesen möchte. „Was immer man über die Rechtfertigung, die das Neue Testament für die Entstehung des Papsttums liefert, denken mag, dieses Papsttum kann in seiner entfalteten Gestalt nicht in das NT zurückprojiziert werden ..."[99] Entsprechend dem Ziel der Arbeit, ein Gesamtbild des Petrus in der Bibel zu erstellen, kommt dem Text Mt 16, 18 f. kein Eigengewicht zu, er wird als ein Petrustext neben anderen erörtert. Gesamtbild des Petrus in der Bibel heißt allerdings nicht, hier solle nach *der* Auffassung des NT über Petrus gefragt werden. Eine solche gibt es nicht. Man kann nur im Plural nach *den* Auffassungen über Person und Bedeutung des Petrus fragen[100]. Petrus hat wahrscheinlich in einigen Kreisen der Urkirche mehr Ansehen und Autorität besessen als irgendeine andere führende Persönlichkeit der Urkirche. Dies galt aber nicht für die gesamte Urkirche. Wahrscheinlich haben andere Kreise der Urkirche einen anderen Jünger oder andere Jünger höher geschätzt als Petrus. Vielleicht waren manche Kreise sogar gegen Petrus eingestellt[101]. Der historisch sichere Befund des NT über Petrus reicht nicht aus, um das Gesamtbild des NT über Petrus zum Ausdruck zu bringen. Petrus ist zu einem Sinnbild für das christliche Denken geworden. Während seines Lebens und nach seinem Tode hat er im Leben der Kirche viele Rollen gespielt, von denen einige auf seinem historischen Wirken beruhen und einige von christlicher Idealisierung bestimmt sein mögen[102]. Das Neue Testament bietet Zeugnis für ein vielfältiges Petrusbild im frühchristlichen Denken: „der missionierende Fischer, der Hirte, der Märtyrer, der Empfänger besonderer Offenbarung, der Bekenner des wahren Glaubens, der vor Irrtum schützende Lehrer und der reuevolle Sünder"[103]. Innerhalb dieser Bilder haben die Verfasser eine Entwicklungslinie von frühen zu späten Bildern festgestellt. Gerade diese Erkenntnis der Bedeutsamkeit der Entwicklungslinie der Petrusbilder ist für sie ausschlaggebend, „daß eine Erforschung des historischen Lebenslaufs des Petrus nicht notwendigerweise die Frage nach seiner Bedeutung für die Kirche nach ihm löst"[104]. So darf

---

von einer Unterkommission der lutherisch-katholischen Dialoggruppe in den USA, hrsg. v. RAYMOND E. BROWN, KARL P. DONFRIED und JOHN RAIMANN, eingeleitet v. FERDINAND HAHN und RUDOLF SCHNACKENBURG, Stuttgart 1976.

[98] F. HAHN, *Geleitwort*, in: *Der Petrus der Bibel*, a. a. O., S. 5—9 (8).

[99] *Der Petrus der Bibel*, a. a. O., S. 18.

[100] Ebd., S. 26.

[101] Ebd.

[102] Ebd., S. 142.

[103] Ebd., S. 146 — zur Problematik der Petrusbilder vgl. auch: J. BLANK, *Neutestamentliche Petrustypologie und Petrusamt*, in: Concilium, 9. Jg. (1973), S. 173—179; F. MUSSNER, *Petrus und Paulus — Pole der Einheit*. Freiburg, Basel, Wien 1976.

[104] Ebd., S. 147 f.

113

nach Ansicht der Verfasser das ökumenische Gespräch eben nicht nur die historische Gestalt des Petrus berücksichtigen, sondern muß die über das Neue Testament hinaus fortlaufende Entwicklungslinie des Petrusbildes mitbeachten[105].

Über die umfassende Beschreibung der Sonderrolle des Petrus hinaus hat die Studie die Grundlagen für die im Konsenstext „Amt und universale Kirche" formulierte neutestamentliche Fundierung des universalen Amtes der Einheit geschaffen. Die Verfasser des Konsenstextes sprechen hier von einer „petrinischen Funktion". Darunter verstehen sie „eine bestimmte Form des Amtes, ausgeübt von einer Person, einem Amtsträger oder einer Ortskirche im Blick auf die Kirche als ganze"[106]. Diese „petrinische Funktion" des Amtes fördert oder bewahrt die Einheit der Kirche, indem sie die Einheit symbolisiert und die Kommunikation, gegenseitige Unterstützung oder Korrektur und die Zusammenarbeit in der Sendung der Kirche erleichtert[107]. Zu den vielen Rollen des Petrus in der Bibel gehört auch die eines gesamtkirchlichen Dienstes. Dies stellen die lutherischen Dialogpartner auch in ihrem Eigenvotum heraus. „Er übte zu seiner Zeit eine Funktion im Dienste der Einheit der gesamten apostolischen Kirche aus. Dies haben wir mit dem Begriff der ‚petrinischen Funktion' bezeichnet, wenn auch deren Ausübung nicht auf Petrus allein beschränkt war"[108].

Wenn es für einen päpstlichen Dienst an der Einheit eine biblische Fundierung gibt, dann in der neutestamentlich aufweisbaren „petrinischen Funktion".

Aber auch unter den amerikanischen Theologen herrscht Einmütigkeit darüber, daß der Jurisdiktionsprimat des Papstes, wie er vom I. Vaticanum definiert und vom II. Vaticanum bestätigt worden ist, nicht direkt aus dem Neuen Testament abzuleiten ist.

Dies bestätigen auch die katholischen Theologen in ihrem Eigenvotum[109]. Dennoch fühlen sie sich durch diese Tatsache nicht überrascht oder verwirrt, da sie das Neue Testament nicht als abgeschlossenes Lehrbuch, sondern als Ausdruck der Entfaltung des Glaubens und der Institutionalisierung der Kirche im ersten Jahrhundert verstehen. In der Anrufung der cathedra Petri als Appellationsinstanz sehen sie die Übernahme der biblisch bezeugten „petrinischen Funktion" durch den Bischof von Rom als gegeben an.

3.4 Die Venedig-Erklärung: „Autorität in der Kirche"

Nach den Erklärungen über die Eucharistie (Euchariste Doctrine, Windsor 1971) und das Amt (Ministry and Ordination, Canterbury 1973) veröffentlichte die anglikanisch/römisch-katholische internationale Kommission als drittes Doku-

---

[105] Ebd., S. 148.
[106] *Amt und universale Kirche*, a. a. O., S. 95.
[107] Ebd.
[108] Ebd., S. 121.
[109] Ebd., S. 128.

ment eine gemeinsame Erklärung mit dem Titel: „Authority in the Church"
(Venedig 1976)[110].

Ebenso wie die lutherisch/römisch-katholische Kommission in den USA legen
die Autoren des vorliegenden Konsenstextes diesen ihren jeweiligen kirchlichen
Autoritäten zur Überprüfung der Rezeptionsmöglichkeit vor. Eine solche Rezeption müßte nach Ansicht der Autoren sowohl für die anglikanische Gemeinschaft
als auch für die römisch-katholische Kirche wichtige Konsequenzen nach sich
ziehen[111]. Wie die lutherisch/katholische Kommission in den USA befaßt sich
die anglikanisch/katholische Kommission mit der Papstfrage unter der Perspektive zukünftiger Einheit und ihrer Strukturen[112]. Mit „Autorität in der Kirche"
liegt das erste ökumenische Dokument vor, das die Primats- und Unfehlbarkeitsthematik zusammen behandelt. Die exegetischen Probleme bleiben im Text unbe-
rücksichtigt, sie werden nur im letzten Teil kurz angedeutet. Die Papstfrage wird
in den größeren Kontext gemeinsamer Aussagen zur Autoritätsproblematik gestellt, und erst im letzten Teil anläßlich der Konkretisierung der noch bestehenden
Kontroversen hinsichtlich des Primats- und Unfehlbarkeitsverständnisses werden
Gemeinsamkeiten, Differenzen und Zukunftsperspektiven dargelegt.

3.4.1 Teil I: Geistliche Autorität

Christus ist der bleibende Herr der Kirche. Ausgehend von diesem Leitgedanken
wird die Frage nach der christlichen Autorität angegangen. Alle geistliche Autorität ist von Christus empfangene und aus dem Beistand des Geistes lebende Autorität. Grundelemente dieser Autorität sind das Wort Gottes in der Hl. Schrift und
der Beistand des Hl. Geistes. So bleibt die Autorität Christi in der Kirche und
durch sie für die Welt wirksam[113].

3.4.2 Teil II: Autorität in der Kirche

Christliche Autorität verwirklicht sich in der Kirche durch Personen, die mit
Autorität im Namen Jesu Christi sprechen. Der Hl. Geist gibt zum Nutzen der
Kirche bestimmten Personen und Gemeinschaften besondere Gaben. Zu diesen
Gaben gehört der Leitungsdienst des ordinierten Amtes. Pastorale Autorität
kommt zuerst dem Bischof als dem für die Bewahrung und Entfaltung der Koino-
nia Verantwortlichen zu. Die Unterscheidung des Willens Gottes für seine Kirche
ist aber nicht Aufgabe des ordinierten Amtes allein, sondern aller Glieder der
Kirche. Durch einen ständigen Prozeß der Unterscheidung und Antwort aus dem
Geist des Evangeliums läßt der Hl. Geist die Vollmacht Christi deutlich werden[114].

---

[110] Deutscher Text, in: KNA-Dokumentation Nr. 2 vom 2. Februar 1977; Originaltext: *Authority in the Church*, in: *The three Agreed Statements*, Cowley, Oxford o. J.,
(1. Aufl., 1978), S. 27—48.

[111] *Vorwort*, a. a. O., S. 1.

[112] Zur Entstehungsgeschichte des Dokumentes vgl. G. GASSMANN, *Erwägungen zu
zwei bilateralen Dialogen*, in: *Petrus und Papst, Bd. I*, a. a. O., S. 170—182.

[113] *Autorität in der Kirche*, a. a. O., S. 2 f.

[114] Ebd., S. 3 f.

3.4.3 Teil III: Autorität in der Gemeinschaft der Kirche

Teil III weitet die ekklesiologische Dimension der Autorität auf die Gemeinschaft der Kirche aus. Koinonia wird nicht nur zwischen den Gemeinden einer Ortskirche, sondern auch zwischen den Ortskirchen selbst verwirklicht. Deshalb ist auch das bevollmächtigte Handeln des Volkes Gottes vor der Welt nicht in die Verantwortung einer jeden Ortskirche allein gestellt, sondern in die aller Ortskirchen zusammen. Nach diesen systematischen Erwägungen werden im Dokument nun in historisch-deskriptiver Weise die Institutionen und Organe der Koinonia zwischen den Ortskirchen dargestellt und in diesem Rahmen das Thema Papsttum eingebracht. Als Institutionen zur Förderung der Koinonia nennt der Text die Synoden und Konzile. Diese dienten der Kirche zur Klärung ihrer Glaubensinhalte und Ordnung ihrer Lebenspraxis. Eine besondere Bedeutung kam der Autorität einzelner hervorragender Bischofssitze zu, die eine Aufsichtsfunktion über die Bischöfe ihrer Region ausübten. Innerhalb dieser geschichtlichen Entwicklung wurde der Bischofssitz von Rom schließlich zum ranghöchsten Zentrum in Angelegenheiten mit gesamtkirchlicher Relevanz. In diesem Zusammenhang werden die das Papstamt betreffenden Entscheidungen des I. und II. Vatikanischen Konzils angeführt als Lehre, „daß Gemeinschaft mit dem Bischof von Rom keine Unterwerfung unter eine Autorität bedeutet, die die charakteristischen Eigenarten der Ortskirchen unterdrückt"[115].

3.4.4 Teil IV: Autorität in Glaubensfragen

Teil IV wendet sich dem Thema Lehrautorität zu. Der Kirche obliegt die Aufgabe, in Treue zum apostolischen Zeugnis den Glauben angesichts veränderter geschichtlicher Situationen zu erklären, weiterzugeben, verbindlich zu formulieren und zu bezeugen. Die Glaubensbekenntnisse, Konzilsentscheide und andere Erklärungen des Glaubens sind aus dem Bemühen entstanden, dieser Aufgabe gerecht zu werden. Besondere Autorität erhielten für die Klärung von Lehrfragen die Konzile, da sie unter der Gewißheit der Anwesenheit des Herrn standen (Mt 18, 20) und mit der Autorität des Hl. Geistes sprechen konnten (Apg 15, 28). Im Laufe der Geschichte wurde ein wesentliches Kriterium für die Anerkennung der Konzilsbeschlüsse die Rezeption durch die ranghöchsten Bischofssitze, insbesondere die Bestätigung durch den römischen Bischof, die im Fortgang der Geschichte normativen Charakter für die kanonische Gültigkeit eines Beschlusses erhielt.

In der anglikanischen und römisch-katholischen Tradition gilt bei der Klärung von Lehrfragen die Berufung auf die Hl. Schrift, auf die Glaubensbekenntnisse, auf die Kirchenväter und auf die Entscheide der altkirchlichen Konzile als normativ. Jedoch kommt den Bischöfen eine besondere Verantwortung für den täglichen Dienst an der Wahrheit zu. Dennoch sind auch sie nicht mehr als alle Gläubigen vor Irrtum, Duldung von Mißbräuchen oder Verfälschung der Wahrheit geschützt.

---

[115] Ebd., S. 4 f. Zitat S. 5.

Trotzdem kann die Kirche in der Hoffnung auf die Anwesenheit des Herrn und den Beistand des Hl. Geistes als indefektibel bezeichnet werden[116].

3.4.5 Teil V: Konziliare und primatiale Autorität

Teil V stellt eine Zusammenfassung der bisherigen Überlegungen, bezogen auf das Verhältnis von konziliarer und primatialer Autorität dar. Zunächst werden die außerordentliche Autorität der ökumenischen Konzile und der Regionalprimat eines Bischofs begründet. Primat und Konziliarität sind einander ergänzende Elemente der episcopê. Was über das Verhältnis von Konziliarität und Primat hinsichtlich der regionalen Ebene gilt, muß nach Ansicht der Autoren auch Bedeutung haben für die universale Ebene: „Wenn Gottes Wille erfüllt werden soll, daß die Gemeinschaft aller Christen eins sei in Wahrheit und Liebe, so muß diese Grundstruktur der episcopê im Dienste der koinonia der Kirchen — die gegenseitige Ergänzung des primatialen und konziliaren Aspektes — auch auf universaler Ebene verwirklicht werden. Der einzige Bischofssitz, der auf einen universalen Primat Anspruch erhebt, der eine solche episcopê auch ausgeübt hat und noch ausübt, ist der Bischofssitz von Rom, der Stadt, in der Petrus und Paulus gestorben sind. Es scheint angemessen, daß in jeder kommenden Einheit ein universaler Primat, wie wir ihn beschrieben haben, von diesem Bischofssitz ausgeübt wird"[117].

3.4.6 Teil VI: Probleme und Aussichten

Für die Autoren stellt das vorliegende Dokument einen Konsens von fundamentaler Bedeutung dar, eine solide Basis, um die Kontroversen, die sich aus den speziellen Ansprüchen des päpstlichen Primates ergeben, gemeinsam anzugehen.

Die Begründung des päpstlichen Primates aus den petrinischen Texten des NT (Mt 16, 18, 19; Lk 22, 31, 32; Joh 21, 15—17) ist nicht tragfähig. Die traditionelle Interpretation dieser Texte wird heute von zahlreichen katholischen Theologen nicht mehr aufrechterhalten.

Ein zweiter Kontroverspunkt besteht hinsichtlich der Redeweise des Vaticanum I bezüglich des Verständnisses von „göttlichem Recht". Dieser Begriff wird in der katholischen Theologie heute nicht eindeutig interpretiert. An dieser Stelle schlagen die Autoren eine Interpretationsmöglichkeit vor, die als Basis der Verständigung dienen könnte. „Wenn sie als Aussage dafür verstanden wird, daß der universale Primat des Bischofs von Rom ein Teil des Planes Gottes für die universale Koinonia darstellt, so braucht dies nicht unbedingt gegensätzliche Meinungen zu verursachen." Eine Interpretation dagegen, die eine nicht mit Rom in Gemeinschaft stehende Kirche nicht in vollem Sinne als Kirche anerkennen würde, ist problematisch. Diese Ansicht wäre für einige durch die Aufnahme der Gemeinschaft beseitigt, für andere wäre sie ein Hindernis zur Aufnahme der Gemeinschaft.

---

[116] Ebd., S. 5—7.
[117] Ebd., S. 7 f. Zitat S. 8.

Eine große Schwierigkeit für die Verständigung besteht im Unfehlbarkeits-dogma trotz der strengen Bedingungen, unter denen ein Dogma definiert werden kann. Diese Bedingungen sehen die Anglikaner bei den Mariendogmen überschritten.

Als letzte Schwierigkeit nennt der Text die unklare Begrenzung der unmittelbaren universalen Jurisdiktion des Papstes, die nicht vor einer illegitimen und unkontrollierten Amtspraxis zu schützen vermag. Es wird aber anerkannt, daß nach den Intentionen des I. Vatikanischen Konzils der Primat der Aufrechterhaltung und niemals der Schwächung der Ortskirchen dienen soll. Auch werden heute in der katholischen Theologie Anstrengungen unternommen, eine mehr pastorale als juridische Sicht der Autorität in der Kirche zu gewinnen.

Trotz der genannten Schwierigkeiten sehen die Autoren in dieser Erklärung eine bedeutsame Annäherung erreicht, die mit weitreichenden Konsequenzen verbunden ist. Abschließend stellen die Verfasser das Dokument in den Kontext der beiden vorausgegangenen Dokumente über Eucharistie und Amt und übergeben sie ihren Kirchenleitungen zur Überprüfung, ob diese drei Erklärungen in den zentralen Fragen Eucharistie — Amt — Autorität eine Einheit des Glaubens bezeugen, „die jetzt bestimmte Schritte nicht nur rechtfertigen, sondern fordern — um so eine engere Gemeinschaft zwischen unseren beiden Gemeinschaften in Leben, Gottesdienst und Verkündigung einzuleiten"[118].

3.4.7 Stellungnahmen zur Venedig-Erklärung „Autorität in der Kirche"

Das anglikanisch/römisch-katholische Dokument „Autorität in der Kirche" hat innerhalb der protestantischen und katholischen Theologie Deutschlands nur wenig Resonanz gefunden. R. Frieling[119] und P. Bläser[120] beschränken sich auf eine Wiedergabe des Dokumentes mit einer kurzen Wertung. Der Text des Dokumentes und erste Reaktionen in den beteiligten Kirchen ermutigen — so Frieling — „nicht zu der Hoffnung, daß die römisch-katholische Kirche und die anglikanische Gemeinschaft in absehbarer Zeit konkrete Folgerungen — etwa in Richtung einer ‚organischen Union' — ziehen werden"[121]. Das Dokument ist aber dennoch als Zeichen für den Fortschritt des ökumenischen Dialoges zu werten[122]. Bläser erachtet das Ziel einer organischen Einigung in naher Zukunft davon abhängig, daß die gemeinsame Erklärung von den zuständigen Kirchenautoritäten anerkannt wird, wichtiger aber ist, daß das Kirchenvolk beider Gemeinschaften dieses Dokument rezipiert. Die Chancen für eine solche Rezeption sind „heute nicht schlecht"[123].

---

[118] Ebd., S. 8 f.
[119] R. FRIELING, *Konvergenzen und Kontroversen über Papst-Primat,* in: MD, 28. Jg. (1977), S. 2—3.
[120] P. BLÄSER, *Das Ende der Spaltung zwischen römisch-katholischer Kirche und anglikanischer Gemeinschaft in Sicht?* In: Una Sancta, 32. Jg. (1977), S. 2—5.
[121] R. FRIELING, a. a. O., S. 3.
[122] Ebd.
[123] P. BLÄSER, a. a. O., S. 5.

In den nationalen anglikanischen Kirchen sind „Autorität in der Kirche" und die beiden anderen anglikanisch/römisch-katholischen Dokumente über Eucharistie und Amt ausführlich diskutiert worden, und es liegt eine Reihe von kirchenamtlichen Stellungnahmen vor, ebenfalls gibt es einige Erklärungen von theologischen Kommissionen römisch-katholischer Bischofskonferenzen. Diese Stellungnahmen und Erklärungen hat Ch. Hill in einem Bericht[124] zusammengestellt, den wir im folgenden wiedergeben.

Australien

Im Mai 1978 war „Autorität in der Kirche" Gegenstand der Beratung bei einer Tagung von sechs anglikanischen und sechs römisch-katholischen Bischöfen in Sydney. Jede Seite brachte Konsultoren mit. Geleitet wurde die Tagung durch die beiden Erzbischöfe von Sydney, Sir Marcus Loane und Kardinal Sir James Freeman. Erzbischof Felix Arnott, Mitglied der Anglican-Roman Catholic International Commission (ARCIC) legte ein anglikanisches Papier mit einer ergänzenden gemeinsamen Antwort der römisch-katholischen Konsultoren vor. Die Diskussion zeigte, daß es über das Thema „Autorität" genausoviel Spannung innerhalb der beiden Gemeinschaften wie zwischen ihnen gab ...

Die Kommission der Generalsynode für ökumenische Angelegenheiten bedenkt derzeit gleichfalls das Dokument über „Autorität". Der anglikanische Primas von Australien, Erzbischof Loane, machte seine Position in einer Rede auf der Diözesansynode von Sydney im September klar. Er lehnte die Behandlung der ARCIC über ökumenische Konzilien und den römischen Primat scharf ab ...[125].

Kanada

Die Generalsynode der anglikanischen Kirche von Kanada verabschiedete im August 1977 die folgende Resolution. „Die Generalsynode nimmt den Bericht der anglikanisch/römisch-katholischen internationalen Kommission über ‚Autorität in der Kirche' entgegen und empfiehlt ihn dem Studium und der Kommentierung auf allen Ebenen der Kirche vor der nächsten Generalsynode"[126].

England

Die Berater-Gruppe für Glaube und Ordnung des Rates für Mission und Einheit vollendete gegen Ende des Jahres 1978 eine Studie über alle drei ARCIC Dokumente. Die Studie enthält im besonderen Kritik an der Behandlung des Priestertums in „Amt und Ordination" und an der Behandlung der Lehrentwicklung, der ökumenischen Konzilien und des römischen Primats in „Autorität in der Kirche". Es ist zu erwarten, daß die Generalsynode im Februar zustimmen wird,

---

[124] C. HILL, *Report on Anglican / Roman Catholic Relations and National Anglican / Roman Catholic Dialogues, 1977—78*, in: One in Christ, 15. Jg. (1979), S. 170—189.
[125] HILL, a. a. O., S. 177.
[126] Ebd., S. 178.

daß dieses FOAG Dokument (Faith-Order Advisory Group) zum ACC (Anglican Consultative Council) als Zwischenantwort der Kirche von England auf die drei Dokumente der ARCIC geschickt wird[127].

Im Dezember 1977 veröffentlichte die theologische Kommission der römisch-katholischen Bischofskonferenz für England und Wales ihre Antwort zu „Autorität in der Kirche". Die Kommission hieß Methode und Analyse in den drei ARCIC Dokumenten für gut, wobei sie feststellte, daß die ARCIC selbst darin übereinstimmte, in einigen Punkten unterschiedlicher Ansicht zu sein. Aber das größere Gewicht sollte den gemeinsamen Überzeugungen gegeben werden, die im Hauptteil des Dokumentes dargelegt sind. Die Kommission erklärte sich im allgemeinen eher zustimmend als kritisierend zur Venedig-Erklärung, jedoch bekräftigte sie, daß für römische Katholiken die Gemeinschaft mit dem Bischof von Rom als göttliche Absicht (intention) begriffen wird, und daß die „petrinischen Texte" mehr Bedeutsamkeit haben dürften, als die internationale Kommission angenommen hat[128].

Frankreich

Für die Vorbereitung der Antwort des französischen Episkopates auf die drei ARCIC Dokumente war das Nationale Sekretariat für die Einheit verantwortlich. Diese Antwort wurde in Zusammenarbeit mit einigen Mitgliedern der französischen ARC im Laufe des Jahres 1978 erstellt. Die Bischöfe billigten ein Dokument, das an das Einheitssekretariat gesandt wurde. Der Text anerkannte in den drei Dokumenten eine akzeptable Basis, auf der man sakramentale und kirchliche Lehre aufbauen könne. Auf solch einer Übereinkunft im Glauben könne der Prozeß der Wiederherstellung der Gemeinschaft begonnen werden. Der Text stellt das Vorhandensein eines eucharistischen Glaubens fest, der in der Substanz identisch ist mit dem der römisch-katholischen Kirche, und das Vorhandensein einer Form des Amtes, besonders des Bischofsamtes, die substantiell und strukturell die gleiche ist. Diese Struktur baut auf einem ausdrücklichen Ausgleich zwischen der Autorität des Bischofs, der Synode, des Primas, des Konzils und des Bischofs von Rom auf[129].

Neu Seeland

Die Generalsynode der anglikanischen Kirche Neu Seelands übernahm die folgende Empfehlung ihres Ausschusses für Lehre und theologische Fragen im April 1978: „Die Provinzialkommission für Lehre und theologische Fragen begrüßt die drei Dokumente der ARCIC. Sie bejaht, daß die drei ARCIC Dokumente im großen und ganzen mit der anglikanischen Lehre übereinstimmen. Sie möchte jedoch auf einen ‚primafacie-Widerspruch' zwischen dem, was ‚Autorität in der Kirche' über Unfehlbarkeit und Irrtumslosigkeit sagt, und den Artikeln

---

[127] Ebd., S. 179.
[128] Ebd., S. 180.
[129] Ebd., S. 182.

19—21 der 39 Religionsartikel hinweisen. Nichtsdestoweniger unterstreicht die Provinzialkommission deutlich, daß die drei ARCIC Dokumente eine ausreichende theologische Basis für den weiteren offiziellen Dialog zwischen der römisch-katholischen Kirche und den Kirchen der anglikanischen Gemeinschaft bieten, deren Ziel ‚vereint, nicht, aufgesogen‘ ist"[130].

Schottland

Die Provinzialsynode der Episcopal Church in Schottland verabschiedete folgende Resolution im Oktober 1977: „Diese Synode begrüßt die drei ARCIC Dokumente. Sie wünscht nachdrücklich, daß das jüngste Dokument über ‚Autorität‘ weiterverbreitet, gelesen und ernsthaft studiert wird . . . "[131]

Im Oktober 1978 verabschiedete die Synode die folgende Resolution, vorbereitet durch ihren Ausschuß für innerkirchliche Beziehungen. „Die Synode glaubt, daß das Dokument über ‚Autorität in der Kirche‘, herausgegeben von der ARCIC in Venedig im Jahre 1976, eine ausgewogene und angemessene Darstellung der anglikanischen Position und eine signifikante und begrüßenswerte Entwicklung des römisch-katholischen Denkens über Primat und Unfehlbarkeit enthält, die eine engere Zusammenarbeit und einen fruchtbaren Dialog über ausstehende Lehrdifferenzen ermöglicht"[132].

Süd-Afrika

Im Juni 1978 schloß die südafrikanische anglikanische theologische Kommission einen Bericht über die ARCIC Dokumente zur Beratung des ständigen Provinzialausschusses der Kirche der Provinz Südafrika ab. Das Ergebnis des Berichtes stellt fest, daß es keine Punkte gebe, an denen die klare Auffassung der ARCIC Dokumente im Gegensatz zur anglikanischen Lehre stehe, mit der möglichen Ausnahme des § 19 von ‚Autorität in der Kirche‘ über ökumenische Konzilien. Es gebe allerdings auch Punkte, an denen die Dokumente nicht klar seien; z. B. § 13 von ‚Amt und Ordination‘ über das Verhältnis des allgemeinen Priestertums zum Weihepriestertum könnte im Gegensatz zur anglikanischen Lehre stehen. Es gebe noch wichtige theologische Bereiche zu überprüfen, aber der Fortschritt in Lehrübereinstimmung und gegenseitiger Annahme sei so weit, daß der offizielle Dialog sicherlich fortgesetzt werden sollte. Der ständige Provinzialausschuß hat den Bericht als einen Zwischenbericht der Kirche der Provinz Südafrika an den ACC geschickt. Allerdings ist dieser Bericht von der Entscheidung der Provinzialsynode im Jahre 1979 abhängig[133].

Süd-Amerika

Die theologische Kommission des anglikanischen Rates von Südamerika traf sich im Juli 1978, um einen Bericht für den ‚Anglican Consultative Council‘ über

---

[130] Ebd., S. 183.
[131] Ebd.
[132] Ebd., S. 184.
[133] Ebd.

„Autorität in der Kirche" zu erstellen. Sie wies auf die Unabhängigkeit und Beweglichkeit der noch nicht lang bestehenden anglikanischen Gemeinschaften in Südamerika und das Fehlen eines offiziellen Dialoges mit der römisch-katholischen Kirche auf dem Kontinent hin. Im allgemeinen war die Kommission der Ansicht, daß das Dokument Kirche und Königreich nicht genügend auseinanderhalte und die historischen und soziologischen Einflüsse auf die Institutionen der Kirche ignoriere. Der Behandlung der „Autorität" fehlt nach Meinung der Kommission die Tiefe. Sie lenkte die Aufmerksamkeit auf die unterschiedliche Praxis zwischen den Kirchen der anglikanischen Gemeinschaft und der römisch-katholischen Kirche in bezug auf „demokratische" Synoden, im Gegensatz zu Bischöfen mit alleiniger Exekutivmacht. Außerdem bedauerte die Kommission, daß die anglikanischen Synoden nicht behandelt wurden. Sie fragte, ob ein zentrales magisterium irgendwie wahrscheinlicher die Wahrheit garantieren könne als irgendeine andere Methode ... Sie richtete sich gegen eine „idealistische" Methodologie aus dem Bedenken, daß es heute keine universale Kirche als eine vereinigte empirische Realität gebe. Die Kommission verwarf die Erwägungen der ARCIC über Konzilien. Zusammenfassend befürwortete sie einen Bund der Kirchen als Ziel des Ökumenismus, wobei sie das Konzept konziliarer Gemeinschaft der WCC Nairobi-Versammlung zitierte. Nach Ansicht der Kommission kann nur ein multilateraler Dialog den Langzeitabsichten der Einheit dienen ...[134].

Wales

Der Verwaltungsrat des Lehrausschusses der Kirche in Wales hat das Dokument über „Autorität" geprüft. Der Lehrausschuß wandte der ergänzenden Natur von Primat und Konziliarität, wie sie in der Venedig-Erklärung dargelegt wurde, besondere Aufmerksamkeit zu. Unfehlbarkeit und universale Jurisdiktion (besonders die letztere) wurden immer noch als sehr ernste Hindernisse für die Einheit gesehen, aber der Ausschuß anerkannte die Schlußfolgerung des Dokumentes, daß es ein genügendes Übereinstimmen in Fragen der Eucharistie, des Amtes und der Autorität gebe, um angesichts der Gleichheit des Glaubens eine engere Einheit zu rechtfertigen und zu fordern.

Der Verwaltungsrat verabschiedete folgende Resolution: „Die drei Dokumente der ARCIC stimmen mit der anglikanischen Lehre überein und bieten eine ausreichende Basis für den weiteren offiziellen Dialog und eine Ermunterung für gemeinsames Handeln auf der örtlichen Ebene mit der römisch-katholischen Kirche"[135].

Die gemeinsame Arbeitsgruppe der Kirche in Wales und der römisch-katholischen Kirche veröffentlichte im Oktober 1978 mit Billigung des anglikanischen Erzbischofs von Wales und römisch-katholischen Erzbischofs von Cardiff ihren Schlußbericht ... Christus wurde als der Ursprung der Autorität in der Kirche und als Vorbild für ihre Ausübung gesehen. Unterschiede wurden hinsichtlich der

---

[134] Ebd., S. 184 f.
[135] Ebd., S. 187 f.

Autorität in Glaubensfragen festgestellt. Die römischen Katholiken hielten an der „Irrtumslosigkeit" der Kirche fest, während die Anglikaner den Ausdruck „Indefektibilität" vorzogen. Es gab Übereinstimmungen über die Rolle des Bischofs. Bezüglich der Kollegialität sahen die römischen Katholiken ihre Fülle in der Gemeinschaft mit dem Bischof von Rom, während die Anglikaner im Sitz von Canterbury einen bestehenden Bezugspunkt der Einheit fanden angesichts des Fehlens der Gemeinschaft mit einem universalen Bezugspunkt. Die Entwicklung des anglikanischen und römisch-katholischen Denkens über Petrusdienst bzw. -amt wurde als konvergent betrachtet. Auf römisch-katholischer Seite gibt es eine Entwicklung im Denken über die Kollegialität und ihre Konsequenzen für das Verständnis des Papstamtes und seine Autoritätsausübung in Fragen der Lehre und der Jurisdiktion. Auf der anglikanischen Seite gibt es ein neues Denken über die Notwendigkeit des Petrusdienstes bzw. -amtes als einer Bedingung voller kirchlicher Einheit[136]. Die Zusammenstellung von C. Hill hat dokumentiert, wie intensiv sich die nationalen anglikanischen Kirchen mit der Venedig-Erklärung „Autorität in der Kirche" beschäftigt haben. Damit ist der Rezeptionsprozeß dieses Dokumentes auf kirchenamtlicher Ebene eingeleitet worden. Inzwischen hat sich die internationale anglikanisch-katholische Theologenkommission, die „Autorität in der Kirche" verfaßt hat, erneut der Papstfrage zugewandt. Katholischerseits wird auf kirchenamtlicher Ebene wahrscheinlich die römische Bischofssynode im Jahr 1983 die Konsensdokumente beraten[137].

3.5 ERNST BENZ

Papsttum — Symbol und Zentrum der Einheit

Das Zweite Vatikanische Konzil hat dem Konvergenzgeschehen zwischen den Konfessionen zum endgültigen Durchbruch verholfen. Es hat die römisch-katholische Kirche aus der durch das Erste Vatikanum geschaffenen Selbstisolierung befreit, meint Benz[138]. Die Beziehungen der römisch-katholischen Kirche zu den übrigen christlichen Kirchen waren nicht mehr vor allem durch den Gegensatz von Rechtgläubigkeit und Irrlehre bestimmt, vielmehr wurde die Frage der Mitschuld Roms an der Spaltung der Kirche offen diskutiert. In gleicher Weise wuchs in den evangelischen Kirchen die Einsicht, den Verlust der Einheit mitverursacht zu haben[139].

„Das Papsttum wird auch in Zukunft Symbol und Zentrum der Einheit der Kirche sein. An der Erreichung der Einheit der Kirche müssen aber heute alle christlichen Kirchen unserer Zeit, auch die römische Kirche, mitarbeiten. Alle heutigen Kirchen sind Partikularkirchen, die jeweils nur einen Teil der wahren

---

[136] Ebd., S. 188.
[137] Vgl. *Nur die päpstliche Autorität ... Anglikanisch-katholische Gespräche*, in: Christ in der Gegenwart, 31. Jg. (1979), S. 368.
[138] E. BENZ, *Von der kirchenrechtlichen zur charismatischen Begründung der Einheit*, in: *Papsttum — heute und morgen*, a. a. O., S. 26—34 (28).
[139] Ebd.

Katholizität der Kirche verwirklichen, jede in ihrer Art und ihrem Ausmaß. Auch die katholische Kirche hat noch nicht die volle Katholizität erreicht"[140]. Aufgabe des Papsttums müßte zunächst sein, die volle Katholizität in ihrem Inneren zu realisieren durch die Anerkennung der Vielfalt christlicher Ausdrucksformen. Gleiches gilt in bezug auf die anderen christlichen Kirchen. Auch hier sollte sie die Vielfalt christlicher Darstellungen und charismatischer Begabungen als katholisch anerkennen[141]. Vor allem muß das Papsttum dafür Sorge tragen, daß die Kirche in ihrem Selbstanspruch und in ihrer Verkündigung glaubhafter wird. Glaubhaftere Verkündigung schließt — so Benz — den Verzicht ein, aus Gründen der Opportunität, Diplomatie und des Einflußstrebens die herrschenden Zeitströmungen mitzumachen. Glaubhaftere Verkündigung verlangt nach Profilierung des Propriums christlichen Denkens und Lebens und die Bereitschaft der Kirche, dieses gegenüber den Tagesmeinungen auszusprechen. Ein weiteres Prinzip der Erneuerung des Papsttums besteht darin, daß die Träger dieses Amtes einer weiteren Petrifikation, d. h. weiterer Verrechtlichung des Primatsgedankens, selbst entgegenwirken und sich den neuen Forderungen des Hl. Geistes stellen[142].

3.6 JOHANN CHRISTOPH HAMPE

Papsttum — eine Hilfe für die zerspaltene Christenheit

„Dem Bischof von Rom, gewählt aus überzeugenden Mehrheiten, als meinem ältesten Bruder, dem ich, wenn ich die Sache im Glauben habe frei bedenken dürfen, dann auch in meinem Gewissen gehorche, weil er für die ganze Gemeinde spricht, die es besser weiß, als ich es allein wissen kann, — einem solchen ersten Sprecher unter den Bischöfen könnte ich auch als Christ evangelischer Tradition viel, wenn nicht alles abgewinnen, alles zum Nutzen der zerspaltenen und zerstrittenen Kirche und der ratlosen Gesellschaft"[143]. So lautet die Meinung von J. C. Hampe zu den Möglichkeiten und Chancen des Papsttums in der Zukunft.

Im Leben Johannes XXIII. sieht er das Leitbild einer künftigen Papstgestalt, die Vertrauen bei den heutigen Menschen finden könnte. Ein solcher Papst müßte das Vorbild brüderlicher Verständigung sein. Nur durch eine fraternalistische, anstelle einer paternalistischen Selbstdarstellung, kann das Papsttum wieder an Autorität gewinnen; deshalb sollte es auf die „Allüre von Vaterschaft" ganz verzichten. Des weiteren sollte der Papst seine diplomatischen Möglichkeiten nicht nur zum Schutz der Kirche, sondern vielmehr zur Befreiung der Unterdrückten einsetzen.

Vor allem ist eine neue Einstellung gegenüber dem Evangelium erforderlich. „Das Evangelium will brüderlich beraten und miteinander gelebt, nicht inquisito-

---

[140] Ebd., S. 29.
[141] Ebd., S. 29 f.
[142] Ebd., S. 31—33.
[143] J. C. HAMPE, *Autorität durch Freiheit*, in: *Papsttum — heute und morgen*, a. a. O., S. 65—68 (67).

risch ermittelt und gegen die Charismatiker richterlich verteidigt werden". Die Erneuerung des Papsttums wird mit „kosmetischen Korrekturen" nicht zu erreichen sein, vielmehr sind „schmerzhafte Operationen" notwendig[144].

3.7 WALTHER VON LOEWENICH

Papsttum — Bremse des Fortschritts

Walther von Loewenich sieht die Bedeutung des II. Vatikanischen Konzils in seiner Öffnung für eine größere Freiheit in der katholischen Theologie. Das neue Klima habe vielen Hoffnungen Raum geschaffen. „Die Christenheit schien in ihr ökumenisches Zeitalter eingetreten zu sein"[145]. Die Zeit nach dem Konzil brachte eine Autoritätskrise ungeahnten Ausmaßes mit sich. Für die Gegenwart sieht von Loewenich die Gefahr, daß ein geschichtlich notwendiger Fortschritt vom Papsttum selbst „gebremst" wird. Die Chance des Papsttums kann in der Zukunft nur darin liegen, den vom II. Vatikanischen Konzil eingeschlagenen Kurs zu halten.

Das schwerste Hindernis für die Einheit der Christen besteht im Dogma der Unfehlbarkeit. „Alle gutgemeinten Interpretationsversuche, die das Dogma von 1870 relativieren wollen, gehen an der harten Wirklichkeit vorbei. Die römische Kirche hat sich damit eine Fessel angelegt, von der sie sich nur durch eine Wendung um 180 Grad befreien könnte"[146]. Solange Rom seinen dogmatischen Absolutismus nicht widerruft, steht das Papsttum einer vollen kirchlichen Einigung der Christenheit im Wege; ohne Klärung dieser Frage würde einer rein organisatorischen Einheit die tragfähige Basis fehlen[147].

3.8 PETER MEINHOLD

Papsttum — Amt der Einheit

Die Frage nach dem kirchlichen Leitungsamt gehört zu den Themen ökumenischer Dialoge, die das Selbstverständnis der Kirchen so direkt betreffen, „daß das Gespräch über sie, wenn es zu neuen Resultaten führen soll, geradezu das Aufgeben der Identität der Kirchen mit sich selbst zu fordern scheint", schreibt Peter Meinhold[148]. Die neutestamentlichen und historischen Erkenntnisse zeigen deutlich das Vorhandensein eines nur lokal auszuübenden kirchlichen Amtes und eines gesamtkirchlichen petrinischen Amtes, das der Erhaltung und Förderung der Einheit diente. Aus der Sicht des lutherischen Kirchenverständnisses ergibt sich als notwendige Forderung ein kirchliches Leitungsamt. Im evangelischen Bereich können zwar die Synoden die Darstellung der Leitung und der Einheit der Kirche verantwortlich übernehmen, dies könnte auch durch ein besonderes Leitungsamt

---

[144] Ebd.

[145] W. v. LOEWENICH, *Dogmatischer Absolutismus?* In: *Papsttum — heute und morgen*, a. a. O., S. 115—117 (116).

[146] Ebd., S. 117.

[147] Ebd.

[148] P. MEINHOLD, *Das Amt der Einheit*, in: KNA/ÖKI, Nr. 36 (1975), S. 5—7 (5).

erfolgen, „das sofort in eine fruchtbare Spannung zu dem lokalen kirchlichen Amt treten würde"[149].

Die Beurteilung des päpstlichen Leitungsamtes, d. h. des Petrusamtes und Petrusdienstes, berücksichtigt neue Erkenntnisse bezüglich des Wesens der Kirche und die kirchliche Misere, die auf das Fehlen eines kirchlichen Leitungsamtes zurückzuführen ist. In diesem Zusammenhang muß auch der Wandel im Selbstverständnis der römisch-katholischen Kirche, den das II. Vatikanische Konzil eingeleitet hat, in dem die Wirkungen der protestantischerseits erhobenen Kritik zu erkennen sind, ernstgenommen werden[150].

„Es besteht an sich kein grundsätzlicher Widerspruch zwischen den Prinzipien des reformatorischen Glaubens eines sola fide, sola gratia, sola scriptura und den Erfordernissen eines päpstlichen Leitungsamtes für die Kirche, für das nicht einmal die Unterscheidung zwischen einem ,ius divinum', nach dem es sich etabliert wissen könnte, und einem ,ius humanum', nach dem es faktisch geworden ist, maßgeblich ist, weil es mit der Verkündigung des Evangeliums, das in der Person und dem Werk Christi begründet ist, übergeordnete Momente gibt"[151].

Die traditionelle lutherische Stellungnahme gegenüber dem Papstamt muß einer Revision unterzogen werden. Meinhold warnt vor einem Verhalten gegenüber dem päpstlichen Leitungsamt nach dem Grundsatz, „daß nicht sein kann, was nicht sein darf"[152].

3.9 EBERHARD JÜNGEL

Papsttum — „Chance christlicher Ökumene"

In seinem Aufsatz „Chance christlicher Ökumene" erkennt Eberhard Jüngel dem Papsttum eine neue Rolle zu[153]. Dem Papsttum könne eine geistliche Bedeutung für die Einheit der Christen nicht mehr abgesprochen werden. „Gegenwärtig kommt dem Papsttum im Urteil evangelischer Theologie eher die Stellung einer Instanz zu, die ihre eigentlichen Möglichkeiten noch gar nicht oder doch nur unzureichend entdeckt hat ..."[154]. Im Papsttum dürfe ein evangelischer Theologe bei aller Kritik in einzelnen Punkten keinen hinreichenden Grund zur Kirchentrennung mehr sehen.

Für die Annäherung der Konfessionen erachtet Jüngel eine Interpretation des päpstlichen Unfehlbarkeitsanspruches als wünschenswert, „die die Infallibilität von der Instanz des Amtes auf die zu verkündigende, zu lehrende und zu praktizierende Wahrheit selbst verlagerte, so daß die christliche Wahrheit als das Kriterium des Lehramtes und nicht dieses als das Kriterium jener zu gelten hätte"[155].

---

[149] Ebd., S. 6.
[150] Ebd., S. 7.
[151] Ebd.
[152] Ebd.
[153] E. JÜNGEL, *Chance christlicher Ökumene*, in: *Papsttum — heute und morgen*, a. a. O., S. 85—86.
[154] Ebd., S. 85.
[155] Ebd., S. 85 f.

3.10 JÜRGEN MOLTMANN

Ökumenisches Papsttum — Dienst an der Gemeinschaft

Seinen Thesen über wünschenswerte und notwendige Funktionen eines „ökumenischen Papsttums" stellt Moltmann einige grundsätzliche Überlegungen zum Verständnis dieses Amtes voraus. Ausgehend von einem biblisch-trinitarischen Ansatz gemäß Jo 17, möchte er die Einheit der Kirche im Sinne von Einheit als Gemeinschaft verstehen: analog dazu den „Dienst an der Einheit" als „Dienst an der Gemeinschaft". Dieser trinitarische Ansatz soll die Theologie des Absolutismus, d. h. die Deduktion der kirchlichen Herrschaft aus der Hierarchie „ein Gott — ein Christus — ein Petrus — ein Papst — eine Kirche", und damit das absolutistische Verständnis des Papstamtes überwinden[156].

Im „Amt der Einheit" sieht Moltmann die Gefahr einer sprachlichen wie sachlichen Weiterführung des Einen (monas), des absolutistischen Monotheismus. Es erscheint ihm unausweichlich, Herrschaftsfunktionen und Herrschaftsansprüche, wie Primat, Priorität, Jurisdiktion, Lehrautorität, Infallibilität, Kirchliches Strafrecht etc. damit verbinden zu müssen[157]. Demgegenüber würde ein sich an der trinitarischen Wesensgemeinschaft orientierender „Dienst an der Gemeinschaft" vom Gedanken der Kollegialität, der Brüderlichkeit und Schwesterlichkeit geprägt und auf Übereinstimmung in Freiheit ausgerichtet sein. „Das Prinzip Gemeinschaft ersetzt dann das Prinzip Herrschaft. An die Stelle von Auctoritas und Gehorsam treten der vernünftige Dialog und der freie Consensus. Kontrolle wird soweit wie möglich durch Vertrauen ersetzt"[158].

Die Beschreibung eines „ökumenischen Papsttums" sollte nach Moltmann mit dem Primat der Taufe beginnen, da von den Diensten in der Gemeinde immer nur im Zusammenhang mit der Taufe gesprochen werden kann, denn aufgrund der mit der Taufe verbundenen Geistbegabung „geht die Präsenz Christi in seiner Gemeinde sachlich seiner Präsenz in den besonderen Diensten voraus"[159].

Im zweiten Teil: Funktionen eines „ökumenischen Papsttums" weist Moltmann diesem Amt Aufträge für die unterschiedlichen spannungsgeladenen Ebenen kirchlicher Wirklichkeit zu. Eine erste Thesenreihe gilt dem Ziel Einheit in Freiheit. Der „Dienst an der Gemeinschaft" muß Sorge dafür tragen, daß die Gemeinde Christi in ihren Konflikten die Freiheit des Glaubens erfährt, das Evangelium bezeugt und den Dienst am Reiche Gottes erfüllt[160].

Einheit muß in Freiheit realisiert werden. Die Bewahrung der Einheit der Kirche schließt die Verantwortung für den Abbau von Herrschaftsansprüchen und Privilegien in der Gemeinde ein. Mit einer Umbenennung von Papstherrschaft in

---

[156] J. MOLTMANN, *Ein ökumenisches Papsttum?* In: *Papsttum als ökumenische Frage,* hrsg. von der ARBEITSGEMEINSCHAFT ÖKUMENISCHER UNIVERSITÄTSINSTITUTE, München-Mainz 1979, S. 251—261 (252 f.).

[157] Ebd., S. 254.

[158] Ebd.

[159] Ebd., S. 255.

[160] Ebd., S. 256.

Petrusdienst ist hier noch nichts getan. „Der ‚Dienst an der Gemeinschaft' ist also ein Dienst zur Eliminierung von Herrschaft und Privileg in der Gemeinde und kann darum nicht selbst Herrschaft und Privileg sein. Es ist eine schwierige, aber mögliche Aufgabe, zu ‚herrschen, als herrsche man nicht', und durch Abbau von Herrschaft der Gemeinschaft in Freiheit zu dienen. Es ist die Kunst einer Macht-ausübung gegen Herrschaft und Privileg, die mit der ständigen Selbstaufhebung zugunsten der Freiheit in Gemeinschaft verbunden ist"[161].

Eine weitere Thesenreihe befaßt sich mit dem Dienst des „ökumenischen Papst-tums" an der Koinonia der verschiedenen Kirchen innerhalb der Gesamtchristen-heit. Der „Dienst der Gemeinschaft" muß Sorge tragen für die ökumenische Ver-sammlung aller christlichen Gemeinden an einem Ort. Diese Sorge umfaßt die lokalen sonntäglichen Versammlungen und reicht bis zu einem zukünftigen ge-samtchristlichen Konzil. Gemeinschaft und „Dienst an der Gemeinschaft" sind aufeinander bezogen und angewiesen. „Ohne Gemeinschaft kein ‚Dienst an der Gemeinschaft', darum ohne ökumenisches Konzil kein ‚ökumenisches Papst-tum'. Dafür ist dann auch die Umkehrung wahr ... Ohne ‚ökumenisches Papst-tum' auch kein ökumenisches Konzil"[162].

Der Gemeinschaft der Gemeinde kommt auch eine geschichtliche Dimension zu. Sie ist Gemeinschaft durch die Geschichte. Zur Beschreibung dieser Beziehung hält Moltmann den Begriff der apostolischen Sukzession für angemessen, sofern er, von der Einengung auf die Sukzession der Bischöfe befreit, die Gemeinschaft der gan-zen Christenheit mit Auftrag und Botschaft der Apostel zum Ausdruck bringt[163].

Eine dritte Thesenreihe hebt den politischen Charakter des „ökumenischen Papsttums" hervor. Gegenüber der ökonomischen und politischen Zerrissenheit der Christenheit, die vielfach gravierender empfunden wird als die Trennung in verschiedene Traditionen und Konfessionen, hat das „ökumenische Papsttum" einen eminent politischen Auftrag: die Überwindung der religiösen, kulturellen, politischen, sozialen und ökonomischen Spaltungen der leidenden Menschheit innerhalb der Christenheit selbst[164].

„Der ‚Dienst an der Gemeinschaft' wird dann zuerst der Dienst an der Ge-meinschaft der Verlassenen, Verachteten, Erniedrigten und Unterdrückten sein"[165]. Ein weiterer politischer Auftrag besteht in der Sorge für die „Libertas Ecclesiae", vor allem in den Kirchen in Gesellschaften mit Einheitsideologien und Staatsreligionen. Dieser Auftrag gilt — so Moltmann — in gleicher Weise „im Blick auf die antitrinitarische Häresie unserer Zeit, den Kapitalismus, diese Nega-tion der Gemeinschaft, der Brüderlichkeit"[166].

---

[161] Ebd., S. 257.
[162] Ebd., S. 258.
[163] Ebd.
[164] Ebd., S. 259.
[165] Ebd., S. 260.
[166] Ebd.

3.11 EDMUND SCHLINK

Papsttum — Erneuerung in der Erfüllung des Konzils

Edmund Schlink betont ebenfalls wie viele protestantische Theologen die einzigartige Bedeutung des Zweiten Vatikanischen Konzils, das die Hoffnung auf ein erneuertes Papsttum eröffnete, das einen stärker brüderlichen Charakter haben würde[167].

Deutliche Anzeichen hierfür waren: das Ökumenismusdekret und die Erklärung über das Verhältnis der Kirche zu den nichtchristlichen Religionen, sowie das Hervortreten der synodalen Struktur und der Gedanke der Einheit in der Pluriformität anstelle der Uniformität. Die Erwartungen, die dem Papsttum in den Jahren des Konzils entgegengebracht worden waren, sind — so Schlink — inzwischen zurückgegangen. Die lebendigen Bemühungen um Einigung in den ersten Jahren nach dem Konzil seien vom Papsttum selbst gebremst worden. „Eine tiefergreifende Dezentralisierung ist nicht erfolgt. Die ökumenischen Aussagen des Konzils wurden minimalistisch interpretiert"[168].

Die künftige Bedeutung des Papstamtes wird von der Konsequenz abhängen, mit der der Papst den vom Konzil beschrittenen Weg einhält. Es geht hier nämlich um mehr als um innerkirchliche und zwischenkirchliche Probleme, es geht um die Glaubwürdigkeit der Kirche vor der Welt[169].

3.12 WOLFHART PANNENBERG

Repräsentant der ganzen Christenheit

W. Pannenberg entwickelt in dem Aufsatz „Einheit der Kirche als Glaubenswirklichkeit und als ökumenisches Ziel"[170] ein Strukturmodell eines Papstamtes, das den universalen Einheitsdienst für alle Kirchen übernehmen könnte. Die Sorge um die Einheit aller Christen gehört zum Auftrag des kirchlichen Amtes. Das Bischofsamt versteht Pannenberg als die „klassische Ausprägung der institutionellen Wahrnehmung dieser Aufgabe". Dieser Einheitsdienst des Bischofsamtes für eine begrenzte Gemeinschaft von Christen wird aber nur in „Christus gemäßer Weise" ausgeübt, wenn er die Sorge um die Einheit aller Christen miteinschließt. Darin besteht der konziliare Aspekt des Bischofsamtes[171]. Die Sorge um die kirchliche Einheit muß auf allen Ebenen, lokal, regional, überregional und auf der Ebene der Gesamtkirche, durch ein zuständiges Amt wahrgenommen werden. Dieses Einheitsamt für die Gesamtkirche muß befugt sein, „unter bestimmten Bedingungen im Namen der Gesamtchristenheit zu sprechen und zu handeln"[172].

---

[167] E. SCHLINK, *Auf dem Weg des Konzils fortschreiten*, in: *Papsttum — heute und morgen*, a. a. O., S. 182—185 (183).

[168] Ebd., S. 182—184, Zitat 184.

[169] Ebd., S. 184 f.

[170] W. PANNENBERG, *Einheit der Kirche als Glaubenswirklichkeit und als ökumenisches Ziel*, in: Una Sancta, 30. Jg. (1975), S. 216—222.

[171] Ebd., S. 220.

[172] Ebd.

Gemäß dem Selbstverständnis der römisch-katholischen Kirche ist dieses Amt mit dem Papstamt verbunden. „Protestantische Empfindlichkeiten im Hinblick auf das Thema des Papsttums sollten einer sachlichen Erwägung dieses Anspruches des Bischofs von Rom nicht auf die Dauer im Wege stehen"[173].

Der Anspruch des Papstes, Repräsentant der ganzen Christenheit zu sein, würde auch den nicht-katholischen Kirchen glaubwürdiger erscheinen, wenn der Papst sich auch der Sache der getrennten Christen annehmen würde und ihre Probleme, Mentalitäten und Beiträge für das Leben der heutigen Christenheit mitbedenken, in seinen Entschlüssen mitberücksichtigen und in der Öffentlichkeit zum Ausdruck bringen würde. Auch für Pannenberg hat das Pontifikat Johannes XXIII. exemplarischen Charakter.

Ein angemessener Ausdruck für den päpstlichen Anspruch auf universale Zuständigkeit hinsichtlich der Sorge für die Einheit aller Christen könnte darin bestehen, die Initiative zu ergreifen und die getrennten Kirchen zu offiziellen Verhandlungen einzuladen. In diesen offiziellen Verhandlungen müßten die folgenden Probleme geklärt werden: Die Voraussetzungen einer gegenseitigen Anerkennung als Kirche Christi, die Frage, in welcher Form die Einheit der Kirche Christi im Verhältnis der Kirchen zueinander ihren Ausdruck finden soll, d. h., die Grundlagen der Zusammenarbeit auf regionaler und überregionaler Ebene müssen geschaffen werden. Für die Frage nach dem Amt der Gesamtchristenheit erachtet Pannenberg die Differenzierung zwischen Zuständigkeiten des Papstes als Patriarch der lateinischen Kirche und seines Universalepiskopats für die ganze Christenheit als hilfreich. So könnte der Kompetenzbereich des Papstes für die römisch-katholische Kirche abgehoben werden von einem Kompetenzbereich, der alle Christen umfaßt. Ein ökumenisches Konzil, an dem die protestantischen und orthodoxen, von Rom getrennten Kirchen gleichberechtigt teilnehmen, könnte die Grundlagen einer solchen Einheit der christlichen Kirchen in verbindlicher Weise regeln[174].

3.13 JEAN JACQUES VON ALLMEN

3.13.1 „Päpstliches Amt — Amt der Einheit"

J. J. von Allmen[175] versucht vom reformierten Bekenntnis aus die Frage zu beantworten, wie der Papst Diener der christlichen Einheit sein kann, obwohl sein Amt ein Hauptfaktor der Spaltung innerhalb der Christenheit ist. Für Allmen stellt sich das ekklesiologische und ökumenische Problem nicht als die Alternative

---

[173] Ebd., S. 221.
[174] Ebd., S. 221 f.
[175] J. J. v. ALLMEN, *Päpstliches Amt — Amt der Einheit*, in: Concilium, 11. Jg. (1975), S. 564—567 — DERS., *Ein reformierter Beitrag zur Frage des Papsttums*, in: *Dienst an der Einheit*, hrsg. v. J. RATZINGER, Düsseldorf 1978, S. 133—145 (Una Sancta, 34. Jg. [1979], S. 27—35).

„Papst oder kein Papst", sondern: „was für ein Papst für was für eine Kirche?"[176] Der Papst würde der christlichen Einheit weder durch die Einladung zur Rückkehr in die römisch-katholische Kirche noch durch die Leugnung seiner spezifischen Sendung einen Dienst erweisen. Eine Einladung zur Rückkehr können die nicht-katholischen Kirchen nicht akzeptieren, da sie sich als christliche Kirche verstehen. Eine Leugnung der spezifischen päpstlichen Sendung um des Ökumenismus willen würde bedeuten, das Prinzip des Primates innerhalb der Kirche selbst zu verwerfen. Der Papst „würde also das Prinzip eines Amtes verwerfen, das dem des Petrus innerhalb des Apostelkollegiums entspricht"[177]. In einer wieder zur Einheit gelangten Kirche müßte, so Allmen, ein Primatsamt aus Gehorsam gegenüber der Hl. Schrift als eines der konstituierenden Elemente integriert werden.

Im weiteren entwickelt Allmen Prinzipien der Erneuerung des Papsttums auf dem Weg zur Gemeinschaft.

3.13.2 Betonung der Paulinität der römischen Ortskirche

Neben der Petrinität sollte der Papst auch die Paulinität der römischen Ortskirche betonen. Diese Bitte wird durch biblische und geschichtliche Motive legitimiert. Biblisch, insofern der Auferstandene das apostolische Amt des Petrus (und der Elf) durch das des Paulus ergänzen wollte[178], geschichtlich, insofern als in der frühen Kirche der Primat der römischen Ortskirche lange vor dem Anspruch des römischen Bischofs auf die spezifisch petrinische Sukzession mit der doppelten Apostolizität Roms begründet wurde, da Petrus und Paulus in Rom gelehrt und das Martyrium erlitten haben[179]. „Man könnte nachweisen, daß der römische Primatsanspruch für die anderen Ortskirchen dadurch fragwürdig oder verwerflich geworden ist, daß er sich immer exklusiver auf Petrus allein berufen hat"[180].

3.13.3 Achtung der Kollegialität der Bischöfe durch größere Respektierung der Kirchlichkeit der anderen Ortskirchen

Ausgehend von der Tatsache, daß der Papst, sakramental gesehen, nicht mehr Bischof ist als die übrigen Bischöfe, sollte er alles abbauen, was den Eindruck erwecken könnte, die Bischöfe seien Beamte des Papstes, d. h. das Bischofsamt für die anderen Ortskirchen entspringe dem Amt des Bischofs von Rom und nicht direkt und unmittelbar dem Dienstamte Christi[181]. Rom könnte kein wirksameres Dementi der Mißverständnisse hinsichtlich seiner Beziehungen zu den Ortskirchen geben, als wenn es in Zukunft die Ortskirchen ihren Bischof selbst wählen ließe[182].

---

176 ALLMEN, in: Concilium 1975, S. 564 f.
177 Ebd., S. 564.
178 Ebd., S. 565.
179 ALLMEN, in: Dienst an der Einheit, a. a. O., S. 142.
180 Ebd., S. 142 f.
181 ALLMEN, in: Concilium 1975, S. 565.
182 ALLMEN, in: Dienst an der Einheit, a. a. O., S. 143 f.

3.13.4 Verstärkte Ausübung des Bischofsamtes von Rom

Ein weiterer Vorschlag zielt auf die intensivere Ausübung der episkopalen Pflichten für das Bistum Rom. Der Papst sollte seinen Mitbischöfen mehr das Vorbild eines Bischofs geben, als das einer Instanz, die ihre apostolische Autorität beschränkt. In diesem Zusammenhang fordert Allmen auch für das Bistum Rom, für die Ortskirche Rom, das Recht, den Bischof selbst zu bestimmen[183].

3.13.5 Keine Säkularisierung des Papstamtes

Eine Anerkennung des Papstamtes würde nach Meinung von Allmen nicht nur aus soziologischen, sondern auch aus theologischen Gründen erfolgen. Deshalb sollte der Papst sein Amt nicht „säkularisieren" lassen, d. h. nicht ein Generalsekretär der allgemeinen Kirche werden. „Wenn schon einen Papst, dann einen, der sakramental im Bischofsamt steht und von dorther seines Dienstes waltet. Bloß keine Säkularisierung des Papstamtes!"[184]

3.13.6 Wiedervereinigung durch lokale ökumenische Versöhnungsverhandlungen

Die römisch-katholische Kirche ist die einzige Kirche mit einer konstitutiven Struktur universaler Einheit. Demgegenüber besitzen die konfessionellen Weltbünde keinen ekklesialen Charakter, d. h. sie sind keine Kirchen. Verhandlungsvollmachten haben aber bei den Reformierten und den anderen nicht-römischkatholischen Konfessionskirchen nur die Ortskirchen und nicht administrative Verwaltungsstellen. In diesen ungleichen Voraussetzungen ekklesialer Wirklichkeit sieht Allmen eine prinzipielle Schwierigkeit für Versöhnungsverhandlungen. Auch hält er es für theologisch falsch, durch Kompetenzerweiterungen den Reformierten Weltbund zur Kirche zu machen. Aus diesem Grunde schlägt er vor, Rom möge den Diözesen oder den nationalen Bischofskonferenzen Verhandlungsvollmacht für die Lokalebene erteilen, um so die Versöhnung anzubahnen, zu verhandeln und in einer gemeinsamen Eucharistie auch zu besiegeln. Anders kann sich Allmen die Einheit nicht vorstellen, „wenn man nicht — faul und für Gottes Gnade undankbar — die reformierte Kirche als Kirche disqualifiziert und reumütig nach Rom zurückkehrt"[185].

3.14 HEINRICH OTT

Petrusdienst — Ein seelsorgerlicher Hirtendienst im Bereich des Kerygmas als „Regulativ" und „arbitrium" für den theologischen Dialog

Die für einen Protestanten ungewohnte, fremde, belastete und noch belastende Frage nach dem „Petrusdienst" im Sinne eines universalen Episkopats der Christenheit kann von der allgemeinen und vorsichtigen Formulierung: „Kann ein Petrusdienst in der Kirche einen Sinn haben?" unpolemisch angegangen und posi-

---

[183] ALLMEN, in: Concilium 1975, S. 565.
[184] ALLMEN, in: Concilium 1975, S. 565 — In: *Dienst an der Einheit*, a. a. O., Zitat S. 142.
[185] ALLMEN, in: *Dienst an der Einheit*, a. a. O., S. 144 f. — vgl. Concilium 1975, S. 566.

tiv beantwortet werden[186]. Denn hier wird weder danach gefragt, ob die wahre Kirche einen Petrusdienst impliziert, noch danach, ob das Vorhandensein eines Petrusdienstes Kriterium des Kirche-Seins ist. Auch steht hier nicht notwendigerweise der Petrusdienst des Papstes zur Debatte. Ein Petrusdienst, der unter Nichtbeachtung des römischen Vorbildes konzipiert würde, wäre allerdings keine Hilfe für den ökumenischen Dialog mit der Papstkirche[187]. Grundsätzlich kann ein Petrusdienst nur dann in Betracht kommen, wenn die in Gottes-Wirklichkeit gegründete Gewissensfreiheit nicht tangiert wird.

Ausgehend von den durch das Erste Vatikanische Konzil vorgegebenen drei Grundstrukturen des Petrusdienstes: Hirtendienst, Dienst an der Kontinuität des Glaubens und Dienst an der Einheit und Beständigkeit der Kirche entwirft H. Ott das ihm protestantischerseits mögliche Modell eines „Petrusdienstes". Das Petrusamt ist als Hirtendienst am Kerygma, an der Wahrheit Christi in Dialog, Katholizität und Kontinuität zu verstehen.

„Das Sein der Wahrheit Christi, überhaupt das Sein jeder geschichtlichen Wahrheit liegt ... im Dialog." Die Wahrheit eines geschichtlichen Ereignisses oder seiner Interpretation ist kein „dinghaftes Faktum, ... sondern solche Wahrheit gibt es überhaupt nur im Gespräch, in der geistigen Auseinandersetzung und Einigung, zwischen Menschen"[188]. Auch die Wahrheit des Glaubens kann nur im Dialog erkannt werden, ja sie ist in sich selbst dialogisch als Geschehen der Anrede Gottes an den Menschen[189].

Die heutige Christenheit lebt in einer überschaubar gewordenen Welt, in der die Menschheit zu einer planetaren Einheit zusammenwächst. In dieser Situation hat das immer zum Wesen der Kirche gehörende Moment der sichtbaren Katholizität eine entscheidende Verschärfung erfahren. Will die Kirche in einer Zeit der unteilbaren Menschheit ihrer Sendung gerecht werden, muß sie vor der Welt in spürbarer Einmütigkeit ihres Dienstes auftreten[190].

„Unfehlbarkeit" als Kontinuität des Glaubens ist auch einem protestantischen Kirchenverständnis nichts generell Fremdes. Unfehlbarkeit bedeutet im Sinne der Kontinuität des Glaubens (Joh 16, 13) die Unmöglichkeit eines Verlustes des der Kirche anvertrauten Kerygmas, die Unmöglichkeit eines völligen aus der Wahrheit Fallens. „Das Schicksal des Evangeliums unter den Menschen ist nicht einfach der Willkür und dem Zufall überlassen"[191].

Von diesen Voraussetzungen kann — so Ott — das Petrusamt als „ein seelsorgerlicher Hirtendienst im Bereich des Kerygmas bzw. seiner theologischen Artikulation" verstanden werden: als „Regulativ des theologischen Dialoges" zum Schutz der Einmütigkeit der christlichen Verkündigung und als „seelsorgerliches

---

[186] H. OTT, *Kann ein Petrusdienst in der Kirche einen Sinn haben?* In: Concilium, 7. Jg. (1971), S. 292—295 (292).
[187] Ebd., S. 292 f.
[188] Ebd., S. 293.
[189] Ebd.
[190] Ebd., S. 293 f.
[191] Ebd., S. 294.

arbitrium", das im Dialog der Theologie der unfruchtbaren Verschließung gegen die Wahrheit vorbeugt. Dieses Modell eines schiedsrichterlichen Petrusdienstes ist mit der Funktion eines Friedensrichters vergleichbar, dessen Sprüche zwar Autorität haben, aber nicht inappellabel sind. Auch über dem Schiedsrichterspruch des Petrusamtes bleibt somit die Möglichkeit eines Appels an den obersten Gerichtshof, an das Forum des an Gott allein gebundenen Gewissens[192].

Nach Meinung von H. Ott kann also ein Petrusdienst in der Kirche jetzt und zukünftig einen Sinn haben. „Es kann die Zeit kommen, wo die Errichtung eines universalen Petrusdienstes um der Treue zum Evangelium willen geboten ist. Hingegen kann es nicht als Kriterium des Kirche-Seins der Kirche gelten, ob sie heute schon einen Petrusdienst kennt und seine historische Stiftung durch Jesus behauptet"[193].

3.15 OSCAR CULLMANN

Papsttum — ein charismatischer Dienst

O. Cullmann versteht den Einheitsdienst des Papstes als einen charismatischen Dienst. Wahre Einheit bedeutet nicht Fusion, sondern Zusammenfassung verschiedener Kirchen unter Beibehaltung der gereinigten Charismen. Sie setzt, um sich nicht im Pluralismus aufzulösen, einen einigenden Dienst der Ordnung voraus, der seinerseits Charisma sein muß[194]. Dieser Dienst muß nicht die monarchische Form haben, aber die in einer Spitze zusammengefaßte Organisation kann seine Effektivität erhöhen. Der Petrusdienst kann auf den dem Petrus übertragenen Dienst zurückgeführt werden. Dieser Dienst des Apostels Petrus kann aber nur als Leitbild angesehen werden. „Die Überspannung der Berufung auf Petrus besteht in der Festlegung auf einen bestimmten Sukzessionsmodus, während in dem nur an Petrus, nicht an Nachfolger gerichteten Wort (Mt 16, 18 f.) über die Art und Weise, wie sich das Leitbild fortsetzt, nichts gesagt ist"[195]. In der Konzentration der kirchlichen Fülle stellt das Papsttum ein wirksames Bollwerk gegenüber den Versuchen weltlicher Mächte dar, die Kirche ihrer Autonomie zu berauben, in gleicher Weise einen Schutz gegen innerkirchliche illegitime Säkularisierungsbestrebungen des Glaubens und alle Bedrohungen der Reinheit des Evangeliums[196].

Cullmann hebt im Unterschied zu vielen Theologen, die die charismatische Amtsführung Papst Johannes XXIII. gegen den reaktionären Führungsstil Pauls VI. ausspielen, den sie für die Stagnation in den ökumenischen Beziehungen und die innerkatholische Krise verantwortlich machen, die Bedeutung des paulinischen Pontifikates positiv hervor. Paul VI. kommt das Verdienst zu, das von Johannes XXIII. einberufene Konzil unter von diesem nicht vorausgesehenen Schwierigkei-

---

[192] Ebd.
[193] Ebd., S. 295.
[194] O. CULLMANN, *Papsttum als charismatischer Dienst,* in: *Papsttum — heute und morgen,* a. a. O., S. 44—47 (45).
[195] Ebd., S. 45.
[196] Ebd.

ten zu Ende geführt zu haben[197]. Als mutige und verdienstvolle prophetische Initiativen nennt Cullmann: die Reisen Pauls VI., Kurienreformen, liturgische Veränderungen, Anerkennung vergangener Schuld, Herstellung konkreter Beziehungen zum Genfer Ökumenischen Rat und die Aufhebung der Exkommunikation der orthodoxen Kirche[198].

Im Blick auf die Zukunft sind weitere Bemühungen zur Verhinderung von „Gleichgewichtsstörungen" des im Matthäusevangelium begründeten Nebeneinander von Kollegialität und Primat notwendig; auch sollte der Sukzessionsmodus, diese Frage ist ja biblisch nicht geregelt, von der Bibel her geprüft werden[199].

4. Zusammenfassung

Der vorliegende Überblick über nachkonziliare Stellungnahmen protestantischer Theologen zum Papstamt dokumentiert nicht nur die Tatsache eines sachlichen und unpolemischen Dialogs auch über das Haupthindernis für die Einheit der Kirchen, sondern darüber hinaus die Möglichkeit eines weitgehenden Konsenses in der Papstfrage. Diese Beurteilungen erscheinen gegenüber der über Jahrhunderte hinweg eingenommenen Position protestantischer Theologen auf den ersten Blick utopisch, wenn nun das in der Vergangenheit als Inbegriff des „Unevangelischen" geltende Amt zum potentiell konstruktiven Element der Einheit zwischen den getrennten Kirchen deklariert wird. So gesehen, mögen die Perspektiven eines ökumenischen Papstamtes protestantischen und katholischen Christen gleichermaßen zunächst einmal als theoretische Spekulationen anmuten, die in der derzeitigen zwischenkirchlichen Wirklichkeit keinen Anhalt haben: daher denn auch der gelegentlich vorgebrachte Einwand einer zu hohen historischen Belastung des Papstamtes, die einen solchen fundamentalen Einheitsdienst dieses Amtes für die nicht-römisch-katholischen Kirchen als nicht zumutbar erscheinen läßt. Dennoch besteht in dem allen Kirchen gemeinsamen Glauben, daß die Einheit zum Wesen der Kirche gehört und sichtbaren Ausdruck finden muß, sowie aufgrund der Einsicht in die kirchliche Misere, die auf das Fehlen eines besonderen Leitungsdienstes im Blick auf die Gemeinschaft der Kirchen zurückzuführen ist, die tragfähige Grundlage, das Papstamt als mögliches Medium zu reflektieren, das die Gemeinschaft zwischen den Kirchen aufbauen und erhalten könnte. Die Denkexperimente über die ökumenische Rolle des Papstamtes sind somit keine ökumenischen Träumereien, die doch nicht in Erfüllung gehen können, wohl aber greifen sie weit in die Zukunft voraus, da die Gestalt eines ökumenisch akzeptierbaren Papstamtes gegenwärtig noch nicht existiert. Insoweit ist G.A. Lindbeck zuzustimmen, wenn er das Konzept eines ökumenischen Papstamtes für protestantische Christen derzeit als „schockierend" genug bezeichnet[200].

[197] Ebd., S. 46.
[198] Ebd.
[199] Ebd., S. 47.
[200] G. A. LINDBECK, a. a. O., S. 410.

Die Idee eines ökumenischen Papstamtes wird indes weniger illusionär erscheinen, je deutlicher und klarer die Konturen dieses Amtes werden und Inhalt und Grenzen der Verständigung über das Papstamt in den Kirchen rezipiert werden.

Der Konsens über das Papstamt, der von dem lutherisch/römisch-katholischen USA-Bericht „Amt und universale Kirche" und von der anglikanisch/römisch-katholischen Venedig-Erklärung „Autorität in der Kirche" und von den vielen Einzelstellungnahmen zum Ausdruck gebracht wird, liegt — das muß deutlich gesagt werden — außerhalb der vom I. Vatikanum definierten und vom II. Vatikanum bestätigten Lehre. An eine protestantische Rezeption des Jurisdiktionsprimates und der Unfehlbarkeit des Papstes ist nicht gedacht, beide Aspekte der römisch-katholischen Papstlehre bleiben strittig. Der Konsens besteht darin, das Proprium des Papstamtes, nämlich die Sorge um die Einheit der Kirche, für alle christlichen Kirchen fruchtbar werden zu lassen. Wie dies geschehen soll, wie also der ökumenische Auftrag des Papstamtes, der der gesamten Christenheit gelten soll, näherhin zu skizzieren ist, bleibt angesichts der unterschiedlichen Ansichten von lutherischen, reformierten und anglikanischen Theologen offen. Vorsichtig formuliert könnte man sagen: Es ist an eine Mittlerrolle des Papstes innerhalb einer konziliaren Gemeinschaft der Kirchen, die Bekenntnis- und Sakramentsgemeinschaft einschließt, gedacht. Als Repräsentant der gesamten Christenheit könnte der Papst die Einheit der Kirche symbolisieren und als bevollmächtigter Initiator, Organisator, Sprecher und Richter in Streitfragen die universale Gemeinschaft der christlichen Kirchen fördern und erhalten, eine Gemeinschaft, in der die nicht-römisch-katholischen Kirchen mit dem Papst eine Form der Communio leben, die Gemeinschaft *mit* ihm, nicht *unter* ihm ist[201]. Die Dialogteilnehmer des USA-Berichtes „Amt und universale Kirche" fordern hinsichtlich der Realisierung dieser Gemeinschaft einen eigenen kanonischen Status für die lutherischen Kirchen unter Beibehaltung ihrer Kirchenleitungen[202]. Es geht darum, Strukturen der Versöhnung zu finden, nicht darum, daß die protestantischen Kirchen zur römisch-katholischen Kirche zurückkehren. Protestantischerseits ist eine Anerkennung eines Pastoralprimates — dieser schließt Rechtsbefugnisse des Papstes über die protestantischen Kirchen aus — undenkbar, ohne daß zuvor katholischerseits die protestantischen Kirchen im theologischen Sinn als „Kirche Jesu Christi" anerkannt werden, da nur „gleichwertige" und „gleichberechtigte" Kirchen sich in Freiheit für einen ökumenischen Papstdienst entscheiden können. Das Vorhandensein des römischen Petrusdienstes kann nicht als Kriterium für das Urteil über den Kirchencharakter einer nicht-römisch-katholischen Kirche gelten. Hinsichtlich des päpstlichen Dienstes für die Communio der christlichen Kirchen erhoffen die protestantischen Theologen eine Reform des Papstamtes, die den Papst zunächst in der römisch-katholischen Kirche selbst in evangeliumsgemäßerer Weise brüderlich und kollegial wirken läßt. Konkret heißt das: Erstens: Der Papst muß in Zukunft noch mehr als bisher ein pastorales Vorbild sein, indem er sein

---

[201] Vgl. R. FRIELING, *Mit, nicht unter dem Papst*, a. a. O., S. 52—60.
[202] *Amt und universale Kirche*, a. a. O., S. 110.

Amt als Bischof von Rom verstärkt wahrnimmt und so den Hirtendienst für seine eigene Diözese erfüllt. Zweitens: Der Papst muß die Kollegialität seiner Mitbischöfe höher achten, indem er das Kirchesein der anderen Ortskirchen respektiert. Alles hängt davon ab, wie der Papst das Verhältnis zu seinen Brüdern begreift und realisiert.

„Braucht der Papst dafür etwas Mutiges zu tun? Er muß etwas tun, das so wesentlich für die christliche Existenz als solche ist, daß das Wort ‚mutig' dafür nicht sehr angebracht erscheint. Man verzeihe es mir, wenn ich es sehr pointiert und sehr ‚protestantisch' ausdrücke: er muß als Papst sterben, um als Petrus aufzustehen; oder: er muß seine auctoritas und potestas verlieren, um sie zu gewinnen"[203].

---

[203] H. BERKHOF, *Was kann der Papst Mutiges für die ökumenische Verständigung tun?* In: Concilium, 5. Jg. (1969), S. 308—310 (310).

Kapitel V

Versuch einer Antwort:
Die Erneuerung des Papstamtes aus katholischer Sicht

1. Vorbemerkungen

Die Modelle und Skizzen der protestantischen Theologen hinsichtlich eines ökumenischen Petrusdienstes des Papstes haben letztlich eine Gestalt der wiedervereinigten Kirchen vor Augen, für die Bekenntnis- und Sakramentsgemeinschaft konstitutiv ist. Alle anderen Formen der Gemeinschaft sind nur Vorstufen auf dem Weg zu diesem Ziel.

Unter dieser Voraussetzung kann nun der Versuch gemacht werden, katholischerseits eine Antwort auf die protestantischen Perspektiven eines universalen Papstamtes zu geben und dabei der Frage nachzugehen, ob ein solches ökumenisches Papstamt mit dem katholischen Verständnis dieses Amtes vereinbar ist, da ja die Annahme eines universalkirchlichen Petrusamtes katholischerseits zwingend ist. Eine Lösung erwächst auch hier aus der konsequenten Fortführung der ekklesiologischen Reform des Zweiten Vatikanischen Konzils, die Modifikationen der päpstlichen Amtsführung notwendig macht, die erstaunlicherweise weitgehend mit den protestantischen Vorschlägen für einen neuen evangeliumsgemäßeren Amtsstil übereinstimmen. Von diesen Parallelen in der Amtskritik her wird dann auch verständlich, daß die Amtspraxis selbst ein wesentliches Kriterium für eine Verständigung bezüglich des Verständnisses des Papstamtes darstellt.

2. Die ekklesiologische Erneuerung des II. Vatikanischen Konzils

Das II. Vatikanische Konzil war ein Konzil der Selbstreflektion der Kirche: über ihr Wesen, über ihren Ursprung, über ihre Sendung, über ihr Verhältnis zu den anderen christlichen Kirchen und zu den nichtchristlichen Religionen, über ihr Verhältnis zur Welt. Es war ein „Konzil der Kirche über die Kirche"[1]. Ökumenische Relevanz im neuen Verständnis der Kirche haben für unser Thema vor allem die Ausführungen über die Ekklesialität der nicht-römisch-katholischen

---

[1] K. RAHNER, *Das neue Bild der Kirche*, in: DERS., Schriften zur Theologie, Bd. VIII, Einsiedeln-Zürich-Köln 1967, S. 329—354 (329).

Kirchen, die Abkehr von einer primär hierarchisch-juridischen Definition der Kirche, die Hervorhebung des Dienstcharakters des Amtes und des Institutionellen in der Kirche, sowie die Wiederbelebung der Communio-Ekklesiologie bzw. der Ortskirchentheologie.

2.1 Kirche und Kirchen — Ekklesiale Realität außerhalb der römisch-katholischen Kirche

Die Verwirklichung der Kirche Jesu Christi in den Konfessionskirchen bezeichnet den Ort, an dem die Versöhnung der Kirchen sich entscheiden und bewähren muß. Solange die Kirchen einander bestreiten, daß in der je anderen Konfessionskirche die Kirche Jesu Christi in legitimer Weise, d. h. in apostolischer Tradition und Sukzession, gegenwärtig ist, kann es keine Wiedervereinigung geben, behalten Modelle für die Strukturen der Versöhnung ihren derzeit spekulativen Charakter. Das Konzil eröffnet jedoch auch in dieser Streitfrage Türen zu einem Dialog mit dem Ziel einer wechselseitigen vorbehaltlosen Anerkennung der getrennten Kirchen als Kirche Jesu Christi.

In der Enzyklika „Mystici Corporis" von Pius XII. wird die Identität der Kirche Christi mit der römisch-katholischen Kirche vertreten; außerhalb der römisch-katholischen Kirche existiert die Kirche Christi nicht, den anderen christlichen Kirchen kommt Ekklesialität nur im soziologischen, nicht aber im theologischen Sinne zu. Diese Sicht hat das Zweite Vatikanische Konzil überwunden und das „Kirchesein" der nicht-römisch-katholischen Kirchen erkannt und formuliert. Allerdings hat das Konzil den anderen christlichen Kirchen den Kirchencharakter nicht im vollen Sinne zuerkannt, es spricht von einer unterschiedlichen Dichte der Verwirklichung von Kirche Christi in den einzelnen Konfessionskirchen[2]. Der entscheidende Text befindet sich in der Kirchenkonstitution „Lumen Gentium" Art. 8. „Diese Kirche, in dieser Welt als Gesellschaft verfaßt und geordnet, ist verwirklicht in der katholischen Kirche, die vom Nachfolger Petri und von den Bischöfen in Gemeinschaft mit ihm geleitet wird." Die Aussageabsicht des Konzils wird durch einen Vergleich der lateinischen Endfassung mit einem früheren Entwurf noch deutlicher. Im früheren Textvorschlag heißt es: „Haec igitur Ecclesia ... est Ecclesia Catholica, a Romano Pontifice et Episcopis in eius communione directa." Die vom Konzil verabschiedete Fassung lautet: „Haec Ecclesia ... subsistit in Ecclesia catholica, a successore Petri et Episcopis in eius communione gubernata." Das die anderen Kirchen von der Teilhabe an der Kirche ausschlie-

---

[2] Vgl. H. FRIES, Die römisch-katholische Kirche, in: KONRAD ALGERMISSEN, Konfessionskunde, hrsg. vom Johann-Adam-Möhler-Institut für Ökumenik, 8. Aufl., Paderborn 1969, S. 4—75 — H. FRIES, Der ekklesiologische Status der evangelischen Kirche in katholischer Sicht, in: DERS., Aspekte der Kirche, Stuttgart 1963, S. 123—152 — H. MÜHLEN, Der Kirchenbegriff des Konzils, in: Die Autorität der Freiheit, Bd. I, hrsg. J. CH. HAMPE, München 1967, S. 291—313 — P. W. SCHEELE, Das Kirchesein der Getrennten, in: DERS., Alle Eins, Theologische Beiträge II, Paderborn 1979, S. 202 bis 219.

ßende „est" ist durch die offenere Formulierung des „subsistit" ersetzt worden[3]. Wenn die Kirche Christi somit nach Auffassung des Konzils nicht schlechthin mit der katholischen Kirche identisch ist, ergibt sich die Notwendigkeit des Offenseins für die ekklesiale Realität außerhalb ihrer Grenzen. Die Beschreibung und ausdrückliche Anerkennung ekklesialer Realität außerhalb der römisch-katholischen Kirche erfolgt im Ökumenismusdekret „Unitatis Redintegratio"[4]. Hier wird mit Hilfe einer „Elementen-Ekklesiologie" das Kirchesein der anderen christlichen Kirchen und Gemeinschaften entfaltet. Die kirchenbildenden Elemente, die sich in der Fülle in der katholischen Kirche finden, existieren in unterschiedlicher Verwirklichung auch innerhalb der anderen christlichen Kirchen. Solche kirchenbildenden Elemente sind: „das geschriebene Wort Gottes, das Leben der Gnade, Glaube, Hoffnung und Liebe und andere innere Gaben des Heiligen Geistes und sichtbare Elemente: all dies, das von Christus ausgeht, und zu ihm hinführt, gehört rechtens zu der einzigen Kirche Christi"[5]. Den liturgischen Handlungen der getrennten Kirchen erkennt das Konzil die Möglichkeit der Gnadenvermittlung zu und nennt sie „geeignete Mittel für den Zutritt zur Gemeinschaft des Heils"[6]. Trotz der den getrennten Kirchen und Gemeinschaften anhaftenden Mängel bedient sich der Hl. Geist ihrer als „Mittel des Heiles ..., deren Wirksamkeit sich von der der katholischen Kirche anvertrauten Fülle der Gnade und Wahrheit herleitet"[7].

Wenn das Konzil den in den nicht-römisch-katholischen Kirchen vorhandenen kirchenbildenden Gaben eine aufbauende Funktion für die „einzige Kirche" zuschreibt, so wird hier die Kirche Christi als die die Grenzen der römisch-katholischen Kirche übergreifende verstanden und der ekklesiale Charakter der anderen Kirchen begründet. Das Maß dieses ekklesialen Charakters bestimmt das Konzil nach dem Grad der Realisierung der kirchenkonstituierenden Gaben im Vergleich mit ihrer Realisierung innerhalb der römisch-katholischen Kirche. Die neue Sehweise des Konzils stellt gegenüber der in „Mystici Corporis" vertretenen Position einen tatsächlichen Fortschritt dar. Hier handelt es sich nicht um die Entwicklung einer früheren Position, sondern um deren Korrektur[8]. Je mehr die Konfessionskirchen in der Erkenntnis und Anerkennung des „Kircheseins" der je anderen Kirche wachsen, um so eher wird die Gemeinsamkeit hinsichtlich des Zieles der Einheit erreicht sein, das H. Fries als die Überwindung der Illegitimität des Plurals der Kirchen beschreibt. „Die Kirchen als Konfessionen, bisher Subjekte der Trennung, sollten auf ihrem weiteren geschichtlichen Weg der Erneuerung und

---

[3] *Lumen Gentium*, in: *LThK, Das II. Vatikanische Konzil, Teil* I, Freiburg-Basel-Wien 1966, hier S. 172—174.
[4] Vgl. *Unitatis Redintegratio*, in: *LThK, Das II. Vatikanische Konzil, Teil II*, Freiburg-Basel-Wien 1967, S. 9—126.
[5] *Unitatis Redintegratio*, a. a. O., S. 55.
[6] Ebd., S. 57.
[7] Ebd.
[8] H. FRIES, *Die römisch-katholische Kirche*, a. a. O., S. 63 f.

Umkehr ‚ursprungsgetreu und situationsgemäß' Träger eines legitimen Plurals in der einen Kirche werden. Kirchen sollen Kirchen bleiben und die eine Kirche werden"[9].

Die römisch-katholische Kirche anerkennt neben sich Kirchen, denen sie nicht zubilligt, gleichermaßen konkrete Existenzform der einen Kirche Christi zu sein. Dort, wo Ekklesialität anderer Kirchen erkannt und bejaht wird, ist die Konzeption der Wiedervereinigung tangiert. „Rückkehr nach Rom" kann jetzt nicht mehr das einzig mögliche Modell sein. Dieses hieße, die Preisgabe vorhandener Ekklesialität zu verlangen. Mit dem Konzil ist konsequent das Rückkehrmodell durch die Idee einer Gemeinschaft wiederversöhnter Kirchen abgelöst worden. Innerhalb einer solchen Gemeinschaft versöhnter Kirchen müßte auch katholischerseits die Rolle des Papstamtes überdacht werden. Im II. Vatikanischen Konzil ist dies im Blick auf die römisch-katholische Kirche selbst geschehen, was aber nicht ausschließt, daß diese Überlegungen für eine Funktion des Papstes innerhalb einer Gemeinschaft der Kirchen transferiert werden können. Wir werden noch sehen, daß diese zunächst innerkatholischen Reformprinzipien ebenfalls die Basis für einen ökumenischen Petrusdienst des Papstes in und an einer universalen Gemeinschaft der christlichen Kirchen sein könnte.

2.2 Die Communio-Ekklesiologie

Neben der vorherrschenden traditionellen Ekklesiologie, die vom gesamtkirchlichen Denken ausgeht, ist im Konzil eine Konzeption der Kirche wirksam geworden, die die Kirche Christi in der Versammlung der Glaubenden, in den Teil- und Ortskirchen, ja in den jeweiligen Pfarrgemeinden selbst gegenwärtig sieht. Kirche wird hier eucharistisch begründet, d. h. die Kirche ist in der konkreten Altargemeinde am Ort existent. „Diese Kirche Christi ist wahrhaft in allen rechtmäßigen Ortsgemeinschaften der Gläubigen anwesend, die in der Verbundenheit mit ihren Hirten im Neuen Testament auch selbst Kirchen heißen"[10]. Auch hier verdeutlicht der lateinische Text die Aussageintention: „Haec Christi vere adest ...""[11]. Damit erklärt das Konzil das „Kirchesein" nicht nur als eine Qualität der Gesamtkirche, sondern jeder einzelnen Ortskirche. Des weiteren ist ein Text aus „Lumen Gentium" Art. 23 heranzuziehen, der die kollegiale Einheit des Gesamtepiskopats behandelt. Hinsichtlich der Beziehungen zwischen Teilkirche und Gesamtkirche heißt es in einem Nebensatz, daß die Teilkirchen „nach dem Bild der Gesamtkirche gestaltet sind"[12]. Darauf folgt die Feststellung. „In ihnen und aus ihnen besteht die eine und einzige katholische Kirche"[13]. Das Verhältnis von

---

[9] H. FRIES, *Das Ringen der Kirche um Einheit*, in: DERS., *Ökumene statt Konfessionen?* Frankfurt/Main 1977, S. 9—43 (42).

[10] *Lumen Gentium*, a. a. O., S. 243.

[11] Ebd., S. 242.

[12] Ebd., S. 231.

[13] Ebd.

Teilkirche und Gesamtkirche wird an dieser Stelle nicht additiv verstanden, sondern das Partikulare stellt eine echte Repräsentation des Universalen dar[14].

Mit der Hervorhebung der Ortskirche als einer vollgültigen Konkretion der Kirche Christi hat das Konzil die altkirchliche Communio-Ekklesiologie neu belebt. Für die Gemeinschaft der Ortskirchen ist diesem altkirchlichen Verständnis die Communio der Eucharistie konstitutiv. Die Gesamtkirche wird dieser Vorstellung zufolge als Netz in Eucharistiegemeinschaft miteinander lebender Ortskirchen gedacht. „Die Einheit der Kirche gründet also primär nicht darin, daß sie eine einheitliche Zentralregierung hat, sondern darin, daß sie von dem einen Herrenmahl, von dem einen Christusmahl her lebt"[15]. Neben der eucharistischen Einheit bestimmt ein anderes Prinzip die Beziehung der Ortskirchen mit Rom und untereinander innerhalb der altkirchlichen Communio-Ekklesiologie: die weitgehende Selbständigkeit der Ortskirchen und keine Unterwerfung der übrigen Ortskirchen unter die Ortskirche Rom. Eine größere Beachtung der Ortskirchenstruktur, wie im Konzil anfanghaft geschehen, verlangt weitere Freiheiten für die Ortskirchen, damit sie ihr Proprium realisieren und so auch in die Gemeinschaft der Ortskirchen einbringen können, wodurch die Einheit in der Vielfalt, der Reichtum der Katholizität der Kirche, sichtbarer, als es derzeit der Fall ist, würde. Solche Manifestation der Katholizität der Kirche ist aber sehr wesentlich auf den Verzicht des zentralistisch-dirigistischen Führungsstils Roms und die Einübung eines Dienstes der Koordination zwischen den Ortskirchen angewiesen. Wenn die römisch-katholische Kirche sich im Konzil vom Bild der Kirche als Pyramide, an dessen Spitze das Papstamt steht, distanziert hat und das Papstamt wieder in die Mitte der Kirche reintegriert hat, ergibt sich daraus für Rom die sachliche Notwendigkeit, eine neue Beziehung zu den Ortskirchen herzustellen. Die Forderung einer solchen neuen Beziehung Roms zu den Ortskirchen stützt sich darauf, daß in der altkirchlich kommunionalen Struktur der Kirche auch der älteste Ansatzpunkt der Primatstheologie zu sehen ist, der den richtigen Sinn des päpstlichen Primates erhellt. Rom hat den Vorsitz in der eucharistischen Communio, repräsentiert diese und hat die Aufgabe, sie zu erhalten. W. Beinert kann sagen: Das Petrusamt ist „sinnvoll und berechtigt im vollen Sinne erst innerhalb der kommunionalen Struktur der Kirche"[16]. Der episkopale Dienst des Bischofs von Rom für alle Ortskirchen schließt die Pflicht und das Recht zu verbindlicher Entscheidung ein, wo

---

[14] A. GANOCZY, *Wesen und Wandel der Ortskirche*, in: Theologische Quartalschrift, 158. Jg. (1978), S. 2—14 (11).

[15] J. RATZINGER, *Das Neue Volk Gottes*, 2. Aufl., Düsseldorf 1977, S. 24 — vgl. L. HERTLING, *Communio und Primat. Kirche und Papsttum in der christlichen Antike*, in: Una Sancta, 17. Jg. (1962), S. 91—125 — E. SAUSER, *Woher kommt Kirche? Ortskirchen der Frühzeit und Kirchenbewußtsein heute*, Frankfurt a. M. 1978 — W. BEINERT, *Die Kirche Christi als Lokalkirche. Die Entwicklung in den ersten fünf Jahrhunderten*, in: Una Sancta, 32. Jg. (1977), S. 114—129.

[16] W. BEINERT, *Das Petrusamt und die Ortskirche*, in: *Petrus und Papst, Bd. I*, hrsg. von A. BRANDENBURG und H. J. URBAN, Münster 1977, S. 95—116 (107).

die Einheit des Glaubens und der Gemeinschaft bedroht ist. Dieser Auftrag läßt aber einen weiten Handlungsraum, innerhalb dessen die Eigenständigkeit der Ortskirchen sich stärker entfalten könnte, indem der Papst sich neuzubestimmende Rechte reserviert und tatsächlich nur in den Notfällen in das Leben der Ortskirchen eingreift, die die Einheit des Glaubens und der Gemeinschaft betreffen. Gewährung größerer Eigenständigkeit für die Ortskirchen, Beachtung des Kollegialitäts- und Subsidiaritätsprinzips und Reform des päpstlichen Amtsstils sind Kriterien für ein und dieselbe Sache: die Reform kirchlicher Strukturen.

3. Aspekte der Erneuerung des päpstlichen Amtes

Neben der Communio-Ekklesiologie bestimmen das Bemühen um eine mehr biblisch orientierte Sicht der Leitung der Kirche und die Erkenntnis der Geschichtlichkeit der kirchlichen Strukturen die nachkonziliare Diskussion um das Amt und somit auch die Diskussion um das Papstamt. Ein übergeschichtliches Modell des Papstamtes läßt sich aus der Entwicklung und Darstellung dieses Amtes in den verschiedenen Epochen der Geschichte nicht erheben[17]. Vielmehr sind die unterschiedlichen Formen des Papstamtes durch theologische und außertheologische Faktoren politischer, gesellschaftlicher und kultureller Natur der jeweiligen geschichtlichen Epoche mitgeprägt worden. Unter dieser Hinsicht ist eine „Anpassung" des kirchlichen Leitungsamtes als angemessene Reaktion auf die Fragen, Probleme, Erkenntnisse, Erfahrungen, Ansprüche und Erfordernisse der Zeit als legitim und notwendig anzusehen. So stellt die konziliare und nachkonziliare Bekräftigung des Kollegialitätsprinzips nicht nur eine theologisch erforderliche ekklesiologische Erneuerung dar, sondern auch einen Reflex auf die Beeinflussung der Kirche durch das moderne Demokratieverständnis.

Innerhalb der katholischen Diskussion der vergangenen Jahre um die Reform des päpstlichen Amtes ist ein einseitig politischer Ansatz feststellbar, der die theologischen Reformkriterien außeracht läßt und eine abwertende Säkularisierung des päpstlichen Amtes anstrebt. In diesem Sinne extrem ist der Vorschlag von G. Hasenhüttl. „Alle fünf Jahre sollte ein Papst gewählt werden, und mehr als eine Wiederwahl sollte nicht zulässig sein. Ferner müßte das Wahlgremium auf demokratische Weise zustande kommen und für den Willen der Gesamtzahl der Katholiken repräsentativ sein. Außerdem müßte dem Papst ein Kontrollorgan zur Seite gestellt werden, das zum Beispiel verfehlten Enzykliken die Zustimmung verweigert. Die Weise, wie der Papst heute herrscht, hat nur in Diktaturen eine Parallele. Daß dies dem Geist Christi gegenläufig ist, braucht wohl nicht erwähnt zu werden"[18]. F. Klüber etwa sieht in der Rolle eines „Generalsekretärs der

---

[17] Vgl. B. TIERNEY, *Historische Modelle für das Papsttum*, in: Concilium, 11. Jg. (1975), S. 544—550.

[18] G. HASENHÜTTL, *Nicht mitherrschen, sondern mitdienen*, in: Papsttum — heute und morgen, hrsg. von G. DENZLER, Regensburg 1975, S. 69—72 (71).

vereinten katholischen Nationalkirchen" die einzige Chance des Papstamtes in der Zukunft[19]. Vorschläge dieser Art, vielfach mit einer polemisierenden Abqualifizierung des Pontifikates Pauls VI. verbunden, für die der Sammelband von G. Denzler „Papsttum — heute und morgen" eine wahre Fundgrube bietet, tragen zu der von den Autoren beabsichtigten Entmythologisierung des Papstamtes wenig bei. Sie erreichen durch die Schockwirkung eher das Gegenteil, so daß noch vorhandene Elemente eines päpstlichen Absolutismus, bei denen es sich um eine illegitime Adaptierung mittelalterlicher Führungsstrukturen handelt, als dem Papstamt wesensgemäß festgehalten werden. Eine Übernahme von modernen anthropologischen und politischen Elementen, die die menschliche Freiheit in höherem Maße beachten würde, was durch eine biblische Sicht der Kirche ermöglicht wird, wird dort verhindert, wo Reformvorschläge nicht mehr theologischem Denken verpflichtet bleiben[20]. So zeigt A. Ganoczy auf, wie in den postkonziliaren Reformbemühungen die biblische Begriffswelt beibehalten, jedoch interpretiert und in eine moderne Sprache transferiert wird[21]. Solcher Transfer theologischer Begriffe bzw. ihre Verbindung mit Entlehnungen aus außertheologischen Beziehungsfeldern muß um die Wahrung der ursprünglichen Eigenart bemüht sein. „Wenn das Gottesvolk etwas übernimmt, was die Welt ihm anbietet, so muß es dies auf eine ihm eigene (sui generis) Weise tun"[22].

3.1 Der Papst als Bischof von Rom

Mit bitteren Worten beschreibt R. La Valle die gegenwärtige Beziehung zwischen dem Papst und seinem Bistum. Die Christen der Kirche in Rom „haben vom Papst als dem Bischof von Rom keinerlei Erfahrung, ja sie haben deswegen keine erlebnismäßige Kenntnis von dem, was ein Bischof in seiner Kirche ist, und infolgedessen ein nur sehr unsicheres und noch in den Anfängen steckendes Wissen um das, was die Zugehörigkeit zu einer Ortskirche bedeutet (dieses Bewußtsein begann sich erst nach dem Konzil zu bilden)"[23].

Der Papst ist „Papst" als Bischof von Rom. Dieses theologische Fundament des universalen Hirtendienstes des Papstes ist in der Lebenswirklichkeit des dem Papst anvertrauten Bistums weitgehend zerbröckelt, denn der lokale Hirtendienst wird vom Papstamt nur noch gelegentlich persönlich wahrgenommen. Es bedurfte des charismatischen Johannes XXIII., der auch als Papst „Pastor" blieb: Pastor für die Welt und Pastor für sein Bistum Rom. Seine Nachfolger waren ebenfalls bemüht, den seelsorglichen Hirtendienst für ihre eigene Diözese intensiver wahr-

---

[19] F. KLÜBER, *Charisma als Sand im Getriebe des päpstlichen Systems*, in: Papsttum — heute und morgen, a. a. O., 92—95 (95).

[20] Vgl. A. GANOCZY, *Wie kann die Kollegialität dem päpstlichen Primat gegenüber aufgewertet werden?* In: Concilium, 7. Jg. (1971), S. 267—273.

[21] A. GANOCZY, a. a. O., S. 268—270.

[22] Ebd., S. 268.

[23] R. LA VALLE, *Das Engagement des Papstes als des Bischofs von Rom*, in: Concilium, 11. Jg. (1975), S. 550—557 (550).

145

zunehmen. In dieser Hinsicht unternimmt der derzeitige Papst Johannes Paul II. große Anstrengungen, wenn er etwa regelmäßig die römischen Pfarreien besucht, mit den Gläubigen Roms die Eucharistie feiert, ihnen das Wort Gottes verkündet und die Sakramente spendet. Die Wahrnehmung der Bischofspflichten bleibt aber dem persönlichen Engagement des jeweiligen Amtsinhabers überlassen. Gerade hier ist eine institutionelle Absicherung nötig, so daß das universale Bischofamt des Papstes in den lokalen Dienst des Bischofs von Rom reintegriert wird. Damit ist die Konsequenz verbunden, daß der Papst seinen universalkirchlichen Dienst in einer Weise ausübt, in der das diesen Dienst konstituierende Amt des römischen Bischofs nicht eine untergeordnete, sekundäre Funktion erhält. Deshalb muß die tatsächliche, verantwortliche Leitung der Ortskirche von Rom der erste, grundlegende Akt der Erneuerung des Papsttums sein[24]. W. Kasper warnt in diesem Zusammenhang vor der Bürokratisierung und Entleerung des pastoralen Charakters dieses Amtes, wenn es nicht mehr im lebendigen Kontakt mit einer konkreten Ortskirche wahrgenommen wird[25]. „Das Petrusamt geht dann seiner sakramentalen Verwurzelung im Bischofamt verlustig und wird aus der Kollegialität der Bischöfe herausgenommen ..." Der Papst „kann dann die anderen Kirchen nicht durch sein pastorales Beispiel als Bischof stärken, sondern muß sie nach Art eines Kirchenpräsidenten von ‚oben' regieren"[26]. Ein die Weltkirche verwaltender „Superbischof" wäre dann in der Tat nur noch ein „Generalsekretär" oder „Manager" der Kirche. Ein tatkräftiges Engagement des Papstes als Bischof von Rom ist somit nicht nur *eine* von vielen Pflichten des päpstlichen Amtes, sondern von der Bedeutung des päpstlichen Amtes als Repräsentation des bischöflichen Hirtendienstes notwendiges Erfordernis. Eine stärkere Konzentrierung auf die lokalen Bischofspflichten würde auch nicht einen vermeintlichen Autoritätsverlust des Papstes nach sich ziehen, vielmehr wird ein pflichtbewußter Bischof von Rom seine Autorität als Haupt des Bischofskollegiums glaubwürdiger einbringen können.

3.2 Die kollegiale Leitung der Kirche durch die Bischofssynode und die Bischofskonferenzen

Die vom Vaticanum II vollzogene Reintegration des päpstlichen Amtes in das Bischofskollegium und die vom Konzil gelehrte und gelebte Kollegialität sollte auch in der von Papst Paul VI. während des Konzils eingerichteten Bischofssynode vollzogen und wirksam werden. Gegenwärtig stellt die Bischofssynode das einzige regelmäßig tagende Gremium dar, in dem die Bischöfe die Fragen, Probleme und Aufgaben der Kirche miteinander beraten können, wenn man von den nationalen Bischofskonferenzen absieht. Von ihrer Verfassung als reines Beratungsorgan konzipiert, würde es einen Akt der Anerkennung und Förderung der kollegialen

---

[24] G. ALBERIGO, *Für ein zum Dienst an der Kirche erneuertes Papsttum*, in: Concilium, 11. Jg. (1975), S. 513—524 (517).
[25] W. KASPER, *Ist der Papst kein Bischof?* In: Theologische Quartalschrift, 158. Jg. (1978), S. 71—73 (72).
[26] Ebd.

Leitung der Kirche bedeuten, wenn der Papst diesem repräsentativen Gremium des Gesamtepiskopats auch Entscheidungskompetenz für die dem Wohl der Gesamtkirche dienenden Maßnahmen als auch für die Mitplanung und Vorbereitung der Synodenversammlungen übertragen würde. Damit erhielte die Bischofssynode den Status eines kontinuierlichen repräsentativen „Kleinkonzils", wobei Rom eine vor allem koordinierende Funktion zukäme. Ähnliches gilt hinsichtlich der Befugnisse der nationalen und regionalen Bischofskonferenzen. Größere Autonomisierung würde auch hier die Anerkennung der bischöflichen Autorität zum Ausdruck bringen und die Ortskirchenstruktur stützen. Rom darf nicht der Versuchung erliegen, zum Schutz der Katholizität der Kirche vor den anderen innerkirchlichen Partikularismen den eigenen Partikularismus zur Norm zu erheben. Die Katholizität wird vielmehr „durch Inschutznahme jeder vertretbaren Ausgestaltung christlichen Glaubens, Hoffens und Liebens gegenüber anderen ebensolchen Ausgestaltungen, die aber ihre Brüder nicht gelten" lassen, bewahrt[27].

3.3 Die Kurienreform

Überlegungen zur Förderung der kollegialen Leitung der Kirche und zur Stärkung der Eigenständigkeit der Ortskirchen müssen im weiteren eine tiefgreifende Kurienreform einbeziehen, da in ihrer derzeitigen Amtspraxis die Kurie sich eher als eine Erschwerung denn als Hilfe für die Realisierung des Kollegialitätsprinzips erweist. Die von Papst Paul VI. durchgeführte Kurienreform, die die zentrale Position des Staatssekretariates gefestigt und mit der Internationalisierung auch der repräsentativen Vertretung der Weltkirche in den Kurienämtern Rechnung getragen hat, hat die Kurie zweifellos zu einer informierteren und effizienteren Behörde gemacht. Als Institution des Papstes kommen ihr aber nicht nur vermittelnde, koordinierende, sondern weitreichende dirigierende und kontrollierende Funktionen und richterliche Entscheidungskompetenzen zu. Insofern steht die Kurie zwischen Papst und Episkopat. F. Klostermann lehnt eine solche Trennung zwischen Papstamt und Kurie ab. „Es führt ... nicht viel weiter, wenn man sagt: Der Papst ist gut, die Kurie ist schuld. Paul VI. hat selbst diese Unterscheidung, wie mir scheint, mit Recht abgelehnt. Denn es handelt sich nach heutigem Verständnis um die Kurie des Papstes, und es ist wieder die Struktur *seines* Amtes, die es ermöglicht, daß die Kurie so selbständig handeln, Gesetze und Normen geben kann, statt solche nur zu exekutieren, sich über die Diözesen, ja über große Gliedkirchen ganzer Länder einfach hinwegsetzen kann, als wären Bischöfe wirklich nur subalterne, ausführende Verwaltungsorgane"[28]. Selbst wenn man also Papstamt und Kurie als Einheit begreifen will, wird eine Reform des Papstamtes bei der Kurie ansetzen müssen, da auf sie die vielfältigen, sich aus dem Petrusamt ergebenden Aufgaben verteilt sind und von ihr selbständig im Namen des Papstes

---

[27] A. MÜLLER, *Früchte des Geistes nicht nur in vatikanischen Gärten*, in: Papsttum — heute und morgen, a. a. O., S. 127—130 (129).
[28] F. KLOSTERMANN, *Dienst an der Einheit im Glauben*, in: Papsttum — heute und morgen, a. a. O., S. 87—91 (87).

wahrgenommen werden. Eine Kurienreform müßte primär das Ziel verfolgen, diese Institution in den Dienst einer kollegialen Autoritätsausübung zu stellen, d. h. die Kurie in ein Exekutivorgan von Papst und Bischofskollegium umzuwandeln. Die Reform einer Institution, die aus dem Urgrund einer monarchischen Idee des Papsttums gewachsen ist und in der Geschichte das „raffinierteste Instrument der päpstlichen Monarchie"[29] dargestellt hat, ist ein schwieriges Unterfangen, da sie weitgehend von der Bereitschaft ihrer Mitglieder abhängig ist, dieses neue Amtsverständnis zu akzeptieren und zu verwirklichen. Dabei sollte der Grundsatz des USA-Dialoges „Amt und universale Kirche" Anwendung finden, vorgegebene historische Modelle hinsichtlich ihrer Dienstfunktion ernst zu nehmen und auf ihre Verwendbarkeit zu überprüfen. Mit dem Ruf nach Abschaffung der Kurie ist einer kollegialen Leitung der Kirche nicht gedient, da auch sie auf Strukturen angewiesen ist.

3.4 Die Entflechtung päpstlicher Funktionen

Dem Papsttum sind aufgrund geschichtlicher Entwicklungen Aufgaben, Ämter, Rechte und Macht zugewachsen, die heute alle in der Primatsfunktion subsumiert zu sein scheinen: Bischof von Rom, Primas von Italien, Patriarch des Abendlandes Petrusamt für die Gesamtkirche, Oberhaupt eines eigenen Staates.

Das Papstamt erscheint heute als eine umfassende, undifferenzierte Total-rolle[30]. Eine Entflechtung dieser verschiedenen Funktionen könnte zu einer Klärung der mit dem Petrusamt notwendig verbundenen Aufgaben und Rechte des Papstes beitragen. Hinsichtlich eines im vollen Sinne universalkirchlichen, d. h. die nicht-römisch-katholischen Kirchen einschließenden, Petrusamtes könnte die Unterscheidung zwischen „Petrusfunktionen" und „Patriarchenfunktionen" die Grenzen des Petrusamtes für die anderen christlichen Kirchen erkennbar werden lassen. K. Rahner fordert bezüglich dieser Totalrolle des Papstes eine deutliche Erklärung der Theologen und vor allem der Päpste, „was in der Lehre und der

---

[29] G. ALBERIGO, *Für ein zum Dienst an der Kirche erneuertes Papsttum*, a. a. O., S. 520 — zur Kurienreform vgl. G. CERETI — L. SARTORI, *Die Kurie im Dienst eines erneuerten Papsttums*, in: Concilium, 11. Jg. (1975), S. 580—587 — „*Römische Kurie und Gemeinschaft der Kirchen*", Heft 8/9 Concilium, 15. Jg. (1979).

[30] W. KASPER bemerkt hierzu: „Es ist ein geschichtliches Unglück, daß die petrinische Funktion des Bischofs von Rom schon bald verwechselt wurde mit der Administration des römischen Bischofs als Patriarch der lateinischen Kirche und mit dem Versuch, diese patri-archalen Rechte auf die Patriarchate des Ostens auszudehnen durch ein einheitliches Kir-chenrecht, einheitliche Liturgie, einheitliche Besetzung der Bischofsstühle von einer Zentrale aus. All dies ist mit dem Petrusamt nicht gegeben. Würde es sich von diesem historischen Ballast in Zukunft wieder freimachen, so würde es zugleich frei für den Dienst an der größeren Einheit der Kirche." *Dienst an der Einheit und Freiheit der Kirche*, in: *Dienst an der Einheit*, hrsg. von J. RATZINGER, Düsseldorf 1978, S. 81—104 (95 f.) — Zur ge-schichtlichen Entwicklung des Papsttums, siehe: G. SCHWAIGER, *Der päpstliche Primat in der Geschichte der Kirche*, in: Zeitschrift für Kirchengeschichte, 82. Bd. (1971) Vierte Folge, XX., S. 1—15 — DERS.: *Päpstlicher Primat und Autorität der Allgemeinen Konzilien im Spiegel der Geschichte*, Paderborn-München-Wien 1977.

Praxis des römischen Primats wirklich unaufgebbarer Glaubensinhalt ist und was nicht"[31]. In einer dogmatisch möglichen und heute situativ empfehlenswerten Selbstbegrenzung des römischen Primats sieht Rahner den ersten Schritt zur Wiedervereinigung mit den anderen christlichen Kirchen. Viele der geschichtlich gewordenen Vollmachten und Rechte des Römischen Stuhles gehören nicht zum dogmatisch unveräußerlichen Wesen des Primats. Darüber ist sich auch Rom im klaren. „Aber Rom müßte auch deutlich sagen, was dazu nicht gehört und worauf man den Kirchen gegenüber, die eine Union mit Rom suchen, zu verzichten bereit ist"[32].

4. Möglichkeiten einer Reform des Papstamtes aus der Sicht des I. Vatikanischen Konzils

Die nachkonziliare innerkatholische Debatte um die Erneuerung des Papstamtes läuft auf eine „Reaktivierung" der altkirchlichen Communio-Ekklesiologie hinaus. In der Lebensgemeinschaft der Ortskirchen ist dies ohne Selbstbeschränkung der Päpste bezüglich der Ausübung ihrer Primatsgewalt nicht denkbar. Auch innerhalb einer universalkirchlichen Gemeinschaft aller christlichen Kirchen wird das Modell der Communio weitgehend als die der Einheit der Kirche am meisten entsprechende institutionelle Gemeinschaftsform zwischen den Kirchen beurteilt. Die Überlegungen zur künftigen Gestalt des Papstamtes führen an dieser Stelle wieder zum Ausgangspunkt der Arbeit zurück, und die nicht nur von protestantischer Seite erhobene Frage stellt sich verschärft. Welchen Entfaltungsraum lassen die Papstdogmen überhaupt noch für ein nichtzentralistisches Kirchenverständnis offen? Aber auch hier läßt sich von hermeneutischen Aspekten, die sich vom Selbstverständnis des I. Vaticanum nahelegen, eine situationsgemäße Gestaltung der kirchlichen Strukturen und Ämter begründen. Auf diesen Aspekt im Selbstverständnis des Vaticanum I hat H. J. Pottmeyer aufmerksam gemacht[33]. Eindeutig versteht das Konzil seine Beschlüsse als Reaktion auf eine die Kirche von innen und außen bedrohende Situation, worauf in der Konstitution „Pastor Aeternus"

---

[31] K. RAHNER, *Offene Fragen in der Lehre vom päpstlichen Primat,* in: Una Sancta, 34. Jg. (1979), S. 44—47 (44).

[32] Ebd. — H. J. POTTMEYER möchte die Jurisdiktion des Papstes und sein unfehlbares Lehramt nicht nur als Frage der Entscheidungsbefugnis sehen, sondern auch in ihrem Vorgangscharakter. Von daher drängt sich die Unterscheidung von rechtlicher Befugnis und der Art und Weise ihrer Ausübung, von essentia iuris und usus iuris, auf. (H. J. POTTMEYER, *Unfehlbarkeit und Souveränität,* Mainz 1975, S. 426).

[33] H. J. POTTMEYER, *Der historische Hintergrund der Aussagen des I. Vatikanischen Konzils über den Jurisdiktionsprimat des Papstes,* in: Una Sancta, 34. Jg. (1979), S. 48—55 — vgl. auch: DERS., *Die Bedingungen des bedingungslosen Unfehlbarkeitsanspruchs,* in: Theologische Quartalschrift, 159. Jg. (1979), S. 92—109 — Zur Wirkungsgeschichte des I. Vatikanischen Konzils siehe: O. H. PESCH, *Bilanz der Diskussion um die vatikanische Primats- und Unfehlbarkeitsdefinition,* in: *Papsttum als ökumenische Frage,* hrsg. von der ARBEITSGEMEINSCHAFT ÖKUMENISCHER UNIVERSITÄTS-INSTITUTE, München-Mainz 1979, S. 159—211.

an drei Stellen hingewiesen wird. In der Einleitung nennt das Konzil die tägliche Bedrohung der Grundmauern der Kirche durch die Pforten der Unterwelt. Dies sei der Anlaß, warum die Kirche sich auf jenes Fundament besinnen müsse, auf dem die Kraft und Festigkeit der Kirche beruhe, den Primat des Petrus und seiner Nachfolger. Im 2. Kapitel findet sich der Hinweis, daß der freie Verkehr zwischen dem Papst und den Diözesen nicht behindert werden dürfe, und weiter heißt es, daß der Papst der oberste Richter aller Gläubigen sei und seine Urteile inappellabel seien, weshalb eine Appellation an das Konzil unmöglich sei[34]. Die einseitigen Akzente der Konzilsbeschlüsse: 1. Die Überbetonung des jurisdiktionellen Moments, 2. Die Unterbewertung der Hirtengewalt der Bischöfe, 3. Die Unfehlbarkeit des päpstlichen Lehramtes „aus sich und nicht auf Grund der Zustimmung der Kirche", können — so Pottmeyer — aus den historischen Bedingungen des I. Vatikanischen Konzils erklärt werden[35]. Die vom Konzil legitimierte Kirchenordnung und Kirchenpraxis sollte angesichts dieser Bedrohung der „unitas fidei et communionis" — wie es im Konzilstext heißt — am besten dienen. Damit hat Pottmeyer zufolge das Konzil „den wirksamen Dienst an der ‚unitas fidei et communionis' als Kriterium jeder Kirchenordnung anerkannt"[36]. Hieraus ergibt sich für ihn die Konsequenz, für den Fall einer anderen Situation der Kirche, in der eine andere Kirchenordnung und Autoritätspraxis sich für die Einheit des Glaubens und der Gemeinschaft der Kirche nützlicher erweise, „die aufgrund der Schrift und der Tradition nicht weniger legitim wäre", sei die Kirche aus der Treue zum I. Vatikanum verpflichtet, die Kirchenordnung dieses Konzils „hinter sich zu lassen"[37]. Man muß also gar nicht die die Einseitigkeiten des Vaticanum I korrigierenden Absichten und Aussagen des Vaticanum II bemühen, um die Legitimität einer neuen Kirchenordnung zu erhärten; die Texte des I. Vatikanischen Konzils selbst können solche Legitimation stützen.

In Kapitel III von „Pastor Aeternus" wird ein Kriterium zum Verständnis des Primats genannt, das ebenfalls Anlaß sein könnte, die Beziehungen zwischen Papst und Episkopat zu überdenken. Es heißt dort: Die ordentliche und unmittelbare Gewalt der Bischöfe „wird vielmehr vom obersten und allgemeinen Hirten anerkannt, gefestigt und verteidigt, wie schon der heilige Gregor der Große sagte: Meine Ehre ist die Ehre der gesamten Kirche. Meine Ehre ist die volle Lebenskraft meiner Brüder. Dann bin ich in Wahrheit geehrt, wenn allen einzelnen die schuldige Ehre erwiesen wird"[38]. Die Aufnahme dieses Zitats von Papst Gregor dem Großen (590—604) in den Konzilstext kann um so weniger als freundliche Geste an die Konzilsväter interpretiert werden, wenn man sich seinen geschichtlichen Sitz vor Augen hält. H. Küng hat schon auf die sonderbare Tatsache hingewiesen, daß das Vaticanum I ausgerechnet Gregor den Großen in einer Definition des Juris-

---

[34] *Pastor Aeternus* zit. n. POTTMEYER, *Der historische Hintergrund* ..., a. a. O., S. 50.
[35] POTTMEYER, *Der historische Hintergrund* ..., a. a. O., S. 49 f.
[36] Ebd., S. 55.
[37] Ebd.
[38] DS 3061.

diktionsprimats des „höchsten und universalen Hirten" zitiert[39]. So erscheint die Aussageabsicht Gregors im Text des Vaticanum I entstellt. Der ursprüngliche Kontext ist folgender. In einem Brief an den Patriarchen Eulogios von Alexandrien weist Gregor die ihm zuteil gewordene Anrede „universalis papa" zurück. Er wünscht auch nicht, daß sein Schreiben als jurisdiktionelle „iussio" verstanden wird. Zum richtigen Verständnis des Gregor-Textes müssen hier die vom Konzil nicht zitierten vorausgehenden Sätze angeführt werden. „Ich habe nicht befohlen, sondern auf das, was mir nützlich erschien, hinzuweisen versucht ... Ich halte das nicht für eine Ehre, von dem ich weiß, daß es meinen Brüdern die Ehre raubt"[40]. Darauf folgen die im Konzilstext zitierten Sätze, und daran schließt sich eine Feststellung Gregors bezüglich der Verwendung neuer Titel an. „Fort mit den Worten, welche die Eitelkeit aufblähen und die Liebe verletzen"[41].

Das Vaticanum I hat somit den eigentlichen Gehalt dieses Gregor-Textes nicht tradiert: die Ablehnung des Titels „universaler Papst"[42] wegen seiner die übrigen Bischöfe herabsetzenden Anmaßung[43]. Die Bewußtmachung dieses Sachverhaltes könnte zu der Überlegung führen, ob nicht eine andere Ordnung der Kirche „die volle Lebenskraft meiner Brüder" und die den Brüdern „schuldige Ehre" mehr fördern kann, als es eine zentralistische Kirchenordnung gewährleisten kann.

---

[39] H. KÜNG, Die Kirche, Freiburg-Basel-Wien 1967, S. 551.
[40] GREGOR d. GR., Ep. ad Eulogium episcopum Alexandrinum; PG 77, 933, zit. n. H. KÜNG, Die Kirche, a. a. O., S. 551.
[41] Ebd.
[42] Zur Geschichte der Papsttitel vgl. Y. CONGAR, Titel, welche für den Papst verwendet werden, in: Concilium, 11. Jg. (1975), S. 538—544.
[43] Aus dem gleichen Grund hatte Gregor der Große den Bischof Johannes von Konstantinopel, der sich den Titel episcopus oecumenicus beilegte, in einem Brief mit scharfen Worten gerügt und zum Verzicht auf diesen Titel aufgefordert. „Euere Brüderlichkeit erinnert sich daran, welchen Frieden und welche Eintracht zwischen den Kirchen Ihr bei Euerer Erhebung zur bischöflichen Würde vorfandet. Jetzt aber wagt Ihr, ich weiß nicht mit welcher Selbstüberhebung, einen neuen Namen anzunehmen, der allen Mitbrüdern zum Ärgernis gereichen kann. ... Bedenke, ich bitte Dich, daß durch diese frevelhafte Anmaßung der Friede in der ganzen Kirche gestört wird und der Gnade, die über uns alle ausgegossen ist, Widerstand entgegengesetzt wird. In ihr könntest Du so zunehmen, wie Du nur willst; und Du wirst um so größer sein, je mehr Du Dich von dem stolzen und törichten Namen fernhältst. Um so größer bist Du, je weniger Du Deine Mitbrüder erniedrigst und Dich selbst erhöhst. ... Was wirst Du Christus, dem Haupte der ganzen Kirche, beim Jüngsten Gerichte antworten, wenn Du alle seine Glieder Dir durch den Titel eines ökumenischen Bischofs unterordnen willst? ... Sind etwa nicht, wie Eure Brüderlichkeit weiß, durch das ehrwürdige Konzil von Chalcedon die Bischöfe dieses apostolischen Stuhles, dem ich nach Gottes Anordnung diene, mit dem Namen „allgemeiner Bischof" geehrt worden? Aber keiner wollte je mit diesem Namen genannt werden; keiner hat sich diesen Namen beigelegt, damit es nicht aussehe, als wolle er allen Brüdern die Ehre verweigern, indem er die Ehre allein für sich in Anspruch nahm." (Brief an Johannes, Bischof von Konstantinopel, zit. n.: Bibliothek der Kirchenväter, Eine Auswahl patristischer Werke in deutscher Übersetzung, Zweite Reihe Band IV, Des Heiligen Papstes und Kirchenlehrers Gregor des Großen ausgewählte Schriften, I. Bd., hrsg. von O. BARDENHEWER u. a., München 1933, S. 284—293 (hier S. 284—288).

In Kapitel I dieser Arbeit ist unter dem Punkt „Die Konzilsdebatten über den päpstlichen Primat als Verständnishilfen der Konzilsentscheidungen" aufgezeigt worden, daß trotz der absolutistischen Note in der Definition des Jurisdiktionsprimates das Vaticanum I kein Autoritätsmonopol des Papstes definiert hat, sondern daß der organische Zusammenhang von Papat und Episkopat seitens der Glaubensdeputation in den Debatten bestätigt worden ist. Der Verzicht, diesen organischen Zusammenhang, das Zusammenwirken von Papat und Episkopat angemessen zum Ausdruck zu bringen, ist der situativen Bedingtheit des Konzils zuzuordnen, der Absicht, episkopalistischen Tendenzen endgültig einen Riegel vorzuschieben.

Neben den aus dem Selbstverständnis des Vaticanum I sich ergebenden Kriterien für eine Neuinterpretation der Definitionen zum Papstamt unterliegt das Konzil und seine Formulierungen allgemeinen dogmenhermeneutischen Prinzipien. Die hermeneutische Grunderkenntnis der „Geschichtlichkeit" und die daraus resultierende Vorläufigkeit und Unabgeschlossenheit von Glaubenssätzen machen ihre Verdeutlichung und Aktualisierung von der Mitte des Glaubens unter veränderten Fragestellungen immer wieder erforderlich[44].

5. Offene Fragen

Im Verständnis des päpstlichen Primates zeichnet sich eine Annäherung zwischen protestantischen und katholischen Theologen ab, wobei aber festzuhalten ist, daß die protestantischen Stellungnahmen zum Papstamt prospektiven Charakter haben, die sich auf eine zukünftige Gestalt des Papstamtes beziehen. In anderer Weise ist katholischerseits das Verständnis des Papstamtes in Bewegung geraten, wenn heute eine mehr am Gedanken der Communio-Ekklesiologie orientierte Praxis des päpstlichen Amtes reflektiert und skizziert wird, wenn vor allem der geistliche Charakter des Papstamtes gegenüber einer vorwiegend juridischen Ausübung in den Vordergrund gestellt wird, wenngleich damit das juridische Element nicht eliminiert werden soll. Jedenfalls wird es als möglich angesehen, daß der Amtsstil des Papstes Formen annehmen kann, die mit der von Vaticanum I legitimierten Praxis scheinbar nur noch wenig gemeinsam haben[45]. Die Papstfrage ist somit in protestantischer und katholischer Theologie neu aufgebrochen, wenn auch in unterschiedlicher Weise.

---

[44] Zu Fragen der Dogmenhermeneutik siehe: J. FINKENZELLER, *Glaube ohne Dogma?* Düsseldorf 1972 — L. SCHEFFCZYK, *Dogma der Kirche — heute noch verstehbar?* Berlin 1973. — W. KASPER, *Geschichtlichkeit der Dogmen,* in: Stimmen der Zeit, 92. Jg. (1967), S. 401—416 — K. RAHNER, *Überlegungen zur Dogmenentwicklung,* in: *Schriften zur Theologie, Bd. IV,* Einsiedeln-Zürich-Köln 1960, S. 11—50.

[45] K. RAHNER, *Grundsätzliche Bemerkungen zum Thema: Wandelbares und Unwandelbares in der Kirche,* in: DERS., Schriften zur Theologie, Bd. X, Einsiedeln-Zürich-Köln 1972, S. 241—261 (255).

5.1 Pragmatische Begründung des Petrusamtes?

Hinsichtlich der Begründung des Petrusamtes innerhalb der protestantischen und katholischen Theologie der Gegenwart besteht eine prinzipielle Differenz. Gegenüber einer theologischen Fundierung dieses Amtes auf der katholischen Seite beschreiten protestantische Theologen einen anderen Weg, der zur Anerkennung und Zustimmung für ein vom Papst wahrgenommenes Petrusamt führen kann. Es sind, das betonen einige protestantische Theologen ausdrücklich, pragmatische Aspekte, die sie einen universal-kirchlichen Dienst des Papstes erwägen lassen. Der pragmatische Ansatz ruht jedoch auf der durch die ökumenische Bewegung gewachsenen theologischen Einsicht, daß die Einheit der Kirche Christi auch einer sichtbaren Darstellung bedarf. Pragmatisch ist der protestantische Ansatz insofern, als der Entscheid für einen Petrusdienst des Papstes sich am Kriterium der Effizienz orientieren würde, an der Frage, ob dieses Amt geeigneter als andere Einheitsinstitutionen wäre, um die universale Communio der christlichen Kirchen wirksam darzustellen, zu fördern und zu sichern. Von hierher wird dann deutlich, daß im Falle einer Anerkennung eines päpstlichen Pastoralprimates ein tatsächlicher Integrationsdienst des Papstes erforderlich ist. Hier soll nicht mit freundlichen Worten nur ein letztlich zur Wirkungslosigkeit verurteilter Petrusdienst als akzeptabel deklariert werden. Gegenüber solchen Tendenzen innerhalb der Papstdiskussion wird katholischerseits auf das neutestamentliche Amtsverständnis verwiesen. Ein ‚Petrus‘ ohne Vollmacht ist vom Neuen Testament gerade nicht denkbar. „Das neutestamentlich verstandene Amt ist Dienst am Evangelium von der Freiheit. Es schließt deshalb alle die Freiheit unterdrückende Macht unbedingt aus, es schließt aber geistliche Vollmacht (exousia) im Dienst der Freiheit unbedingt ein"[46].

Der pragmatische Entscheid für die Möglichkeit eines päpstlichen Petrusdienstes für die protestantischen Kirchen basiert auf der Anerkennung des geschichtlich gewachsenen, die Einheit sichernden Dienstes des Bischofs von Rom, der aber nicht als zwingend begriffen wird, da neben dem römischen Bischofsamt andere Institutionen diese Funktion gleichfalls erfüllt haben. H. J. Pottmeyer möchte diesen pragmatischen Ansatz nicht einfach als „nicht ausreichend" zurückweisen. Er hält diesen Ansatz für durchaus legitim. Denn eine vorbehaltlose Zustimmung zum päpstlichen Primat sei für den evangelischen Partner gar nicht möglich, da diese zum gegenwärtigen Zeitpunkt einer Festlegung auf ein seit dem 19. Jahrhundert ausgebildetes und heute noch wirksames Verständnis des Primats und seiner Praxis gleichkäme, das in der römisch-katholischen Kirche selbst umstritten sei[47].

H. Fries plädiert dafür, von den evangelischen Christen nicht die Anerkennung der katholischen exegetischen Begründung oder die Übernahme der Zeugnisse für die historische Perpetuität in der Fortdauer dieses Amtes zu fordern, andererseits

---

[46] W. KASPER, *Dienst an der Einheit und Freiheit der Kirche*, a. a. O., S. 92.
[47] H. J. POTTMEYER, *Das Petrusamt — Amt und Charisma*, in: Una Sancta, 31. Jg. (1976), S. 299—309 (300 f.).

hält er eine nur pragmatische Begründung für eine theologische Begründung für unzureichend[48]. Das Problem einer gemeinsamen theologischen Begründung für ein Petrusamt des Papstes bleibt somit strittig, wo über eine biblische und historische Legitimation hinaus der dogmatische Anspruch der Notwendigkeit dieses päpstlichen Petrusamtes erhoben wird. In dieser Hinsicht ist der Konsens mit den Anglikanern bezüglich des Verständnisses des Primats nicht weiter vorangeschritten als mit den Lutheranern und Reformierten. Auch hier basiert die Möglichkeit einer Anerkennung des päpstlichen Primats primär auf der historischen Rolle Roms für die Einheit der Kirche[49].

5.2 Die Erneuerung des Papstamtes unter dem Evangelium

A. Brandenburg sieht nicht zuletzt in den Begriffen „Evangelium" und „Papsttum" die derzeitige ökumenische Bewegung kristallisiert[50]. In der Tat lassen sich fast alle Anfragen an das Papsttum auf diese Verhältnisbestimmung von Evangelium und Papsttum reduzieren. Auf die Fragen: Dient der Papst dem Evangelium? Ist der Papst an das Evangelium gebunden? Ist der Papst dem Evangelium unterstellt trotz des Anspruches autoritativer Auslegung? Übt der Papst sein Amt in einer Weise aus, die die Freiheit des Evangeliums schützt und die Treue zu ihm fördert? „Erneuerung unter dem Evangelium" wird als die „conditio sine qua non" der Anerkennung eines Papstprimates vorgetragen. Auf der Theorieebene sind diese Fragen schon vom II. Vatikanischen Konzil durch die Klarstellung des Dienstcharakters jeglichen Amtes in der Kirche beantwortet worden. Die Dienstämter sind eingesetzt, um „Gottes Volk zu weiden und immerfort zu mehren"[51]. Die Verhältnisbestimmung von Evangelium und Amt ist somit vom Konzil her eindeutig. Vom Lehramt sagt es: „Das Lehramt ist nicht über dem Wort Gottes, sondern dient ihm, indem es nichts lehrt, als was überliefert ist . . ."[52] Das ständige Verwiesensein des Amtes an das Evangelium ist eigentlich ein katholisches Uranliegen, das im Bewußtsein der Kirche allerdings durch die Jahrhunderte hindurch in unterschiedlicher Intensität lebendig war. Insofern sich die Reformkriterien mit den im USA-Dialog „Amt und universale Kirche"festgehaltenen Kriterien decken, könnte von einem Konsens zwischen protestantischen und katholischen Theologen bezüglich der Kriterien der Eneuerung des Papstamtes gesprochen werden, wie die oben angeführten katholischen Aspekte der Reform des obersten kirchlichen Leitungsamtes belegen. Verstärkte Ausübung des römischen Hirtenamtes, Anerkennung und Sicherung legitimer Vielfalt, Verwirklichung des Kollegialitätsprinzips sind nicht nur Anliegen für eine evangeliumsgemäßere

---

[48] H. FRIES, *Das Papsttum als ökumenische Frage*, in: DERS., *Glaube und Kirche als Angebot*, Graz-Wien-Köln 1976, S. 280—314 (310).

[49] Vgl. Kap. IV: Venedig-Erklärung; Stellungnahmen zur Venedig-Erklärung.

[50] A. BRANDENBURG, *Evangelium und Papsttum*, in: *Petrus und Papst*, Bd. I, hrsg. von A. BRANDENBURG und H. J. URBAN, Münster 1977, S. 255—265 (255).

[51] *Lumen Gentium*, a. a. O., S. 211.

[52] *Dei Verbum*, in: *LThK, Das II. Vatikanische Konzil*, a. a. O., S. 529.

Wahrnehmung der Primatsgewalt innerhalb der römisch-katholischen Kirche, sondern diese Anliegen bilden auch das notwendige Fundament für einen universalkirchlichen Dienst des Papstes. Letzterer wäre allerdings ein dem Evangelium unangemessener Dienst, wenn ihm jegliche Vollmacht fehlen würde. Selbstbeschränkung des Papstes in der Ausübung des Jurisdiktionsprimates ist nicht nur hinsichtlich einer universalkirchlichen Funktion notwendig, sondern auch innerhalb der römisch-katholischen Kirche, um das Kollegialitätsprinzip zur Entfaltung zu bringen. Gleiches gilt für die Verdeutlichung des päpstlichen Petrusamtes als Pastoralprimat, womit vollmächtiges Handeln nicht ausgeschlossen ist.Allerdings wird gerade dort, wo ein administrativer Dienst des Papstes für die Bewahrung der Einheit des Glaubens und der Gemeinschaft unverzichtbar ist, gesehen werden müssen, daß Administration nicht das Proprium des Petrusamtes darstellt. Das Eigentliche des Petrusdienstes liegt dagegen im geistlichen, sakramental-zeichenhaften Dienst an der Einheit[53]. „Wenn man das Petrusamt als einen wirksamen Dienst an einer einigen Christenheit wünscht, wird man nicht gering von ihm denken dürfen. Weder ein bloß repräsentierender Ehrenprimat noch seine Einschränkung auf ein ausführendes Organ synodaler Gremien wird dem Petrusdienst gerecht, den man von ihm erwartet. Universalität kann nicht durch Unverbindlichkeit erkauft werden"[54].

Wenn die getrennten Kirchen sich auf einen Einheitsdienst des Papstes als Repräsentanten der gesamten Christenheit, als Mittler, Initiator, Organisator, Sprecher und Richter in Streitfragen einer eucharistischen Gemeinschaft wiederversöhnter Kirchen verständigen wollen, wird die Klärung der universalkirchlichen Vollmachten dieses Dienstes eine zentrale Aufgabe sein müssen. Wie eine solche Gemeinschaft wiederversöhnter Kirchen aussehen könnte, ist in den letzten Jahren vorwiegend von protestantischer Seite durchdacht worden. Katholischerseits hat Bischof H. Tenhumberg ein Modell solcher Gemeinschaft versöhnter Kirchen im Jahre 1974 vorgestellt[55].

5.3 Das Modell: Kirchliche Union bzw. korporative Wiedervereinigung

Das Ziel aller ökumenischen Bestrebungen besteht für H. Tenhumberg in einer kirchlichen Union bzw. einer korporativen Wiedervereinigung. Konfessionelle Eigenheiten, bei denen es sich um Ausprägungen eines echten christlichen Glaubens handelt, müssen als Reichtümer in die neue kirchliche Einheit eingebracht werden[56]. Korporative Wiedervereinigung ist nicht als Fusion der Konfessionen zu verstehen, eine Einebnung der gewachsenen Formen kirchlichen Lebens darf nicht die Folge der Wiedervereinigung sein. Tenhumberg legt Wert auf die Feststellung,

---

[53] W. KASPER, *Dienst an der Einheit und Freiheit der Kirche*, a. a. O., S. 81.

[54] H. J. POTTMEYER, *Das Petrusamt — Amt und Charisma*, a. a. O., S. 309.

[55] H. TENHUMBERG, *Kirchliche Union bzw. korporative Wiedervereinigung*, in: *Kirche und Gemeinde* (Festschrift für H. Thimme), hrsg. von W. DANIELSMEYER und C. H. RATSCHOW, Witten 1974, S. 22—33.

[56] H. TENHUMBERG, a. a. O., S. 24.

daß seiner Überzeugung nach „die Formen kirchlichen Lebens, die über Jahrhunderte hin gewachsen sind und sich als geistlich fruchtbar erwiesen haben, von Gott gesegnet sind"[57]. Damit soll nicht der Status quo der Trennung gebilligt werden, vielmehr muß eine „sanatio" durch „Zusammenfügung" der getrennten Kirchen erfolgen, die aber als verschiedene Kirchen weiterhin bestehen bleiben. Als wichtigen Schritt auf dem Weg zur Wiedervereinigung wünscht sich Tenhumberg die Profilierung der je eigenen Gnadengaben einer Konfession. Durch solche Profilierung des Eigenen wird wechselseitige Rezeption erst möglich. Kenntnis, Anerkenntnis und Wertschätzung der Charismen der anderen Kirchen wird dann zu zunehmender Konvergenz bei gleichzeitig vertiefter Identitätsfindung in der gesamten Christenheit führen. Weitere Schritte für eine „sanatio" der Trennung sind partielle und regionale Vereinbarungen zwischen den Kirchen[58].

In solchen Stufen müßten die heute unlösbar erscheinenden Fragen einer Klärung zugeführt werden. In den Jahren nach dem Konzil ist katholischerseits Erneuerung im apostolischen Amt und in der Verkündigung geschehen. Für Tenhumberg erhebt sich hier die Frage, ob nicht die protestantische Absage an das katholische Petrus-Amt überwindbar sein müßte. Ausgangspunkt für eine Überwindung des Dissenses in der Petrusamtsfrage ist für Tenhumberg die Unterscheidung von Kernaussagen und Entfaltungen der kirchlichen Lehre. Er zitiert an dieser Stelle die Synodenvorlage über „Pastorale Zusammenarbeit der Kirchen". Es „ist jedoch zu fragen, inwieweit es für die Einheit im Glauben unerläßlich ist, daß sämtliche Entfaltungen und Ableitungen, die in der Geschichte des Glaubens und der Dogmen aus der Offenbarung erhoben wurden, von allen Christen in gleicher Weise bejaht werden müssen. Die katholische Kirche verlangt das selbst von ihren Mitgliedern nicht, sondern begnügt sich mit der einschlußweisen Zustimmung zum Glauben der Kirche. Eine Einigung im Glauben ist dort nicht möglich, wo eine Kirche sich genötigt sieht, eine verbindliche Lehre der anderen als dem Evangelium widerstreitend zu verurteilen. Im Gespräch zwischen den Kirchen und kirchlichen Gemeinschaften ist jedoch zu prüfen, ob eine Einigung im Glauben in der Weise möglich ist, daß eine Kirche die besondere Tradition der anderen als legitime Entfaltung der Offenbarung respektieren und anerkennen kann, auch wenn sie diese für sich selbst nicht übernehmen will"[59].

---

[57] Ebd., S. 25.

[58] Ebd., S. 25 f. — Die Gemeinsame Synode der Bistümer in der Bundesrepublik Deutschland formuliert das ökumenische Ziel folgendermaßen: „Es ist jedoch berechtigt, in der Vielheit der Traditionen der verschiedenen Konfessionen auch eine legitime Vielfalt zu erkennen und positiv zu werten. Die Synode hofft auf eine Entwicklung, in der bisher kirchentrennende Gegensätze abgebaut und überwunden und bisher getrennte Kirchen und kirchliche Gemeinschaften zu Trägern solcher Vielfalt der einen Kirche Jesu Christi werden." *Pastorale Zusammenarbeit der Kirchen im Dienst an der christlichen Einheit*, in: *Gemeinsame Synode der Bistümer in der Bundesrepublik Deutschland. Offizielle Gesamtausgabe I.* Freiburg-Basel-Wien 1976, S. 785).

[59] Vorlage der *Sachkommission X der Gemeinsamen Synode der Bistümer der Bundesrepublik Deutschland* über *„die pastorale Zusammenarbeit der Kirchen"*, Nr. 3.22, Manuskript 1. Lesung, überarbeitete Fassung; abgedruckt in dem Heft 9 a „Pastorale Zusam-

Diese Überlegungen wendet Tenhumberg nun auf die Papstfrage an und entwickelt eine Lösungsmöglichkeit dergestalt, „daß die evangelische Seite den Fortbestand des biblisch bezeugten Petrusamtes im Bischof von Rom anerkennt, während die römisch-katholische Kirche nicht darauf besteht, daß die Praxis des Jurisdiktionsprimates, wie sie sich bei ihr herausgebildet hat, in gleicher Weise auf die reformatorischen Teilkirchen ausgedehnt wird"[60]. Den Verzicht auf eine volle Übernahme des Jurisdiktionsprimates begründet Tenhumberg mit den zahlreichen, mit Jurisdiktionsvollmacht verbundenen, im Papstamt zusammenfließenden Funktionen des Bischofs von Rom. Aus diesen zahlreichen Funktionen soll das Petrus-Amt ausgegliedert und von den protestantischen Kirchen anerkannt werden. Dem Bischof von Rom käme Kompetenz des „Petrus-Amtes" für die Gesamtkirche zu. Ein Vorwärtskommen in dieser Frage sei nur dann möglich, wenn Klarheit darüber gewonnen werde, was bezüglich der praktischen Handhabung des Primats dem göttlichen, und was dem menschlichen Recht zuzuordnen sei. Im Fall der Wiedervereinigung sollen die Leiter der großen reformatorischen Kirchen den Rang von Patriarchen erhalten. Tenhumbergs Modell zufolge stünden dann gleichrangig nebeneinander der Patriarch des Abendlandes, Patriarchen des Ostens und Patriarchen der reformatorischen Kirchen. Eine solche Lösung hält Tenhumberg auch aufgrund einer vom II. Vaticanum anerkannten Hierarchie der Wahrheiten für möglich[61].

Das Prinzip der hierarchia veritatum wird im Ökumenismusdekret Art. 11 angeführt. Innerhalb der Lehre gibt es eine Rangordnung der Wahrheiten nach dem Grad ihres Zusammenhangs mit dem Fundament oder der Mitte des Glaubens. Unter dieser Hinsicht steht das Papstamt nicht im Zentrum des Glaubens. Die Mitte des Glaubens ist das Heilsereignis in Jesus Christus, ist Jesus Christus selbst. Kirche, Sakramente und Amt sind Fragen, die nicht zur Ebene des Heilszie-

---

menarbeit der Kirchen", hrsg. von der „Arbeitsgemeinschaft der Synodalbüros", 1973, S. 13. —

Zum Vergleich ist hier die endgültige Textfassung des Ökumene-Beschlusses angeführt, die gegenüber der von Tenhumberg zitierten Vorlage — bei leichten Änderungen im Wortlaut — keine inhaltlichen Differenzen enthält: „wo es sich um Offenbarung Gottes handelt, ist das Ja eines umfassenden Glaubens unbedingt gefordert. Das sagt die Kirche in ihrer ordentlichen und außerordentlichen Lehrverkündigung aus, und dem ist sie selbst unterworfen. Deshalb ist eine Einigung im Glauben nicht möglich, wo eine Kirche sich genötigt sieht, eine verbindliche Lehre der anderen als der Offenbarung widerstreitend abzulehnen. Andererseits verlangt die katholische Kirche von ihren Mitgliedern nicht, daß sie alle Ausprägungen und Ableitungen in der Geschichte des gelehrten und gelebten Glaubens in gleicher Weise bejahen. Noch weniger erwartet sie dies von den anderen Christen. Hier öffnet sich ein breites Feld ökumenischer Möglichkeiten, das im Gespräch mit den Kirchen zu studieren ist. Dabei ist auch zu prüfen, inwieweit eine Einigung in der Weise möglich ist, daß eine Kirche die Tradition der anderen als zulässige Entfaltung der Offenbarung respektieren und anerkennen kann, auch wenn sie diese für sich selbst nicht übernehmen will." *Pastorale Zusammenarbeit der Kirchen im Dienst an der christlichen Einheit*, a. a. O., Nr. 3.2.3, S. 780 f.

[60] TENHUMBERG, a. a. O., S. 30.
[61] Vgl. *Unitatis Redintegratio*, a. a. O., S. 87—89.

157

les, sondern der Heilsmittel gehören. Hieraus wird deutlich, daß einzelne Wahrheiten, unbestritten einer Unteilbarkeit der Wahrheit, einen unterschiedlichen Stellenwert im Gesamtgefüge der Glaubenswahrheiten erhalten. Für die Frage der Gemeinschaft zwischen den getrennten Kirchen heißt das, daß Gemeinschaft dort unmöglich wird, wo in den Fragen, die das Glaubensfundament betreffen, kein Konsens besteht. Daß die Lehre über das Papstamt nicht zu den Fundamenten des Glaubens gehört, beweist das Vaticanum II, wenn es die Möglichkeit der Eucharistiegemeinschaft mit der orthodoxen Kirche für möglich erachtet, obwohl über die Dogmen des I. Vaticanum bezüglich des Papstamtes keine Einigung besteht.

In ähnlicher Weise wie H. Tenhumberg hat J. Ratzinger klargestellt, daß die Primatsgestalt des 19. und 20. Jahrhunderts nicht die einzig mögliche sei und nicht für alle Christen notwendige sein kann[62]. „Der Anspruch der Wahrheit darf nicht erhoben werden, wo er nicht zwingend und unverrückbar gilt. Es darf nicht als Wahrheit auferlegt werden, was in Wirklichkeit geschichtlich gewachsene Form ist, die mit der Wahrheit in einem mehr oder weniger engen Zusammenhang steht"[63]. Im Hinblick auf eine Wiedervereinigung mit der Orthodoxie hält Ratzinger eine Gemeinschaft auf der Basis der Primatsgestalt des 1. Jahrtausends für ausreichend. Der Osten soll darauf verzichten, die Entwicklung der Westkirche im 2. Jahrtausend als häretisch zu bekämpfen und die katholische Kirche als rechtmäßig und rechtgläubig akzeptieren, während der Westen die kirchliche Gestalt der Orthodoxie als rechtgläubig und rechtmäßig anerkennen soll[64].

In die gleiche Richtung konzipiert W. de Vries die Strukturen der Versöhnung, wenn er die Frage stellt, warum die legitime weitgehende Autonomie der Ostkirchen im 1. Jahrtausend heute der Glaubenswahrheit vom Papstprimat widersprechen soll[65]. H. Fries möchte die Konfessionen als Ausdruck von Ökumene verstehen. Dabei kann es „nicht darum gehen, Ökumene statt Konfessionen zu sagen und Konfessionen durch Ökumene zu ersetzen, sondern darum, die Konfessionen nicht in den kontroversen Gegensatz, sondern in eine positive Zuordnung zur Ökumene zu bringen"[66]. Wenn man angesichts dieser Modelle der Gemeinschaft, seien sie nun im Blick auf die protestantischen Kirchen oder die orthodoxen Kirchen formuliert, nach dem zugrunde liegenden Erkenntnisprinzip sucht, so geht es immer um das gleiche Bemühen, Lehre und Leben der je anderen Kirche vom Evangelium her als legitime Darstellung und Entfaltung zu erkennen und geschichtlich bedingte Verabsolutierungen abzubauen.

---

[62] J. RATZINGER, *Prognosen für die Zukunft des Ökumenismus,* in: Ökumene, Konzil, Unfehlbarkeit, hrsg. im Auftrag von PRO ORIENTE, Innsbruck-Wien-München 1979, S. 208—215 (211).

[63] Ebd.

[64] Ebd., S. 212.

[65] W. DE VRIES, *Der Primat als ökumenische Frage,* in: Ostkirchliche Studien, 25. Jg. (1976), S. 273—284 (283).

[66] H. FRIES, *Stellenwert der kontroverstheologischen Fragen in der Ökumene heute,* in: DERS., Ökumene statt Konfessionen? Frankfurt/M. 1977, S. 104—136 (119).

Schlußüberlegungen

Am Ende dieser Arbeit ein konkretes Ergebnis festhalten zu wollen, ist leicht und schwierig zugleich. Angemessener ist es allerdings, von Zwischenergebnissen zu sprechen; denn diesen Ergebnissen abschließenden Charakter zu verleihen, wäre wohl verfrüht. Die protestantischen Überlegungen über ein Petrusamt, das der Papst auch für die protestantischen Kirchen wahrnehmen könnte, befinden sich nämlich noch im Anfangsstadium.

Die Papstfrage ist zunächst einmal in Bewegung geraten. Letzteres gilt, wie oben gezeigt, gleichermaßen für die katholische Theologie und Kirche; ein Grund mehr, um angesichts des umfassenden Materials des ökumenischen Papstdialoges die Beantwortung dieses Problems in der protestantischen und in anderer Weise in der katholischen Theologie für offen zu halten. Der derzeitige Gesprächsstand kann in die spannungsreiche Aussage gefaßt werden: Obwohl der Jurisdiktionsprimat weiterhin strittig bleibt, hat der ökumenische Dialog in dieser Frage dennoch weitreichende Teilkonsense erzielt. Teilkonsense deshalb, weil ein päpstlicher Petrusdienst, der die protestantischen Kirchen einschließt, als denkbar und sinnvoll erscheint, ohne daß Konsens hinsichtlich der lehramtlichen römisch-katholischen Begründungen für das Petrusamt des Papstes besteht. Protestantische Theologen finden einen Zugang zum Papstamt, der außerhalb der Begründungen des I. Vatikanischen Konzils für dieses liegt. Aus diesem Grunde kann auch nicht gesagt werden, daß protestantische Theologen die Anerkennung *des* Papstprimats erwägen, sondern *eines* Papstprimats. Anerkennung eines Papstprimats protestantischerseits schließt weiterhin das Argument einer absoluten Notwendigkeit eines päpstlichen Einheitsamtes vom Neuen Testament her aus. Anerkennung eines Papstprimats würde aus Gründen der Angemessenheit erfolgen, insofern dieses Amt die von Christus für seine Kirche gewollte sichtbare Einheit am besten zum Ausdruck bringen, fördern und erhalten könnte.

Ein weiteres Argument für die Bejahung eines ökumenischen päpstlichen Petrusdienstes liegt im historischen Gewicht Roms als Institution kirchlicher Einigung. Die konkrete Form dieses Einheitsdienstes ist zur Zeit noch ziemlich konturlos. Es handelt sich um eine Rolle des Papstes als Repräsentant der Einheit, als Mittler, Initiator, Organisator, Sprecher und Richter innerhalb einer Eucharistiegemeinschaft wiederversöhnter Kirchen. Eine weitergehende Konkretion dieses päpstlichen Einheitsdienstes kann ohnehin erst erfolgen, wenn auf einem ökumenischen Konzil neuen Ausmaßes die Kirchen miteinander ins Gespräch kommen. Die protestantischen Beiträge für einen universalkirchlichen Dienst des Papstes haben bisher rein prospektiven Charakter für den Fall einer grundlegenden Erneuerung des Papstamtes unter dem Evangelium. Erneuerung des Papsttums gilt hier als Ausdruck der ecclesia semper reformanda unter dem Wort Gottes. Hierzu gehört vor allem, den Primat so zu korrigieren, daß er eindeutig als Pastoralprimat ausgewiesen ist. Protestantische Anerkennung kann nur einem Pastoralprimat gelten, für einen Dienst des Papstes als ersten Verkünder und Zeugen des Evangeliums.

Die Forderung, der Papst möge der erste Diener des Evangeliums sein, gehört mit zu den Hauptkriterien auch der katholischen Papstamtskritik und der Forderung nach Erneuerung. Auch katholischerseits wird die geistliche Legitimation des obersten kirchlichen Leitungsamtes gegenüber einer juridisch-bestimmten Amtspraxis als primär erachtet. Wenn das Modell Tenhumbergs einer kirchlichen Union bzw. korporativen Wiedervereinigung Konsens finden sollte, dürfte die Abgrenzung der Kompetenzbereiche zu den schwierigsten Aufgaben gehören, zumal dieses Modell den Verzicht auf jegliche Jurisdiktionsvollmacht im Einzelfall nicht vorsieht. Machtverzicht oder Selbstbeschränkung hinsichtlich der Ausübung primatialer Gewalt stellt innerhalb der katholischen Theologie heute ein vehement vorgetragenes Postulat dar. Ohne solchen Machtverzicht ist Erneuerung im Geist des Evangeliums nicht möglich. H. Küng hat gegenüber einem Machtdenken im Vollzug des Amtes immer wieder seinen Dienstcharakter herausgestellt. „Die volle biblische Kategorie des Dienstes sprengt bei weitem die juristischen Kategorien des Vatikanum I! Dieser Dienstprimat ist mehr als ein Ehrenprimat (primatus honoris), den in der Kirche des Dienstes niemand zu vergeben hat und der in seiner Passivität auch niemand helfen kann. Dieser Dienstprimat ist aber auch mehr als ein Jurisdiktionsprimat (primatus iurisdictionis), der, als reine Gewalt und Macht verstanden, ein gründliches Mißverständnis wäre und der, nach seinem Wortlaut verstanden, gerade das Entscheidende, den Dienst, wenn auch nicht verleugnet, so doch verschweigt. Petrusdienst wird biblisch richtig bezeichnet als Dienstprimat, als Pastoralprimat: primatus servitii, primatus ministerialis, primatus pastoralis!"[67]

Die Forderung nach Machtverzicht zielt auch auf den Verzicht von geschichtlich bedingten Strukturen und Kompetenzen und, recht verstanden, nicht auf eine Schwächung des Petrusamtes, da dieses sich nicht in einer juristischen Vormachtstellung erschöpft, sondern auf einen evangeliumsgemäßeren pastoralen Hirtendienst des Papstes an der Gesamtkirche. Nicht der schwache „Petrus" ist ein ökumenisch akzeptabler „Petrus"; aber ein „Petrus", der sich in der Ausübung seiner Jurisdiktionsvollmacht durch kluge Zurückhaltung auszeichnete, könnte ein evangeliumsgemäßerer „Petrus" sein, wenn er seinen Auftrag, der erste Zeuge und Verkünder des Evangeliums zu sein, als das Proprium evangeliumsgemäßer Primatsausübung erkennt und wahrnimmt.

Zukünftige prinzipielle Einigung in der Papstfrage, das ist deutlich geworden, ist nicht nur denkbar, sondern tatsächlich realisierbar.

---

[67] H. KÜNG, *Die Kirche,* a. a. O., S. 558.

Personenregister

Alberigo, G. 146, 148
Algermissen, K. 140
Allmen, J. J. v. 130, 131, 132
Althaus, H. L. 49
Althaus, P. 51, 69, 70, 71
Amat, T. 40
Ambrosius 36
Anrich, G. 31
Arnott, F. 119
Asendorf, U. 104
Asmussen, H. 62, 81
Athenagoras, I. 95
Aubert, R. 26, 33, 35
D'Avanzo, B. 41, 42
Aymans, W. 78, 79

Baier, K. A. 55
Balthasar, H. U. v. 93, 94
Baraúna, G. 74
Bardenhewer, O. 151
Barth, K. 51, 52, 53, 54, 55, 56, 57, 58, 59
Baumann, R. 61, 62, 64
Bäumer, R. 26, 75
Beinert, W. 143
Benz, E. 123
Berkhof, H. 137
Betti, U. 74
Bismarck, O. v. 46
Bizer, E. 26
Blank, J. 95, 110, 111, 113
Bläser, P. 118
Bonifaz VIII., 50, 85
Brandenburg, A. 26, 91, 107, 143, 154
Brown, R. E. 113
Brunner, P. 31, 32, 51, 61, 62, 63, 64, 65, 66, 67, 68
Bultmann, R. 63
Butler, C. 26

Cereti, G. 148
Congar, Y. 151
Cullmann, O. 50, 63, 82, 83, 84, 89, 90, 110, 134, 135

Danielsmeyer, W. 106, 155
Dejaifve, G. 31, 32
Denzinger, H. 34
Denzler, G. 26, 37, 92, 144, 145
Desprez, J. F. 43
Dietzfelbinger, H. 85
Dietzfelbinger, W. 86, 87, 88
Dolch, H. 75
Donfried, K. P. 113
Drey, J. S. 54
Dupanloup, F. 39, 43

Eirenaios (= Irenäus) 37
Empie, P. C. 96
Eulogios 151

Finkenzeller, J. 152
Fitzmeyer, J. A. 38
Freeman, J. 119
Frieling, R. 104, 105, 106, 118, 136
Fries, H. 26, 51, 75, 140, 141, 142, 153, 154, 158

Ganoczy, A. 38, 143, 145
Gassmann, G. 25, 27, 97, 107, 115
Gatz, E. 47
Grässer, E. 110
Gregor der Große 150, 151
Greshake, G. 37
Groot, J. C. 77
Grosche, R. 81

Hahn, F., 113
Hajjar, J., 78
Hampe, J. C. 79, 84, 93, 124, 140
Hase, K. A. v. 69
Hasenhüttl, G. 144
Heimann, A. 36
Hertling, L. 37, 143
Heßler, H. W. 105
Heyer, F. 91
Hill, C. 119, 123
Hirsch, E. 50
Höfer, J. 75